Авантюрный детектив

Татьяна
Полякова

4 любовника и подруга

ЭКСМО
МОСКВА
2009

УДК 82-3
ББК 84(2Рос-Рус)6-4
П 54

Оформление серии *С. Груздева*

Серия основана в 2002 году

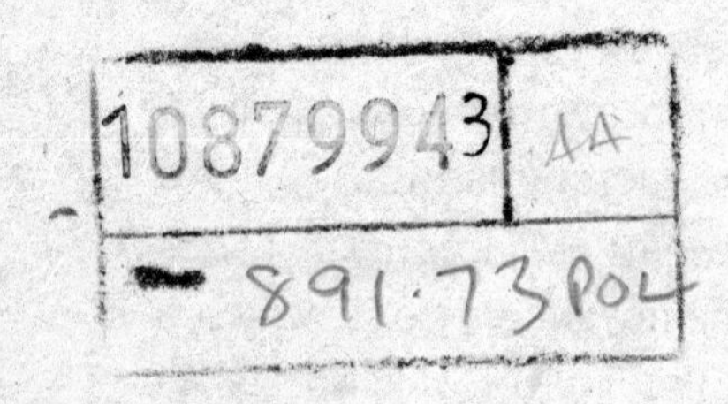

Полякова Т. В.

П 54 4 любовника и подруга : повесть / Татьяна Полякова. — М. : Эксмо, 2009. — 352 с. — (Авантюрный детектив).

ISBN 978-5-699-33506-0

«Здесь находится человек, задумавший убийство!» — загробным голосом произнесла предсказательница Эсмеральда. А через час мы с подружкой Сонькой наткнулись на ее труп. Вот так «весело» начался вечер, полностью изменивший мою жизнь. В тот же день я познакомилась с двумя потрясающими мужчинами. Правда, «потрясали» они по-разному. Один оказался мерзавцем. Во второго я влюбилась. А наутро обнаружила в багажнике машины труп неизвестного. Кто-то жестоко пытал этого человека. Меня же мучила мысль: как он попал в мой багажник? И что мне теперь делать?..

УДК 82-3
ББК 84(2Рос-Рус)6-4

ISBN 978-5-699-33506-0

Смелая, как нож,
А ноги в танго.
Где моя любовь
Второго ранга.

Слова из песни
«Ненавижу!»
Глюк'oza

— Сейчас ее выход, — сказала Сонька и взглянула на меня со значением, я пожала плечами и развернулась к сцене, устраиваясь с комфортом. Дело непростое: стулья в заведении были громоздкие и крайне неудобные: низкая спинка и огромные подлокотники, должно быть изобретенные с умыслом, чтобы посетители подолгу не засиживались.

Сказать откровенно, ресторан «Клеопатра» я терпеть не могла, хотя последнее время он пользуется в городе популярностью. Вот и сегодня, несмотря на более чем нескромные цены, которые я увидела в меню, почти все столики в зале были заняты, а на тех, что еще свободны, красовались бронзовые таблички с надписью «Стол заказан».

Меня раздражало здесь все: и цены, и названия блюд, претенциозные и попросту глупые, полумрак в зале, тяжелая мебель и стены с позолотой. А больше всего раздражала Сонька, которая меня сюда затащила.

С Сонькой мы дружим с детства, ее отличительные черты — любопытство и крайняя доверчивость. Все новое вызывает у нее бурный восторг, который ей непременно хочется с кем-нибудь разделить. В «Клеопатру» она попала месяц назад, и с тех пор дня не проходило, чтобы она не вспоминала о совершенно невероятных способностях девицы, которая выступала здесь с номером «чтение мыслей на расстоянии, предсказания и прочее». Сонька утверждала, что девица буквально творит чудеса, ввергая одних посетителей в легкий шок, а других в буйный восторг. Судя по количеству граждан, не одна Сонька впечатлилась талантами прорицательницы, половина присутствующих явилась сюда не за тем, чтобы поужинать, они жаждали зрелищ и теперь, как и я, устраивались поудобнее, развернувшись к сцене. Впрочем, большая часть присутствующих — представительницы прекрасного пола, а женщины, как известно, любопытны.

Я считала чтение мыслей ловким фокусом и идти сюда не спешила, но Соньке в конце концов удалось меня уговорить, и сейчас я заранее готовила пространную речь, чтобы по возможности вразумить дуреху, хотя и сомневалась, что мои слова на нее подействуют. Явились мы в ресторан вдвоем, и мужская компания за соседним столиком уже минут пятнадцать проявляла к нам повышенный интерес, один тип с плоской физиономией даже успел мне подмигнуть, продемонстрировав в улыбке золотые коронки, чем сразу же завоевал мою симпатию. В ответ я свела глаза у переносицы и высунула язык. Подействовало, но ненадолго. Нахмурившись поначалу, плосколицый через пять минут опять сверлил меня взглядом. Правда, сейчас он тоже развернулся к сцене, за что девице, выступавшей под звучным именем Эсмеральда, следовало сказать спасибо.

— Итак, дамы и господа, встречайте: прекрасная Эсмеральда.

Раздались аплодисменты, мужчина во фраке, только что произнесший эти слова, указал рукой на занавес из красного с золотом бархата, но прекрасная Эсмеральда не появилась.

Поскучав немного с протянутой рукой, тип во фраке застенчиво улыбнулся и мелкими шажками направился за кулисы, откуда снова возник через полминуты.

— Прошу прощения, господа, Эсмеральда еще не готова предстать перед вами. Сегодня не совсем удачное расположение звезд... но, несмотря на это, мы увидим ее выступление буквально через пятнадцать минут. А пока наши прелестные девушки не дадут вам скучать.

Грянула музыка, и на сцену выскочили девчонки в минимуме одежды, который с лихвой компенсировали длинные заячьи уши, падавшие девицам на плечи. На трусиках с блестками красовались хвосты из белого меха, хотя уши были розовые.

Девицы взвизгнули и поскакали по сцене, время от времени взбрыкивая, мужчины взирали на это благосклонно, женщины — с недоумением.

— Ужас какой-то, — пробормотала Сонька, косясь на меня.

— Брось, девчонки стараются. Для такого заведения этот номер в самый раз.

— В «Карусели» кордебалет классный, а здесь полное дерьмо, — поерзав, сказала Сонька, словно извиняясь. Она обещала мне незабываемый вечер и теперь чувствовала себя виноватой.

— А мне нравится, — сказала я, желая ее подбодрить.

— Правда?

— Ага.

Сонька улыбнулась и перевела взгляд на сцену.

— Привет! — гаркнули у меня над ухом, я повернулась и увидела парня лет двадцати семи. Среднего роста, очень худой, он напоминал фигурой подростка, у него были русые волосы до плеч и аккуратная бородка. «Художник», — бог знает почему решила я, впоследствии оказалось, что так оно и есть, в общем, провидческий дар был не только у Эсмеральды.

Сонька тоже повернулась и, увидев парня, потянулась к нему с поцелуем, вполне невинным, кстати, из чего я заключила: он, скорее всего, просто ее приятель. Вот тут провидческий дар меня подвел: оказалось, не просто.

— Юрик, — мяукнула Софья. — Вот так сюрприз. Ты ж дорогие кабаки терпеть не можешь.

— Принципы приходится пересматривать, — пожал он плечами.

Сонька повернулась ко мне:

— Это мой брат, двоюродный, зовут Юрой. Он практически гений и борец за социальную справедливость. Но до его картин публика еще не доросла, оттого трудится он в рекламной фирме, вывески там малюет.

— Спасибо, сестренка, — раздвинув рот до ушей, сказал Юра, поглядывая на меня с любопытством.

— А это Аня, моя подруга, я тебе про нее рассказывала.

— Ага, — хмыкнул он.

— Так что ты здесь забыл, друг мирового пролетариата? — с усмешкой спросила Сонька.

— Заглянул посмотреть, как буржуи деньги просаживают, — хмыкнул он.

— Тогда садись с нами.

— Я на пять минут. На самом деле здесь моя любимая девушка работает.

— Зайцем скачет?

— Не-а. Мысли читает.

— Эсмеральда? — Сонька вытаращила глаза.

— Эсмеральда, — фыркнул Юрик. — Вообще-то ее Иркой зовут. Кстати, мысли она и вправду читает, мои-то уж точно.

— Познакомишь нас? — заволновалась подруга.

— Только не сегодня. Меня ребята в машине ждут. Заскочил занять у подружки деньжат. Ты, кстати, деньгами не богата?

— С ума я сошла, что ли, тебе в долг давать? — хмыкнула Сонька. — Я хрупкая девушка, сама зарабатываю себе на жизнь.

— Ты зануда, — засмеялся Юрик, кивнул нам на прощание и направился к коридору, который вел за кулисы.

— Лоботряс, — пожала плечами Сонька.

— Я и не знала, что у тебя есть двоюродный брат, — заметила я.

— Его отец — брат моего папаши, предки Юркины развелись, так что мы встречались не очень часто, хотя последнее время почти дружим. Он вообще-то неплохой парень, правда, картины у него скверные, ни фига не поймешь. Я приставать стала, что там к чему, а он отвечает: «Это мои впечатления».

По-моему, он сам толком не знает, что пишет. Нет бы пейзажи рисовать, речка там, лес... тут хоть видно: хорошо нарисовано или плохо. А Юрка намалюет кругов да квадратов, вот и думай, дурака он валяет или правда гений. Чувствуешь себя идиоткой, ей-богу. Ты куда? — встрепенулась Сонька, заметив, что я поднимаюсь.

— В туалет, — ответила я и направилась в тот самый коридор, где недавно скрылся Юра.

Двигалась я не торопясь, жалея, что поддалась на уговоры подруги и пришла сюда. Отец обещал вернуться с работы пораньше, могли бы сейчас пить чай на веранде и любоваться звездами, это куда приятнее, чем сидеть здесь с неясной целью. Я поравнялась с чуть приоткрытой дверью без таблички и услышала женский голос:

— На твоем месте я бы не стала терять времени.

— Чего ты хочешь? — грубо осведомился мужчина.

Говоривших я не видела, зато слышала довольно хорошо.

— Того же, что и ты, дорогой. Решить проблему раз и навсегда.

Тут скрипнула соседняя дверь, и в коридоре появился мужчина, голоса рядом мгновенно стихли, а я прибавила шаг, заметив на лице незнакомца, шедшего мне навстречу, ту самую ухмылку, за которой, как правило, следует предложение познакомиться. В общем, я юркнула в дамскую комнату и в ожидании, когда освободится единственная кабинка, принялась разглядывать себя в зеркале. Из кабинки появилась девушка, окинула меня неприязненным взглядом и стала мыть руки, а я попыталась отгадать, чем ей не угодила. Выходя из туалета, я едва не столкнулась с высокой женщиной в вечернем платье. Ее длинные темные волосы были собраны в замысловатую прическу, женщина оказалась очень красивой, но красота ее настораживала. Женщины с таким взглядом на счет «один» разбивают мужские сердца, на счет «два» — превращают сильный пол в домашних собачек с тапками в зубах, а на счет «три» — выбрасывают их из своей жизни пинком под зад. В общем, выглядела она заправской стервой неопределенного возраста и с шальными деньгами. Я чуть притормозила, пропуская ее, дама взглянула на меня без интереса и вдруг нахмурилась, а я вздохнула: сегодня не мой день. Отведя взгляд, я поспешила дальше, но обернулась и убедилась, что женщина все еще стоит в дверях, наблюдая за мной. Она криво усмехнулась и наконец-то исчезла за дверью, а я вернулась в зал, где Сонька лениво жевала, с тоской поглядывая на сцену. Длинноухих зайцев сменили девушки в мужских рубашках, перетянутых широким ремнем, и в шляпах. Танцевали они, кстати, очень неплохо и были приняты публикой на «ура». Я как раз устраивалась на своем стуле, когда в зале появились новые посетители. Впереди шла девушка с ярко-рыжими волосами, мужчина, шедший чуть сзади нее, повернулся, и я досадливо чертыхнулась. Видеть его здесь, впрочем, как и в любом другом месте, в мои планы не входило. Видимо, прочитать мои мысли Соньке труда не составило. Проследив мой взгляд, она шепнула:

— Илья с новой подружкой. Говорят, он их меняет чаще, чем носки. Слушай, вы так и не помирились? — перегнувшись ко мне, спросила Сонька, хотя могла бы сообразить, что данная тема у меня отклика не найдет.

— Мы с ним не ругались, — отрезала я.

— Чего ты тогда на него взъелась?

— Есть причина.

— Глупость это, а не причина.

— Ты не могла бы заткнуться? — вежливо осведомилась я. Сонька вновь перешла на шепот:

— Ой, он сюда идет.

Так и есть, Илья неторопливо приближался к нам, устроив свою девушку за столиком неподалеку. Я помнила его веселым, озорным мальчишкой, с которым запросто пошла бы в разведку, настолько была уверена в его дружбе, правда, несколько лет назад свои взгляды мне пришлось пересмотреть. В юности он слыл шпаной, хотя особых грехов за ним не водилось, так, всякие глупости: то подерется с кем-нибудь за правое дело, то на спор пройдется по карнизу, к возмущению старушек и недовольству участкового. Когда-то меня его бесшабашность восхищала, а упрямство, с которым он отстаивал собственное мнение, вызывало уважение. Теперь ни от того, ни от другого следа не осталось.

— Добрый вечер, — произнес он со слегка заискивающей интонацией, косясь на меня. Я отвернулась, а Сонька запела:

— Привет, Илья. Решил отдохнуть?

— Да. Говорят, здесь какая-то ясновидящая... — Он вновь перевел взгляд на меня. — Любопытно посмотреть...

— Нам тоже, — кивнула Сонька. — Но сегодня

звезды не на месте, и ее выход задерживается. Мы уже ждать замучились.

Илья кивнул и вдруг спросил:

— Как твои дела, Аня?

— Катись, — не поворачивая головы, ответила я. Сонька замерла, жалобно глядя на Илью, тот опустил голову, вроде бы размышляя.

— Аня, я... — начал он со вздохом, а я повторила:

— Катись.

Он развернулся и отправился восвояси.

— Ты чего, с ума сошла? — заныла Сонька. — Человек подошел поздороваться. В конце концов... слушай, ты мне скажешь, что у вас произошло?

— Нет.

— Почему? — растерялась она.

— Потому что тебя это не касается.

— Ну и характер, — покачала она головой. — Как только я тебя терплю. Илья хороший парень, ты сама не раз говорила...

— Заткнись.

— Свинья, — обиделась Сонька, но тут на сцене появился тип во фраке и вторично объявил:

— А сейчас, дамы и господа, великолепная Эсмеральда.

Ожидая подвоха, публика не торопилась аплодировать. Занавес раздвинулся, и на сцену вышла женщина в золотой тунике. Иссиня-черные волосы падали на плечи, на голове был обруч в виде двух переплетенных змей, в руках что-то вроде скипетра со стеклянным набалдашником. Женщине было лет тридцать, хотя она могла быть и моложе, возраста ей прибавлял грим. Подведенные черным глаза, маленький рот с яркой помадой. Слой пудры не мог скрыть бледности лица. Девушка казалась хрупкой и даже болезненной и совсем не соответствовала моим представлениям о ясновидящей. Я-то ожидала увидеть уверенную в себе особу, вроде той, с которой столкнулась возле туалета. Признаться, при взгляде на ту роковую красотку у меня мелькнула мысль, что она, возможно, и есть Эсмеральда. А та, что сейчас стояла на сцене, выглядела беззащитной девочкой, которую зачем-то нарядили в яркие тряпки. Тут она заговорила, и в зале стало тихо. Меня поразил ее голос, низкий, грудной, он совсем не подходил ей, казалось, женщина на сцене послушно открывает рот, а говорит за нее кто-то другой. Это выглядело странно и почему-то беспокоило.

Говорила она о неблагоприятном расположении звезд и прочую чушь в том же духе, все это отдавало дешевым фарсом. Я не особенно вслушивалась, сидела и хмурилась, пока Эсмеральда не задала вопрос: есть ли в зале добровольцы? Сонька, конечно, тут же подняла руку, но ее опередила девушка за соседним столиком. Эсмеральда посмотрела на нее, кивнула и заговорила:

— Вы рассчитываете сегодня услышать признание от молодого человека, который сидит справа от вас.

Заинтересованная публика вытянула шеи, девушка покраснела, молодой человек справа от нее смутился и отвел взгляд, а две девушки и парень, что сидели с ними за одним столом, захихикали. Тут пришла Сонькина очередь. Взглянув на нее, Эсмеральда произнесла:

— Вы рассчитываете, что ваша подруга наконец согласится с тем, что она видит вовсе не дешевый фокус.

Эсмеральда повторила то, о чем я за мгновение до того подумала, это вызвало у меня странное чувство. Сонька посмотрела на меня с таким видом, словно выиграла спор, а Эсмеральда между тем продолжала:

— Ваша подруга теряется в догадках, как оценить происходящее. Она не хочет верить и сомневается.

И тут поднял руку Илья, что меня, признаться, удивило. Эсмеральда перевела на него взгляд и едва заметно вздохнула:

— Вы думаете о женщине, которая сидит здесь, в зале. Сожалеете о своем поступке и хотите получить прощение, загладить свою вину. Вы любите эту женщину и боитесь, что она никогда вас не простит.

Я с усмешкой взглянула на друга детства и убедилась, что слова Эсмеральды он воспринял абсолютно спокойно, как будто именно их и ждал. Кивнул, словно соглашаясь, по залу прошел легкий шепоток, публика была возбуждена, а я стиснула зубы, теперь абсолютно уверенная, что это дешевый фокус.

— Ты говорила ему, что мы сюда придем? — хмуро спросила я Соньку.

— Кому?

— Илье, естественно.

— Да я его сто лет не видела. Постой, ты что, хочешь сказать... — договорить Сонька не успела, Эсмеральда вдруг сделала шаг назад, прикрыв глаза ладонью, казалось, она вот-вот рухнет в обморок, и я подумала, что девушка, должно быть, действительно нездорова и ее бледность следствие плохого самочувствия. На ногах она устояла и произнесла:

— Здесь находится человек, задумавший убийство. Я слышу его мысли.

Она сделала еще шаг, пошатнулась и непременно бы упала, не успей тип во фраке подхватить ее. Он увел прорицательницу со сцены под ледяное молчание зала. Народ переглядывался в недоумении, потом на лицах появились ухмылки и послышалось робкое хихиканье. Тут грянула музыка, и на сцену высыпали полуголые девицы.

— Ничего себе, — залепетала Сонька, наклоняясь ко мне. — Ты слышала?

— Разумеется, слышала, ведь говорила она довольно громко.

— И что ты думаешь?

— Эффектно, ничего не скажешь. Она прочитала мысли потенциального убийцы и удалилась. А нам теперь гадай, кто из присутствующих задумал злодейство.

— По-твоему, это неправда?

— По-моему, девушке стоило бы в милиции работать, раскрываемость повышать.

— Я серьезно, — обиделась Сонька.

— Я тоже.

— Но ведь она сказала правду...

— Какую правду? Девчонка за соседним столом весь вечер держит своего парня за руку, отгадать ее мысли проще простого. У тебя физиономия восторженной дуры, а моя хмурая, и взгляд недоверчивый. Так что с нами тоже проблем не возникло.

— А Илья?

— Что Илья?

— Ты же слышала, она прочитала его мысли.

— Я не знаю мыслей Ильи, но если ты думаешь...

— Я думаю, а ты нет? — усмехнулась Сонька. — Да ты сама в этом уверена. Но из-за своего упрямства не хочешь признать, что она их вправду прочитала. Вместо этого ты решила, что они с Ильей договорились.

— Возможно, — не стала я спорить. — Хотя Илья, по моему мнению, не такой дурак, чтобы устраивать балаган. А его любовь ко мне не выдерживает критики. Мы и раньше были просто друзьями, и сейчас влюбляться ему в меня и вовсе глупо. Но я скорее поверю, что он спятил и разыграл спектакль, чем соглашусь...

— Вот-вот, — фыркнула Сонька. — Если ты что-то вбила себе в голову, тебя не переубедить.

— Хорошо, девица читает мысли, Илья не устраивал спектакль, а все, что сказала Эсмеральда, относится вовсе не ко мне, а к его спутнице. Довольна?

— Иди ты к черту, — обиделась Сонька.

На сцене девицы из кордебалета сменяли друг друга, я начала откровенно скучать. Сонька лезла с разговорами, но я их игнорировала. Присутствие в зале Ильи действовало мне на нервы. Я пересела так, чтобы не видеть его физиономии, но легче от этого не стало. Я чувствовала его взгляд и, поворачиваясь время от времени, видела, как он поспешно его отводит. Эта игра в прятки выглядела по-дурацки, я выдержала еще минут сорок, после чего сказала Соньке:

— Ты как хочешь, а я отправляюсь домой.

— О господи, — закатила она глаза. — В кои-то веки выбрались в ресторан...

— Оставайся, если хочешь.

— Одна? Спасибо большое. Ладно, идем. Но тогда платишь ты.

Я засмеялась, кивнула официанту, который поспешно приблизился, расплатилась, и мы направились к выходу. Сонька продолжала ворчать, косясь на меня.

— Если тебе здесь не нравится, поехали в ночной клуб, — внесла она предложение. — Время детское, и мне совершенно нечего дома делать. Тебе, кстати, тоже.

— Меня отец ждет.

Сонька фыркнула и отвернулась. К этому моменту мы оказались на стоянке, той, что сбоку от ресторана. Напротив был жилой дом, трехэтажный, с единственным подъездом, дальше начинался небольшой сквер, который сейчас тонул в темноте. Стоянка была неохраняемая, и моя машина находилась почти в самом ее конце, ближе к скверу.

— Давай хоть прогуляемся, что ли, — ворчливо сказала Сонька.

— В сквере будем прогуливаться? — съязвила я.

— В сквере, пожалуй, не стоит. Прошвырнемся до универмага и обратно, подышим свежим воздухом.

Я вздохнула, придется прогуливаться, раз уж я умудрилась испортить Соньке вечер.

— Ладно, пошли, — кивнула я, мы повернули назад с намерением обогнуть здание ресторана и выйти на освещенную улицу, но тут открылась дверь служебного входа, и появились двое охранников, видно, решили покурить. Проводили нас взглядами, о чем-то негромко разговаривая.

— Это Иркина машина? — донеслись до меня слова одного из них.

— Ну...

— Она же вроде минут десять как вышла.

— И что?

— Чудно, — пожал плечами парень. — В тачке ее нет. Куда она делась?

— Может, прогуляться решила? Она жаловалась, что плохо себя чувствует.

— Подожди, я все-таки взгляну.

Парень направился по узкому тротуару в нашу сторону, до угла дома оставалось совсем ничего. Я забыла об охранниках сразу, как только они замолчали, но Сонька остановилась и схватила меня за руку.

— В самом деле странно.

— О чем ты? — удивилась я.

Сонька не ответила, замерла на месте, вытянув шею, и наблюдала за охранником. Тот как раз достиг второго ряда машин, оказался по соседству с серебристой «Хондой» и тоненько взвизгнул. Звук этот мало соответствовал его габаритам, я нахмурилась, пытаясь понять, что происходит, а Сонька вытянула шею еще больше.

— Черт, — выругался парень, наклоняясь и что-то рассматривая у себя под ногами. — Вот черт... Вовка, вызывай «Скорую».

— Чего? — переспросил тот.

— «Скорую» вызывай! — рявкнул охранник. — И ментов. Ну, надо же...

Сонька между тем, все еще держа меня за руку, бросилась к парню, и мне пришлось последовать за ней. Мы протиснулись между двух машин и оказались рядом с серебристой «Хондой». Привалившись спиной к ее крылу, на асфальте сидела женщина в белом костюме, светлые волосы разметались по плечам. На лбу ссадина от удара, левая щека в крови. Глаза закрыты, женщина, судя по всему, была без сознания. В первое мгновение без парика и грима Эсмеральду я не узнала.

— Что с ней? — пробормотала Сонька, охранник повернулся к нам, посмотрел хмуро. — Она что, упала? — не унималась подруга.

Второй охранник между тем скрылся в здании, но через пару минут вновь выскочил на улицу.

— Они спрашивают, что случилось.

— Откуда мне знать? — крикнул ему тот, что был рядом с нами. — Что случилось... труп у нас, вот что.

— Труп? — ахнула Сонька. — Ее что, убили?

— Топайте отсюда, — отмахнулся парень. Вытер потный лоб и, словно жалуясь кому-то, пробормотал: — Ну, надо же...

— Это Эсмеральда? — все-таки спросила я.

— Она самая, — кивнул он.

Милиция приехала минут через пятнадцать. Все это время мы с Сонькой находились возле служебного входа, не зная, можно ли нам уехать или необходимо дождаться милиции. Эсмеральду обнаружил охранник, но, может, и с нами захотят поговорить.

К моменту появления милиции из ресторана вышли еще двое мужчин, судя по костюмам и карточкам на груди, кто-то из менеджеров, оба нервно переговаривались, предпочитая держаться подальше от трупа. Один то и дело повторял:

— Кошмар...

Второй был более деятельным.

— Лишь бы никто из клиентов сейчас не появился, — сказал он и посмотрел на нас с большим неудовольствием. — Когда, черт возьми, здесь будет освещение?

— Так ведь... — начал его спутник, тоже покосился на нас и замолчал.

— Вы можете ехать, — вдруг обратился к нам первый. — Вы ведь ничего не видели?

— Не видели, — замотала Сонька головой. — Но, наверное, лучше дождаться милиции?

Мужчина пожал плечами. Тут на стоянку въехала милицейская машина, из нее вышли трое и направились к охраннику, тому самому, что обнаружил труп и до сих пор стоял возле серебристой «Хонды». Говорили они громко, и кое-что из их разговоров мы услышали.

— Видеонаблюдение есть? — спросил один из прибывших.

— У центрального входа, там тоже стоянка, но всего на шесть машин. Камера стоит и возле служебного входа, но стоянку она не захватывает.

— Чудненько. И охраны нет?

— Нет.

— Могли бы хоть фонарь повесить.

— Возле дома два фонаря, обычно света хватало, но сегодня один фонарь почему-то не горит.

— Девушка из ваших клиенток?

— Она у нас работает.

Мужчина в костюме с карточкой на груди вышел вперед и торопливо заговорил:

— Ее зовут Ирина Емельянова, ее номер пользовался большим успехом у публики. Обычно у нее два выхода, заканчивает работу она около одиннадцати часов, но сегодня Ирина чувствовала себя неважно, выступила один раз и ушла раньше.

— Во сколько?

— Примерно в 20.15.

Милиционер взглянул на часы. Я тоже посмотрела. Без пяти минут девять. Если Ирина покинула ресторан в 20.15, а обнаружили ее тело минут двадцать назад, значит, находилась она здесь всего несколько минут до того, как охранник увидел труп.

— Охрана была в здании?

— Да, конечно.

— Выходит, никто ничего не видел?

— Мы вышли покурить, — торопливо заговорил охранник, косясь на типа в костюме. — Обратили внимание на машину. Я видел, как Ирина уходила, вот и подумал, чего она до сих пор не уехала? Решил взглянуть, а она... Две девушки появились здесь раньше нас, — он кивнул в нашу сторону. — Может, они кого-нибудь заметили?

Один из приехавших направился в нашу сторону, между тем разговор продолжался:

— Сумка при ней была?

— Да, была. Маленькая такая...

— Осмотрите тут все как следует, может, сумку найдете. Ключей от машины тоже нет.

— Думаете, это ограбление? — подал голос тип в костюме.

— Похоже на то. Какой-нибудь наркоман поджидал здесь подходящую жертву, и подвернулась ваша девчонка. Оказала сопротивление и получила по голове. Если бы она закричала, охрана бы ее услышала?

— Думаю, да... смотря как кричать.

— Обычно кричат громко.

— Моя фамилия Силантьев, — представился молодой мужчина, подошедший к нам. — Охранник сказал, что вы раньше, чем они, здесь появились.

— Да, — кивнула Сонька, я тоже кивнула, но в разговор вступать не спешила, потому что сообщить мне было нечего, и приглядывалась к тому, что происходит рядом с серебристой «Хондой». — Мы вышли из ресторана, — с воодушевлением затараторила Сонька. — У нас машина стоит вон там, — ткнула она пальцем в сторону сквера. — Потом решили немного прогуляться и вернулись. Тут охранники вышли.

— Никого на стоянке не заметили?

— Нет. Да мы и были здесь всего пару минут...

— Ясно. — Мужчина потерял к нам интерес, а Сонька выпалила:

— Я уверена, ее убили.

Следователь взглянул с недоумением. Мне его недоумение было понятно, разумеется, убили, раз труп лежит возле машины, но, оказалось, Сонька имеет в виду нечто совсем другое.

— Мы видели ее выступление в ресторане, — продолжала подруга, глаза ее сверкали, а голос взволнованно дрожал. — Эсмеральда, я хочу сказать... то есть Ирина, конечно. Эсмеральда — ее сценический псевдоним. Так вот. Она читала мысли... в общем, она сказала, что в зале находится убийца, то есть не совсем так. Она сказала, кто-то в зале задумал убийство, и она прочитала его мысли.

Очень довольная собой, Сонька замолчала, следователь смотрел на нее, ожидая продолжения, а я вздохнула, сообразив, что именно подруга пытается ему втолковать.

— И что? — не дождавшись продолжения, спросил он.

— Как что? Разве непонятно? Она прочитала мысли этого человека, вот он ее и убил.

— Она правда мысли читает? — неизвестно к кому обращаясь, спросил дознаватель.

— Конечно.

— Я-то думал, это что-то вроде фокуса.

— Ничего подобного, — возмутилась Сонька. — Она прочитала его мысли, и он ее убил. Понимаете?

— Не очень, — честно сказал парень, я опять вздохнула и легонько пнула Соньку, чтоб она не увлекалась, не то нас в сумасшедший дом отправят.

— Ну, чего же тут не понять? — всплеснула подружка руками, досадуя на чужую бестолковость. — Он задумал преступление, потому и поспешил от Эсмеральды избавиться. Она же все знала.

— Ах, вот как.

— Надо срочно переписать всех, кто был в ресторане, потом выяснить, кто в момент преступления выходил из зала. И все. Убийца у нас в кармане.

— Подождите, когда она говорила о предполагаемом убийстве, обращалась к кому-то конкретно?

— В том-то и дело, что нет. Сказала только, что человек этот находится в зале.

Между тем возле серебристой «Хонды» появились новые действующие лица. Прибыли они на белых «Жигулях» без надписи на борту. Двое что-то разглядывали на земле, третий без конца щелкал фотоаппаратом со вспышкой. Еще один мужчина из тех, что приехали раньше, подошел к нам. Он выглядел старше, хмурился и смотрел вокруг с недоумением.

— Ну, что? — спросил он Силантьева, тот пожал плечами и кивнул на нас.

— Послушай, что говорят девчонки.

Старалась в основном Сонька, а я все больше помалкивала и сейчас решила рта не открывать. Я бы предпочла, чтобы и подружка не особо увлекалась, но это вряд ли возможно. Энтузиазм переполнял ее, и появление еще одного слушателя так воодушевило, что она рассказала о сеансе чтения мыслей с новыми, весьма красочными подробностями, помогая себе мимикой и жестами, и, должно быть, горько сетовала, что сольный номер пришлось в конце концов закончить. Ответного энтузиазма ее рассказ не вызвал, более того, подошедшим дядькой он был воспринят весьма прохладно.

— Что скажешь? — на всякий случай спросил у него Силантьев.

— Да чушь все это, — поморщился мужчина. — Сумку не нашли, думаю, убийцу интересовала как раз она. Эти чертовы наркоманы уже достали.

— А с ними что делать? — кивнул на Соньку парень. — В протокол их показания заносить?

— Ну, занеси.

Мужчина задал несколько вопросов, которые ранее нам успел задать Силантьев: когда именно мы вышли из ресторана, не заметили ли кого на стоянке. Сообразив, что на бурные аплодисменты рассчитывать не приходится, Сонька погрустнела и потеряла интерес к беседе, так что отвечать на вопросы пришлось мне. Силантьев вместе с нами вошел в здание ресторана через служебный вход и устроился за столом в комнате охраны. Там уже были двое его товарищей, просматривали видеозапись. Протокол составили быстро, Сонька его подписала, потом пришла моя очередь.

— Фамилию, имя, отчество назовите, пожалуйста.

— Ильина Анна Борисовна, — сказала я, парень поднял голову от листа бумаги, посмотрел на меня и спросил:

— Ильин Борис Викторович, ваш...

— Отец, — закончила я. Парень вроде бы собрался еще что-то сказать, но передумал.

Через десять минут мы с Сонькой побрели к моей машине.

— У меня просто в голове не укладывается, — заныла подруга, как только мы покинули здание.

— Что не укладывается?

— Я же им ясно объяснила, что делать. Послушали бы меня и нашли убийцу в три счета.

— Скажи, Софья Сергеевна, ты всерьез веришь, что Ирина сумела прочитать чьи-то мысли?

— А то... ты, конечно, не веришь, — хмыкнула она. — Тогда скажи, с какой стати девушку убили?

— Ты же слышала, грабителю нужна была ее сумка.

— Я тебя умоляю... говори что хочешь, но моя версия значительно интереснее. И вообще, кабак этот — сборище подозрительных типов.

— Кто тебе не приглянулся?

— Один дядечка. По-моему, он от кого-то прятался.

— Да ну, — хмыкнула я, хорошо зная, что Сонька способна из чего угодно сделать историю.

— Говорю тебе, так и есть. Он вышел из бокового коридора, ну, того, где туалеты... отвернулся и даже поднял руку, вроде волосы поправлял, а на самом деле лицо прикрыл и быстро прошмыгнул к выходу. Между прочим, служебному.

— Почему ты не сказала об этом Силантьеву? — остановившись, нахмурилась я.

— Как не сказала? Сказала. Ты просто меня не слушала. Так вот. Перед этим в том же коридоре появилась баба с темными волосами и в платье с блестками. Спрашивается, откуда она взялась?

— В каком смысле? — не поняла я.

— В зале ее ни до, ни после не было. Так откуда она взялась?

Я как раз открывала дверь машины, Сонькины слова заставили меня задуматься.

— У женщины высокая прическа, возраст неопределенный, очень красивая, — уточнила я, вспомнив даму, встреченную возле туалета.

— Точно. Если только змею можно назвать красивой, а та была чистая змея.

Мы сели в машину.

— Я ее видела, — задумчиво произнесла я. — В самом деле, откуда она взялась и куда делась?

Тут я вспомнила о подслушанном разговоре. Теперь он казался мне подозрительным. Хотя... теперь все кажется подозрительным. Вроде бы женщина говорила о некоем человеке, который способен создать проблемы мужчине, с которым она разговаривала, и советовала поскорее эти проблемы решить. Вроде бы так, но дословно вспомнить не получается. Может, следовало рассказать Силантьеву об этом разговоре? Я ведь даже не видела говоривших... хотя сейчас уверена, что женщина была та самая брюнетка, встреченная мною. А мужчина, возможно, тот, кого заметила Сонька. Хотя тут наверняка не скажешь. Может, вернуться и поговорить с Силантьевым? Он сказал, что нас вызовут, если в этом будет необходимость...

— Куда ты едешь? — вдруг спросила Сонька.

— К себе домой.

— Вот еще. Нам надо все обсудить и вообще...

— Я спать хочу.

— Да что за наказание! Как хочешь, а я домой не поеду. Давай тогда к тебе.

От этой перспективы я в восторг не пришла, но с подругой не поспоришь, я свернула на светофоре, решив ехать к дому короткой дорогой: переулками старого города. Не успели мы углубиться в ближайший из них, как Сонька завопила:

— Тормози!

С перепугу я нажала на тормоз и тут в свете фар увидела припаркованный «Мерседес». Из-за него на проезжую часть шагнул мужчина и махнул рукой, призывая нас остановиться.

— Ты чего? — рявкнула я, поворачиваясь к Соньке.

— Смотри, какой красавчик, — она виновато пожала плечами. Мужчина между тем уже распахнул заднюю дверцу, устроился на сиденье и весело сказал:

— Мне вас бог послал, леди.

— Куда вам? — буркнула я, злясь на себя, а еще больше на Соньку.

— Поближе к цивилизации. Хотя с вами я готов хоть на край света.

Я не спеша тронулась с места, Сонька развернулась к парню и спросила:

— У вас что, машина сломалась?

— Да. Не повезло.

Представить такого парня прогуливающимся по улице весьма трудно, выходит, у него действительно машина сломалась. Правда, дорогие тачки обычно не ломаются, но чего в жизни не бывает.

— Я гость в вашем городе, — произнес парень и выдал шикарную улыбку. — Не скажете, где можно поужинать? Какое-нибудь тихое местечко, где мы могли бы познакомиться поближе.

Ему, должно быть, и в голову не приходило, что представительница женского пола способна отказаться от его предложения. Если честно, он имел на то все основания. Выглядел парень роскошно. Дорогой костюм сидел на нем великолепно, белая рубашка с расстегнутым воротом, на шее кулон на черном шнурке, кулон был странный, что-то вроде индейской маски с какими-то насечками наподобие иероглифов. Сделан он был из серебра и явно стоил больших денег, но дело даже не в этом: выглядел он чересчур интригующе. Как и сам парень. Высокий, смуглый, тонкий нос с горбинкой, очень красивый рисунок губ, а вот глаза были скрыты темными очками. Довольно странная фантазия, учитывая время суток. Темные длинные волосы зачесаны назад и завиваются кольцами на концах. Разглядывая его физиономию в зеркале, я вдруг решила, что пускать его в свою машину не стоило. Черт знает, почему мне это пришло в голову. Он продолжал скалиться и мило болтать с Сонькой. Та уже размазывалась по сиденью и готова была отправиться с ним хоть в ресторан, хоть к черту на кулички. Последнее представлялось более вероятным, то есть к тому моменту я уже была убеждена: незнакомец просто кладезь неприятностей. Но тут во мне заговорила совесть. Он просто чересчур красив, подобные типы всегда вызывали у меня беспокойство, потому что когда-то где-то я прочитала и поверила: красавцы не способны любить никого, кроме себя, женщины для них ничего не значат, и прочее в том же духе. Соньку эти соображения точно не волновали. Глаза сияют, и трещит без умолку.

— Я знаю отличный ресторан, — повернувшись

к парню, заявила она и легонько ткнула меня в бок. — Сворачивай, поедем в «Пеликан».

— Это очень дорогой ресторан, — из вредности сообщила я.

— Мой бюджет выдержит, — отозвался парень и посмотрел в зеркало, взгляды наши встретились, впрочем, тут наверняка не скажешь, раз его глаза скрыты очками. Но я на всякий случай отвела взгляд.

На вид парню было лет двадцать восемь, хотя я решила, что на самом деле он старше, причину опять-таки объяснить не могла и разозлилась: он слишком меня занимал. Однако, несмотря на это самое раздражение, я направила машину в сторону «Пеликана», успокоив себя тем, что стараюсь для подруги.

На стоянке перед рестораном нашлось свободное место, мы выбрались из машины и вскоре уже входили в небольшой зал. Здесь царил полумрак, по углам шептались парочки. Мы устроились в центре зала, официант подскочил к нам и зажег свечи на столике. Очки наш новый знакомый так и не снял, видел ли он в них что-нибудь — судить не берусь, но когда официант протянул ему меню, он в него даже не заглянул, предпочел выяснять у парня, чем нас могут порадовать в этом заведении. Официант наметанным взглядом окинул наше трио и стал угодлив до приторности. Сонька таращилась на нежданно свалившегося на нашу голову красавца и готова была проглотить что угодно. Я ограничилась кофе, напомнив ей, что мы недавно ужинали.

— В хорошей компании еще раз поесть не грех, — деловито ответила Сонька, тип напротив улыбнулся.

Когда официант отошел, он заговорил:

— Нам не пора познакомиться?

— Софья, — опустив глазки, пропела подруга. — А это Аня.

— Михаил, — кивнул парень, взял Сонькину руку и поцеловал ее. Признаться, его имя меня озадачило. Я почему-то ожидала услышать что-то экзотическое. Цвет волос, как и цвет кожи, может быть приобретенным. И ни малейшего намека на акцент, но я бы не удивилась, окажись новый знакомый иностранцем. Вот только затрудняюсь определить, из каких краев. Ладно, Михаил, значит, Михаил.

— Вы по делам в наш город? — Сонька решила разведать обстановку.

— Я бездельник, — порадовал нас парень. — Заглянул сюда по дороге, посмотреть на местные достопримечательности.

— И как они вам? — съязвила я, злясь на себя за это. В конце концов, могла высадить его у ближайшей стоянки такси, а не тащиться с ним в ресторан... Я почувствовала угрызения совести и улыбнулась, но благодушное состояние длилось недолго. Парень действовал на меня как на быка красная тряпка.

— Полчаса назад город мне совсем не нравился, но теперь я уверен: ничего прекраснее мне раньше видеть не приходилось.

— Это вы на наше общество намекаете? — вновь не удержалась я.

— Конечно. Я изнывал от скуки, вдобавок к этому машина сломалась, и вдруг такое счастье.

— У нас тоже вечер не задался, — сказала Сонька и принялась рассказывать об убийстве. Михаил слушал и время от времени бормотал:

— Да что вы говорите?

Когда Сонька заткнулась, он протянул:

— Вот так история. А с виду тихий городок.

То, что мой родной город, в котором насчитывалось больше полумиллиона жителей, этот тип назвал «городком», неожиданно меня задело.

— А вы сами откуда? — спросила я.

— Из Питера, — не слишком уверенно ответил он.

Сонька восторженно прикрыла глазки, вряд ли оттого, что мечтала когда-нибудь оказаться в этом славном городе, у нее, кстати, там тетка живет, так что наведывалась Сонька туда довольно часто, зато рейтинг парня пошел в гору, хотя и до той минуты его зашкаливало. Еще бы, красавец-брюнет на новеньком «Мерседесе», да еще из Питера. Подцепи такого, и жизнь, считай, удалась, по крайней мере Сонька в это свято верила. Однако я здорово сомневалась, что парень прибыл из Северной столицы, хотя почему бы и нет? Более того, я с трудом представляла, откуда он вообще мог взяться. Его облик ассоциировался с мафиозными кланами Сицилии, о которых я, само собой, знать ничего не знала, или с колумбийскими наркобаронами, о которых я знала еще меньше. В другое время меня бы это насмешило, сходство, я имею в виду. Но сейчас было не до смеха, парень упорно казался мне кладезем неприятностей, несмотря на то что улыбался практически беспрерывно. Надо сказать, улыбка у него была в буквальном смысле ослепительная. Два ряда белоснежных зубов, которые просто не могли быть настоящими. Хотя... черт его знает. Об этом типе я с уверенностью могла сказать только одно: ранее мне подобных ему встречать не приходилось, и я очень сомневалась, что могу назвать эту встречу большой для себя удачей.

— Последнее время я в основном живу за границей, — сообщил он с легким намеком на печаль, но тут же вновь улыбнулся. По неясной причине ему было очень весело, казалось, он едва сдерживается, чтобы не расхохотаться. Повода для такого веселья я не видела, и это тоже смущало.

Очки он так и не снял, они были на манер спортивных, прикрывали не только глаза, но и виски, и я подумала, что глаза у него, должно быть, невыразительные, маленькие свинячьи глазки. Он подозревает, что без очков вряд ли будет выглядеть роскошно, оттого их и прячет. Как раз на глаза прежде всего и обращают внимание, а когда они скрыты, остается только восхищаться белозубой улыбкой. Решив, что так оно и есть, я немного успокоилась. Михаил продолжал болтать с Сонькой, а я ухмылялась, всем своим видом давая понять, что уж меня-то не проведешь. Заказ нам принесли довольно быстро, парень ел с аппетитом, Сонька от него не отставала, забыв, что сидит на диете.

— Какая удача, что я вас встретил, — сунув в рот бутерброд с икрой, заявил Михаил. — Просто подарок судьбы. Вы без подарка тоже не останетесь, я обещаю.

Данное утверждение показалось мне несколько двусмысленным, зато у Соньки вызвало легкий восторг. Она провела рукой вдоль шеи, предвкушая появление колье в миллион евро, и витиевато высказалась в том смысле, что знакомство с таким мужчиной уже само по себе большое счастье, но чувствовалось, что от подарка она бы не отказалась.

— За границей у вас бизнес? — с умным видом задала она вопрос, надеясь разнюхать о Михаиле еще что-нибудь. Я заподозрила, что она уже близка к тому, чтобы влюбиться, но парень точно был не из тех, в кого стоит влюбляться, оттого я почувствовала беспокойство, а также потребность сказать ему гадость.

— Бизнес? — удивился он и пожал плечами. — Я же бездельник.

— Бездельничать за границей куда веселее, — заявила я и еще раз окинула его изучающим взглядом. Костюм, рубашка, часы на руке, все было безукоризненно и стоило немалых денег.

— На какие шиши бездельничаете, можно узнать? — усмехнулась я.

Михаил тоже усмехнулся:

— Получил наследство. Что с ним делать, так и не решил, поэтому просто его проматываю.

— И как, успешно?

— Более или менее. Хотя скука, конечно, смертная.

— Сочувствую.

— А вы чем занимаетесь? — поинтересовался он.

— У Ани свой бизнес, небольшой, но с перспективой, — с достоинством ответила Сонька. — А я у нее работаю, экономистом.

Михаил кивнул, особо не впечатлившись. Ясно дело, мой бизнес с перспективой казался ему сущей ерундой, а работа экономиста нудной. Желание сказать ему гадость только увеличилось, я не выдержала и спросила:

— Вы очки даже в ванной не снимаете? Какая-то экзотическая болезнь?

— Что-то вроде этого, — кивнул он, снял очки и на меня уставился.

«Обалдеть», — чуть не брякнула я, а Сонька, пискнув «О господи», вцепилась в стол обеими руками, дабы не оказаться под этим самым столом.

Глаза у парня были разные. Один темен, как ночь, другой ярко-синий, словно небо в июле. Чуть раскосые, с длинными черными ресницами. Сказать, что выглядел он сногсшибательно, значило не сказать ничего. Он был просто невероятно красив, а странная фантазия природы придавала его лицу что-то в высшей степени интригующее, так что и мое мысленное «обалдеть», и Сонькин вопль были вполне извинительны.

— Бывает же такое, — с трудом произнесла подружка, глядя на него с большим чувством. Михаил вернул очки на прежнее место и улыбнулся.

— Чтобы дамы лишний раз не поминали имя господа всуе, я их и ношу, — заявил он. — Мужчины, кстати, ведут себя не лучше, — хохотнул Михаил, а я кивнула, успев заметить, до того как он надел очки, свежую царапину возле глаза. Царапина наводила на размышления. Впрочем, как и белоснежный манжет рубашки, который он незаметно поддернул под рукав пиджака, вроде бы пытаясь что-то скрыть. Теперь я абсолютно уверилась, что если судьба и преподнесла нам подарок, то хлопотный.

Первым и, безусловно, разумным побуждением было подняться, проститься с Михаилом и в кратчайший срок оказаться от него на почтительном расстоянии. Но Сонька с этим вряд ли согласится, а оставить подругу с таким типом я не могу. Рискованно. И даже не в том смысле, что через пару дней мне придется ее утешать, слушая бесконечное нытье по поводу разбитого сердца, а в самом буквальном. Тип с такими глазами, с моей точки зрения, на все способен. Соньку же я люблю, хоть иногда и желаю ей в сердцах провалиться куда поглубже. Оставалось одно: придумать благовидный предлог и удалиться вместе с Сонькой. Как на грех, в голову лезла всякая ерунда, которая подружку вряд ли впечатлит.

В разгар моих мучений Михаил вдруг заявил, отбросив в сторону салфетку:

— Не возражаете, если я вас покину?

Мы не успели ответить, а он уже поднялся и пошел через зал в ту сторону, где был туалет. Все женщины, находившиеся в ресторане, дружно проводили его взглядами. Одного этого было достаточно, чтобы Михаил лишился последних крох моей симпатии, а тут еще Сонька закудахтала:

— Нюся, я, кажется, влюбилась.

— Ну и дура, — буркнула я.

— Что ты за свинья такая? — поморщилась подруга. — Только попробуй сказать, что он тебе не нравится. Ни в жизнь не поверю. Такой парень не может не нравиться. Ты меня слышишь?

— Еще бы. Красавчик, и денег куры не клюют. Это же видно.

— Вот именно.

— Тебя такое сочетание не смущает? — Я попыталась настроить ее на критический лад. Куда там.

— Зато у мужчины с деньгами есть чувство собственного достоинства, — упрямилась она.

— А те, у кого денег нет, так гуляют?

— Ты прекрасно поняла, что я имею в виду. Он так шикарно выглядит, что у меня просто голова кругом. Он тебе совсем не нравится? — надула Сонька губы.

— Конечно, нет.

— И слава богу. А то втюрились бы на пару, и как его тогда делить?

— Проблема, — кивнула я.

— Нюся, срочно скажи, как я выгляжу.

— Вряд ли я смогу подобрать подходящее сравнение.

— Хорошо или плохо? — нахмурилась Сонька.

— Выше всяких похвал. Только, ради Христа, не будь дурой.

— А то я не понимаю, что заполучить этого типа совсем непросто. Еще как понимаю. Но и мы не лыком шиты. Окрутим на счет «раз»... — подмигнула она. — Или «два», там видно будет. Но ведь какое везенье, Нюся. Мы могли поехать другой дорогой. Завтра в церковь сбегаю, свечку поставлю. — Сонька продолжала развивать мысль о внезапном счастье, время шло, Михаил все не возвращался.

Наконец на это обратила внимание и Сонька. — Что он там делает так долго? — хмуро поинтересовалась она.

— Может, приступ энуреза? — предположила я.

— Нет, в самом деле... Сколько он отсутствует?

— Минут пятнадцать как минимум.

— Схожу проверю. — Сонька приподнялась, но тут же плюхнулась на стул. — Как-то неудобно.

— Он спросил, не будем ли мы против, если он нас покинет, — начала соображать я. — Так, может, и покинул?

— То есть просто смылся? — ошалело спросила Сонька. — Нюся, я этого не переживу.

Тут в досягаемой близости появился официант, Сонька простерла к нему руку.

— Простите... — Тот подошел, подруга выпалила: — Наш друг задерживается в туалете. Вы не могли бы проверить...

— Так он ушел, — сообщил парень, глядя на нас без намека на насмешку.

— Куда ушел?

— Не сказал, — серьезно ответил официант. — Расплатился и ушел. Десерт подавать?

— Спасибо, — пискнула Сонька и на меня уставилась. — Ты что-нибудь понимаешь? — Я отчаянно замотала головой. — Вот козел! — в сердцах рявкнула подруга, впервые за последний час меня порадовав. Правда, радость оказалась преждевременной. Сонька поднесла к лицу салфетку с намерением зареветь. — Нюся, как жить после этого?

— Счастливо, — отозвалась я. — Идем, обойдешься без десерта.

— Так гнусно со мной еще никто не поступал, — бормотала подруга, двигаясь за мной к выходу, у меня же было чувство, что мы легко отделались. Правда, очень скоро это утверждение пришлось пересмотреть.

Мы вышли на улицу, я вдохнула воздух полной грудью и предложила Соньке полюбоваться звездами.

— Свинство и больше ничего, — в досаде сказала она, имея в виду выходку Михаила. — Вези меня домой. Надо же так поиздеваться над человеком, все пообещать и показать фигу.

— Чего он тебе обещал?

— Я судьбу имею в виду. Этот разноглазый тоже, кстати, обещал подарок.

Лучше бы ей помалкивать. Не успели мы выехать на проспект, как сзади возник джип и повис у нас на хвосте. Я увеличила скорость, водитель джипа тоже ее увеличил.

— Чего ему надо? — проворчала Сонька, глядя в зеркало.

Если честно, меня появление джипа сильно беспокоило. Я свернула в ближайший переулок, тем самым допустив стратегическую ошибку. То есть поначалу я считала это разумным решением, собираясь проскочить переулок на скорости и затеряться в лабиринте старого города. Но стоило нам оказаться в переулке, как водитель джипа стал прижимать нас к тротуару, незамысловато намекая, что нам следует остановиться. Если на проспекте машин было множество и он особо не наглел, то здесь, в пустынном и довольно темном пространстве, попросту свихнулся. Я чертыхнулась и попробовала увернуться, пару раз мне это удалось. Потом мы стали чертыхаться вместе с Сонькой и по-настоящему испугались.

— Нюся, не останавливайся! — вопила она. Я бы и рада, но тот, кто сидел за рулем джипа, был настроен решительно и, к несчастью, управлял машиной куда лучше, чем я. Левое колесо ударилось о край тротуара, и мне пришлось затормозить. Джип перекрыл проезд. Я еще только пыталась понять, что происходит, а дверь с Сонькиной стороны уже распахнулась, подружка рявкнула:

— Ты что, спятил, козел? — Но тут же добавила: — Мальчики, в чем дело?

Пока я гадала о причинах внезапной смены настроения подруги и заискивающей интонации ее голоса, дверь с моей стороны тоже распахнулась и меня очень невежливо выволокли из машины.

— Где он? — заорал верзила со стрижкой «ежик».

— Кто? — не поняла я и тут же осознала: лучше бы мне помалкивать.

— Убью, сучка! — рявкнул верзила и для убедительности замахнулся, один из его дружков держал перепуганную Соньку, двое других заглядывали в салон. Не знаю, что они ожидали увидеть, но на лицах всех четверых читалось разочарование. — Где он? — проорал верзила мне в ухо, все еще держа кулак на уровне моей физиономии, это здорово нервировало, но соображать я стала гораздо лучше.

— Можно конкретизировать ваш вопрос? — пискнула я.

— Нюся, — слегка пошатываясь в могучих мужских руках, заблеяла Сонька. — Мне кажется, ребята имеют в виду Михаила.

К тому моменту и я была уверена: так и есть. Надо полагать, это тот самый подарок, который он, по доброте душевной, нам обещал. Большое ему за это спасибо.

— Если вы о парне, с которым мы сидели в ресторане, так он сбежал, — стараясь говорить как можно спокойнее, сообщила я со вздохом.

— Багажник открой! — рявкнул парень, мне достался самый нервный из четверки, отчего я мысленно возроптала на судьбу.

— Да брось ты, — махнул рукой его приятель, захлопнув дверцу. — Я же говорил, нечего ждать, надо было брать его в кабаке.

— Ага, — хмыкнул тот, что стоял рядом с ним, и добавил удрученно: — Что делать-то?

— Отвезем этих сучек в тихое местечко и поспрашиваем.

— О чем? — вновь не к месту открыла я рот, а Сонька завизжала, хотя замахнулись на меня, а не на нее. Я вжала голову в плечи и решила: в третий раз точно не повезет, и кулак верзила обрушит на мою голову — уж очень он к этому стремится. Но тут подзадержавшийся невесть где мой ангел-хранитель наконец-то решил вмешаться.

Сначала мы услышали шум подъезжающей машины, потом меня ослепил свет фар. Не только меня. Верзила прикрыл локтем глаза и зло выругался. Надо сказать, появлению еще одной машины я не обрадовалась. Рассчитывать на то, что к нам придут на помощь, не приходилось, скорее проедут мимо, решив не вмешиваться. Но была надежда, что в милицию все-таки сообщат, и я, наплевав на последствия, завопила отчаянно:

— Помогите!

Сонька тоже завопила, но менее удачно, парень, что ее держал, успел стиснуть ей рот, и качественного крика не получилось.

В свете фар мы являли собой впечатляющую композицию, и тут я сообразила: машина, что ехала навстречу, вопреки моим ожиданиям остановилась. «Милиция?» — с надеждой подумала я и не угадала.

— Что происходит? — спросил из темноты мужской голос. Может, потому, что я считала обладателя голоса своей единственной надеждой, он показался мне невероятно красивым. В нем не было и намека на беспокойство или растерянность. Произносивший эти слова привык, чтобы на вопрос ему давали ответ, причем быстро и по делу. В общем, он мог принадлежать только настоящему мужчине, герою, в котором в тот момент мы с Сонькой остро нуждались.

Правда, явилась еще одна мысль: парень чокнутый. Один против четверых, что мне за радость в его заступничестве, если сейчас ему как следует навалят, а нас все равно увезут?

Свет фар по-прежнему слепил, и что там за чертой света, я видеть не могла, зато услышала: кто-то идет нам навстречу, причем не один.

— Катись отсюда! — заголосил верзила рядом.

— Обязательно. Как только отпустишь девушку и объяснишь, что происходит.

— Люди выясняют отношения, — ответил тот,

что держал мою подружку. — Неясно, что ли? Милые бранятся, только тешатся.

Я опять завопила:

— Помогите!

— Отпустите девушек, — произнес самый красивый голос в мире, парень толкнул Соньку в сторону и сказал, обращаясь к своим: — Поехали.

Верзила наклонился к моему уху и шепнул:

— Завтра поговорим.

— Лучше послезавтра, — ответила я, все еще не веря, что нам повезло и эти типы решили убраться восвояси. Не удержавшись, верзила ткнул меня лицом в машину, но я чего-то подобного ожидала, так что ткнулась не в дверцу, как он рассчитывал, а в свой локоть.

Четверка загрузилась в джип, он сдал назад, развернулся и вскоре скрылся с глаз. Впрочем, этот момент меня уже не интересовал, я спешила увидеть нашего спасителя.

Вновь послышались шаги, и в круг света вошли трое мужчин. Двое были высоки и плечисты, в скромных серых костюмах и неброских галстуках, третий был чуть выше среднего роста и гораздо старше этих двоих. «Лет сорока», — решила я, уже сообразив, кто здесь главный.

— Как дела? — спросил последний и улыбнулся, и я почувствовала что-то вроде досады — самый красивый в мире голос принадлежал ему. Я бы предпочла кого-нибудь из его спутников, сорокалетние мужчины представлялись мне ветхими старцами. Правда, сказать такое о моем спасителе было все же затруднительно. Ни брюшком, ни лысиной обзавестись он еще не успел и выглядел вполне импозантно. «Зато женат», — решила я, сообразив, что придуманная мною за десять секунд до этого история любви ни в какие ворота не лезет. История была незамысловата и вполне годилась для романа: героиню похищают плохие парни, и тут на помощь приходит ОН, а вслед за ним и любовь с большой буквы. Ладно, главное, нас спасли.

Между тем вопрос мужчины требовал ответа, а я, занятая сначала мечтами, а потом переживаниями по поводу их утраты, помалкивала. Хорошо хоть Сонька в любой ситуации молчать не способна.

— Спасибо вам огромное, — бросилась она к нашему спасителю, вроде бы собираясь заключить его в объятия. — Не поверите, какой у нас сегодня выдался вечерок. Сначала убийство, потом козел с разными глазами, и эти чокнутые до кучи. Просто дурдом какой-то...

— Соня, — позвала я.

— А? — Сонька перевела взгляд с мужчины на меня и заткнулась.

— Это что, были ваши знакомые? — спросил он.

— Шутите? — удивилась я. Он усмехнулся.

— В самом деле, что это я. У такой девушки не может быть приятелей вроде этих.

— Да какие приятели, — вновь заговорила Сонька. — Мы их первый раз видим. Надеюсь, и последний. Перепугали нас до смерти, стервецы.

— Глеб Сергеевич, вам лучше в машину вернуться, — заметил один из парней, оглядываясь.

— Пустяки, — отмахнулся Глеб Сергеевич, продолжая смотреть на меня, я пялилась на него и совершенно по-глупому покраснела.

— Вы не могли бы нас проводить? — сказала я, с трудом выдержав его взгляд.

— Конечно, — кивнул он. — Мы поедем за вами.

— Спасибо. — Надо было идти к машине, но я все стояла, уставившись на него.

— Я — Софья, — кашлянув, сообщила подруга. — А это Аня.

— Очень приятно, — кивнул он. — Глеб. Что ж... — Он замолчал, и стало ясно: дальше глазеть на него попросту неприлично.

Я села в машину, Сонька плюхнулась рядом и сразу принялась трещать:

— Нюсечка, я тебя как женщину прекрасно понимаю, но это глупость.

— О чем ты? — нахмурилась я, наблюдая за тем, как Глеб Сергеевич вместе со своими спутниками возвращается к машине.

Черный «БМВ» сдал назад, освобождая нам дорогу, мы тронулись с места.

— Нюся, он твоему папе почти что ровесник. Влюбляться в него — плохая идея, я бы сказала, никуда не годная. Он женат, в таком возрасте все женаты, а если и не женат... Ты меня слышишь? Хотя он, конечно, ничего, симпатичный, а вот водитель у него просто красавчик. Ты заметила?

— Тебя домой отвезти или ты ночуешь у меня?

— Лучше у тебя. Слишком много радостных волнений, боязно как-то сидеть в одиночестве. Как думаешь, они Мишку искали? — вздохнула подружка.

— Кого же еще?

— Вот гад, так нас подставил. Нет у людей совести. А с виду приличный парень. Зачем он им понадобился?

— Понятия не имею, но настроены они были решительно.

— А вдруг они завтра в самом деле явятся? Надо папе твоему нажаловаться. Слышишь?

— Нажалуемся. Потерпи немного.

— Все-таки твое состояние меня беспокоит. Ну, вот о чем ты сейчас думаешь?

— О том, что господь нас любит.

— Это в каком смысле?

— Не дал пропасть.

Я то и дело поглядывала в зеркало, желая убедиться, что «БМВ» следует за нами. Если честно, я думала, что, проводив нас немного, Глеб Сергеевич отправится по своим делам, решив, что далее тратить на нас время ни к чему, но мы удалились на значительное расстояние от переулка, а он все еще ехал за нами.

До моего дома было не так уж далеко. Минут через двадцать мы свернули с проспекта, и впереди показался дом за низким заборчиком. Я притормозила у ворот, «БМВ» тоже притормозил. Сонька помахала провожатым рукой, я думала, этим все и закончится, но Глеб Сергеевич вышел из машины, водитель продолжал сидеть на своем месте, а вот второй парень вылез за хозяином, или кем он там его считал.

— Все в порядке? — спросил Глеб Сергеевич, когда я тоже вышла из машины.

— Да. Спасибо вам.

Он кивнул в сторону дома:

— Живете с родителями?

— Да, с отцом.

— А мама?

Чего это он вздумал расспрашивать?

— Мама умерла. Давно. Мне еще не было года.

— Вот как... — Мой ответ вроде вызвал у него сомнения, хотя он, скорее всего, просто не знал, что сказать, а уезжать не спешил. Я, кстати, уходить тоже не торопилась.

— Спасибо вам еще раз, — вздохнула я, сообразив, что пауза длится слишком долго.

— Могу я вам позвонить? — все-таки произнес он, и я уверена: сразу пожалел об этом. — Просто чтобы убедиться, что у вас все в порядке, — закончил он скороговоркой.

— Конечно, — кивнула я и, когда он достал мобильный, продиктовала номер.

— Что ж, всего вам доброго. — Он улыбнулся и пошел к своей машине, махнув мне рукой. Но уехал не сразу, решил дождаться, когда ворота откроются и мы окажемся во дворе.

— Нюся, это глупость, — заныла Сонька. — Вот помяни мое слово. Ленка Горчичкина с женатым встречалась, и что? Угробила на него четыре года, а он с женой так и не развелся. То она болела, и он ее бросить не мог, то забеременела. Ну, на фига тебе такое счастье?

— Он не позвонит, — решила я, не сразу сообразив, что произнесла это вслух.

— Почему? — насторожилась Сонька. — Еще

как позвонит. Ему на башку свалилось такое счастье, а он не позвонит?

Мы поднялись на крыльцо, я открыла дверь и первой вошла в освещенный холл. Сонька продолжала болтать о том, что любой мужик не только позвонит, но непременно побежит за мной на край света, и прочее в том же духе, но несмотря на то, что с большинством ее утверждений я была согласна (скромность не входит в число моих добродетелей), однако почему-то сомневалась, что Глеб позвонит. Подумает и поутру решит, что это ни к чему. А может, уже решил.

— Хочешь чаю? — спросила я Соньку, желая пресечь поток ее красноречия, а заодно отвлечься от своих мыслей.

— Может, лучше коньячку? — кашлянув, ответила подруга. — Чаем нервы не успокоишь.

Мы направились в кухню. Сонька плюхнулась на стул и наблюдала за тем, как я извлекаю из шкафа коньяк и две рюмки, горя желанием нравоучения продолжить. Но тут послышались шаги, и в кухню заглянул папа. Через мгновение выяснилось: у нас гость. Вслед за отцом появился Николай Иванович, давний его друг и компаньон.

— Привет, молодежь, — сказал папа и с некоторым удивлением посмотрел на бутылку в моих руках. Я поспешно поставила ее на стол.

— Здравствуйте, дядя Боря, — обрадовалась Сонька, кивком поздоровалась с гостем и объяснила: — Мы, это... стресс снимаем. Такого натерпелись. — Я сделала ей знак молчать, но, как всегда, опоздала. Соньку понесло. — Представляете, какие-то типы хотели нас увезти, приличным девушкам уже по улице проехать невозможно, непременно какая-нибудь пакость прицепится. Просто наказание.

— Кто вас хотел увезти? — нахмурился отец. — Куда?

— Ерунда все это, — поспешно вмешалась я. — Просто какие-то придурки...

— Ничего себе ерунда, — возмутилась Сонька. — Ерунда... Вот, коньяк пьем для обретения душевного равновесия.

— Аня, что случилось? — посуровел отец.

— Пристали какие-то идиоты. Мы посоветовали им найти других подружек, и они уехали. — Я выразительно посмотрела на Соньку, она открыла рот с намерением возразить, но тут же его закрыла. Дошло наконец, что, если продолжит в том же духе, в ближайшее время все вечера я буду проводить дома.

Отец покачал головой, будто не знал, как следует отнестись к моим словам.

— Вы бы Вовку моего с собой брали, — с усмешкой предложил Николай Иванович. — Тогда к вам точно никто не пристанет.

Вовка, племянник Николая Ивановича, двухметровый парень двадцати семи лет с физиономией бульдога и мозгом младенца, был добродушен и весьма забавен, но выдержать его общество более получаса возможным не представлялось. Достигнув выдающихся результатов в спорте, внятно изъясняться он так и не научился, что серьезно затрудняло общение. Вовка был сиротой и с десяти лет жил в доме Николая Ивановича, у того своей семьи не было, и он любил повторять, что Володя — его единственный наследник (а наследовать было что), и, подозреваю, лелеял мысль с отцом породниться, раз уж у них общий бизнес. К счастью, папу подобные мысли не посещали, и он советовал Николаю Ивановичу жениться, потому что, как и я, затруднялся представить Вовку обладателем больших денег, то есть дураку ясно, что денежки он с помощью добрых людей пустит по ветру, а Николай Иванович у нас мужчина в расцвете лет и еще запросто нарожает наследников.

— Вовку не надо, — брякнула Сонька. — Тогда к нам вообще никто не подойдет, ни дураки, ни умные, а мне надо свою жизнь устраивать.

— А что, Соня, может, за меня замуж пойдешь? — со смешком спросил друг отца, Сонька задумалась.

— Я бы лучше за дядю Борю, — наконец выдала она, и все засмеялись, а я поздравила себя с тем, что глупые Сонькины речи отвлекли моего отца от мыслей о моей безопасности, но тут подруга вновь заговорила: — Ужас, что за вечер выдался. А ведь нас с Нюсей сегодня развели на голубом глазу. Ага, такой хмырь попался...

— Хмырь из тех, кто вас увезти хотел? — проявил интерес папа.

— Не-а. Те, что увезти хотели, как раз его искали. Злющие были, страсть. Должно быть, он их здорово чем-то допек. И меня это, кстати, нисколечко не удивляет. Сразу видно, жуткий мерзавец.

Чего там Соньке видно, еще вопрос. Пока разноглазый не сбежал, подружка считала его верхом совершенства, но спорить я не стала, молча кивнула.

— Вы меня совсем запутали, — нахмурился папа. — Нельзя ли потолковее объяснить, что с вами произошло?

— Ничего особенного, — вновь вмешалась я, зная страсть Соньки к преувеличениям. Отец сверлил меня взглядом, а Николай Иванович произнес:

— Ты все-таки расскажи.

«Лучше я, чем Сонька», — рассудила я и принялась рассказывать. В моем изложении наше приключение выглядело забавно. Подобрали на улице парня, он пригласил нас в ресторан, а потом смылся.

— Значит, парень решил поужинать за чужой счет, — засмеялся Николай Иванович.

— Ничего подобного, — влезла подружка. — Он сам расплатился.

— Чудеса, — хмыкнул папин друг, а отец нахмурился еще больше.

— А потом за вами гнались какие-то типы и хотели увезти?

Теперь я не сомневалась, что, несмотря на мои старания представить происшествие в забавном свете, оно отцу таковым совсем не показалось. Николай Иванович тоже в нем ничего смешного не увидел. И вместе с отцом засыпал нас вопросами, на которые мы при всем желании ответить не могли, хоть Сонька вовсю фантазировала и, видя заинтересованность слушателей, заявила:

— Только это еще не все. Мы стали свидетелями убийства. Ну, не совсем свидетелями.

— Ты меня с ума сведешь, — сказал папа, глядя на меня с большим недовольством. — Какое убийство?

— Мы ужинали в ресторане, там девица выступала с чтением мыслей. И сказала, что в зале сидит убийца, то есть кто-то решил кого-то замочить. А потом на стоянке, представляете, охранники нашли ее труп, мы как раз собирались уезжать и оказались в гуще событий. Нас менты допрашивали, — добавила Сонька с гордостью.

— Час от часу не легче, — произнес папа.

— А что за девица, читающая мысли? — задал вопрос Николай Иванович. — В каком ресторане вы были?

Сонька назвала ресторан и сообщила все, что знала о девушке. Отец с Николаем Ивановичем переглянулись. На лицах обоих явственно читалось беспокойство. Они с немым вопросом смотрели друг на друга, а я на них. Сонька, почувствовав неладное, уставилась на меня.

— Она что, действительно мысли читает? — наконец заговорил Николай Иванович.

— Читает, — воодушевилась Сонька. — Там Илюха Гельман был, у него прочитала тютелька-в-тютельку. Правда, Нюся?

— Откуда мне знать его мысли?

— Вы виделись с Ильей? — поинтересовался папа.

— Сидели в одном зале, — пожала я плечами.

— И ты по-прежнему...

— Папа, — перебила я, он кивнул.

— Хорошо. Завтра попробую разобраться с вашими приключениями. — И пошел провожать Николая Ивановича.

В холле они задержались и о чем-то тихо переговаривались, поглядывая на нас.

— Убила бы тебя, — беззлобно сказала я Соньке.

— За что?

— За длинный язык. Илью-то зачем приплела?

— А что такого?

Я махнула рукой.

Папа, проводив Николая Ивановича, присоединился к нам. Разговор то и дело возвращался к нашему рассказу, и стало ясно, что отец не успокоится, пока во всем этом не разберется. Но по тому, как он хмурился и вдруг замолкал на середине фразы, я поняла: что-то его мучает помимо моих сегодняшних приключений.

Не будь здесь Соньки, я бы постаралась выяснить, что тревожит отца, однако сейчас об этом не могло быть и речи. Папа не из тех, кто откровенничает при посторонних. Впрочем, с близкими он тоже особо не откровенничает. Не знаю, насколько он доверяет Николаю Ивановичу, но если и доверяет, то только ему. Не считая меня и давнего друга, у отца близких людей не было.

Моя мама умерла, когда мне едва исполнился год, отец больше не женился. Само собой, женщины у него были, но в нашем доме они никогда не появлялись, и ни с одной из них знакомства я не свела, хотя ничего против не имела. И против женитьбы отца никогда не возражала, ни в детстве, ни тем более сейчас. Однако папа предпочитал холостяцкую жизнь, что меня, признаться, удивляло. Ему всего пятьдесят три, выглядит он на сорок, высокий, подтянутый, может, не красавец, но в нем есть некое суровое обаяние, и женщинам он, безусловно, нравится. Сонька в юности была влюблена в моего отца, краснела и млела в его присутствии, над чем он добродушно подшучивал. Думаю, поведи он себя иначе, Сонька вполне могла стать моей мачехой, по крайней мере, она на этот счет еще пару лет назад строила планы. Да и сейчас порой вздыхает, поглядывая на папу, но он просто не в состоянии разглядеть женщину в подруге дочери, которую помнил веснушчатой девчонкой с косичками.

Как-то на Новый год Сонька изрядно выпила для храбрости и решила признаться ему в любви. Но папа, что-то заподозрив, в разгар веселья улизнул из дома, так что Сонька зря мучилась похмельем. Намеки подруги он игнорировал и разговаривал с ней так, словно она еще не вышла из детского возраста. Соньке это в конце концов надоело, но отец до сих пор остается для нее эталоном «настоящего мужчины».

Если в случае с Сонькой папина осмотрительность мне понятна, то его стремление к безбрачию вызывает недоумение. Долгое время я считала, что это связано с тем, что он очень любил мою мать и не в состоянии представить на ее месте другую женщину. По этой причине он избегал разговоров о ней. Разумеется, когда я допекала его вопросами, он что-то рассказывал, но уже в детстве я поняла: моя настойчивость его огорчает, вызывая приступ дурного настроения, он становился еще более молчаливым, хмурился и подолгу размышлял о чем-то. До меня наконец дошло: отцу больно возвращаться к своему прошлому.

После смерти мамы мы покинули город, в котором жили, и переехали сюда, наверное, тоже из-за желания отца отгородиться от воспоминаний, сменить обстановку, начать новую жизнь. Уже взрослой мне иногда хотелось расспросить его об отношениях с мамой, узнать, как они познакомились, как жили отпущенные им четыре года, но боязнь сделать отцу больно перевешивала вполне понятное любопытство, хотя от тех событий нас отделяет больше двадцати лет и за это время душевные раны просто обязаны были затянуться. Впрочем, причина папиной одинокой жизни могла быть вполне банальной: его устраивали ни к чему не обязывающие отношения с женщинами.

Мама, кстати, завещала себя кремировать, отец сказал как-то, что мысль о том, что ее зароют в землю, вызывала у нее ужас, и он выполнил ее просьбу. Прах был развеян в парке, где мама любила гулять, так что даже могилы ее не осталось, и, наверное, по этой причине мама была для меня каким-то легендарным персонажем, никакого отношения к моей реальной жизни не имеющим. После ее смерти отец уничтожил все ее фотографии, об этом я узнала лет в десять и не решалась спросить, почему он это сделал. Хотел избавить себя от боли? Наверное, так. Но этот его поступок долго не укладывался у меня в голове. Я даже не знаю, как выглядела мама. Правда, папа пару раз заметил, что я на нее похожа. Ко мне отец всегда относился с огромной любовью, которую не умел и не хотел скрывать. Мне разрешалось многое и все прощалось. Папиными стараниями из меня бы, скорее всего, выросла законченная эгоистка, если бы не бабушка, его мать. Она, напротив, была очень строгой и смогла-таки внушить мне вполне здравые мысли, что в мире существует еще много чего помимо моих желаний. Не помню, чтобы бабушка с отцом ссорилась или хотя бы спорила, но к своему сыну она относилась так же требовательно и сурово, как и ко мне. Умерла она, когда мне исполнилось восемнадцать, как раз в день моего рождения. С тех самых пор я его терпеть не могу и никогда не отмечаю. Отец тяжело переживал ее смерть, но, по обыкновению, молчал о своих чувствах. Сидел, обняв меня, гладил по голове, точно я была еще ребенком, иногда вздыхал. В общем, о том, что творилось в его душе, оставалось только гадать. Временами я задаюсь вопросом: существует ли в природе женщина, способная растопить этот лед? С которой он мог бы откровенничать, советоваться, показать себя слабым? Если да, очень хотелось бы на нее взглянуть. Несмотря на то что отец внушал уважение, более того, мог с легкостью вызвать у женщин едва ли не щенячий восторг, жить с ним, должно быть, не сахар.

У отца была репутация исключительно порядочного человека, который даже в лихие девяностые не запятнал себя связью со всяким сбродом, как любил выражаться Николай Иванович, имея в виду бандитов всех мастей. Само собой, отцу приходилось нелегко, и тогда, да и сейчас врагов у него предостаточно, по этой причине на моей безопасности он попросту помешан. Оттого я и пыталась придать нашим сегодняшним приключениям несерьезный характер. Конечно, отец о них и без наших рассказов узнал бы, по крайней мере, об убийстве Ирины, раз мы давали показания в милиции. Но вот обо всем остальном я бы предпочла промолчать. Сама же я, прокручивая в голове события вечера, все больше склонялась к мысли, что ничего забавного в них нет, более того, нам фантастически повезло, что все закончилось благополучно. И беспокоят меня не столько придурковатого вида типы на джипе, сколько разноглазый, хоть я и затрудняюсь объяснить почему.

— Завтра пойдешь в милицию и напишешь заявление, — сказал отец.

— Папа...

— Что «папа»?

— Ничего же не произошло. Ну, пристали какие-то придурки...

— Пойдешь с Вадимом, — сказал папа. Вадим Костюков — начальник охраны в фирме отца, довольно занудливый парень, которому повсюду враги мерещатся. Представив, что меня ждет завтра, я поморщилась, словно съела кислое. — Пусть разберутся со всем этим, — добавил отец, и стало ясно: возражать не имеет смысла. — Ладно, я пошел спать, вы тоже долго не засиживайтесь. И коньяком не увлекайтесь, — улыбнулся он.

— Я с тобой лягу, — сказала Сонька, когда мы вслед за отцом покинули кухню.

— Тогда в ванную я иду первой.

— Да ради бога.

Стоя под душем, я думала о Глебе. Позвонит или нет? Почему-то эта мысль меня очень занимала. Отец наверняка его знает или хотя бы слышал о нем. При случае его нужно расспросить. Впрочем, идея так себе, папа начнет задавать вопросы, а мне вряд ли захочется на них отвечать. Набросив халат, я вышла из ванной. Сонька лежала на кровати поверх покрывала, дрыгала ногами и напевала.

— Иди в душ, — сказала я Соньке и легла в постель, а когда подружка вернулась, старательно делала вид, что уже сплю. Но Соньке было на это наплевать.

— Интересно, что за тип этот Михаил? — ложась рядом, заговорила она. — И с какой стати психи на джипе его искали? Эй, ты спишь?

— Сплю.

— Все-таки ужасно обидно, Нюся. Такой красавчик, на шикарной тачке...

— А с чего мы, собственно, взяли, что он был на машине? — поворачиваясь к Соньке, спросила я. — То, что он стоял рядом с ней, ничего не значит. И на физиономии у него была свежая ссадина.

— По-твоему, он удирал на своих двоих, а тут мы подвернулись? Но если его недруги видели, как он садился к нам в машину, почему не остановили нас по дороге в ресторан? А если не видели, как о нас вообще узнали?

— Нас могли увидеть в ресторане и сообщили об этом тем самым типам. Они скоренько явились, но Михаил к тому моменту уже смылся, оставив нас расхлебывать кашу.

— Вот гад... хотелось бы с ним встретиться...

— Лучше не надо встречаться, — усмехнулась я.

— А как же любопытство? И вообще, он произвел на меня впечатление. А с Ильей тебе надо помириться, — без перехода заявила Сонька. — Вот и папа твой говорит...

— Отстань! — рявкнула я и натянула одеяло на голову.

— Скажи на милость, чего ты злишься на парня? Он сам только из-за большого везения жив остался. У него же все ребра сломаны были. Ты слышишь?

Я стоически молчала, Сонька продолжила бубнить, но вскоре выдохлась. Выключила ночник и минут через пятнадцать начала сладко посапывать.

А вот мне не спалось. И причиной тому было вовсе не сегодняшнее приключение. Против всякого желания я думала об Илье. Мне бы и в голову не пришло обвинять его в той аварии. Он действительно чудом остался в живых. Нам всем тогда здорово повезло. Всем, кроме Сергея.

С Сергеем мы учились в одной школе, он был на три года старше. Сначала в него влюбилась Сонька, мы с ней тогда только-только перешли в восьмой класс, Сергей, соответственно, в одиннадцатый. Для него мы были малышней, на которую внимания обращать не стоит. Сонька подкарауливала его в школьных коридорах и зазывно улыбалась. Само собой, я паслась рядом, выслушивала ее нытье и разрабатывала планы, как привлечь внимание Сергея. К Новому году и я была уже по уши влюблена. Позже выяснилось, что не мы одни по нему сохли. Половина девчонок в школе была занята тем же. Высокий светловолосый парень, красавец и умница, он был не по годам серьезен. Спокойный, сдержанный, с принципами. Его дружбой дорожили, а он умел дружить. По-настоящему. В общем, не влюбиться в такого парня было просто невозможно.

Возвращаясь с Сонькой с новогоднего вечера,

мы неподалеку от школы столкнулись с уличной шпаной. Неизвестно, чем бы эта встреча закончилась, если бы не появление Сергея в компании Ильи Гельмана. Шпана поспешно ретировалась, а друзья пошли нас провожать. Тогда мы с Сонькой не только учились в одном классе, но и жили в одном дворе. По дороге, естественно, разговорились. Впрочем, говорила в основном Сонька, а свое внимание Сергей почему-то обратил на меня. После каникул подошел ко мне на перемене, поздоровался и спросил, как дела. Наблюдавшие эту сцену одноклассницы замерли и начали ждать развития событий. Они и развивались. Мы встречались в школе и на катке. Со стадиона Сергей провожал нас домой. Потом пригласил меня в кино, через месяц в кафе-мороженое. Очень часто компанию нам составляли Сонька и Илья. С Ильей Сергей познакомился за пять лет до этого, они вместе занимались в спортшколе. В отличие от Сергея, родители которого были людьми богатыми, Илья рос в так называемой неблагополучной семье. Когда ему было лет двенадцать, мать их бросила, отправилась искать лучшей доли с залетным любовником. Отец, который и до того был большим любителем выпить, ударился в запой и из него уже не выходил. Одна пьяная сожительница сменяла другую, в такой ситуации мальчишка, скорее всего, быстро бы оказался на улице или того хуже. Но с Ильей все было иначе. Как мог, он вел немудреное хозяйство, приглядывал за отцом и его пьяными бабами, с тринадцати лет начал подрабатывать, не упуская ни малейшей возможности. Мыл полы в подъездах, таскал мешки на хлебозаводе, расклеивал объявления, при этом умудрялся хорошо учиться и заниматься спортом. Мало кто догадывался, глядя на этого озорного подростка, как нелегко ему приходится. Поначалу меня удивляла эта дружба. Что, кроме занятий спортом, могло связывать этих ребят? Они казались очень разными. Серьезный и вместе с тем открытый, улыбчивый Сергей и всегда насмешливый хулиган Илья. И только узнав историю Ильи, я поняла: Сергей очень его уважает. За стойкость, за умение никогда не жаловаться, за достоинство, с которым тот держался. И уважение это передалось нам с Сонькой. Мы стали друзьями. Учились мы втроем в английской школе, Илья в обычной, той, что была рядом с его домом. С английским ему помогал Сергей. Потом его отец взял Илью к себе на работу. Окончив школу, Сережа уехал учиться в Москву, но на выходные приезжал домой, и наша дружба, вопреки пророчествам Соньки, не сошла на нет. Между тем я тоже окончила школу и, конечно, решила поступать в московский вуз, чтобы быть поближе к Сергею. Но отец сказал твердое «нет». Впервые он ничего не желал слушать, и мои слезы его не впечатлили. Учиться я стала в родном городе, к большой радости Соньки, которая о Москве и не помышляла. В институте мы учились в одной группе, и это примирило меня с суровой, как мне казалось, действительностью. К тому времени мы с Сергеем стали любовниками, что для моего отца не явилось неожиданностью. Отнесся он к этому вполне спокойно, Сергей ему нравился, как, впрочем, и Илья. Оба часто бывали в нашем доме.

Получив диплом, Сережа вернулся в родной город, устроился на работу в солидную юридическую фирму, хотя мог бы работать у своего отца, и через неделю после этого сделал мне официальное предложение. Папа в восторг от этого не пришел.

— Куда вы торопитесь? — ворчал он. — Дай ей хоть доучиться. — Но на сей раз завидную твердость проявила я, и он махнул рукой: — Женитесь.

Родители Сергея его выбор одобрили и начали подыскивать нам квартиру в качестве свадебного подарка. Пятого сентября мы подали заявление в загс и отправились вечером отмечать это событие на дачу. Выпили на троих две бутылки шампанского. Илья от выпивки отказался, у него было ночное дежурство, из-за этого на даче мы не остались, а за руль сел Илья. Своей машины у него не было, но водил он машину прекрасно, гораздо лучше, чем я или даже Сергей.

До города оставалось километров пятнадцать, когда нас подрезал джип. На скорости наша машина врезалась в фонарный столб. Ребята сидели впереди, удар был такой силы, что подушки безопасности помогли мало. Обоих доставили в больницу с множеством переломов, мы с Сонькой отделались синяками и легким сотрясением мозга.

Через полтора месяца Илья вышел из больницы, Сергей там находился в общей сложности полгода, перенес четыре операции. Одна прошла неудачно. Из больничной койки он переместился в инвалидную коляску. Врачи предупредили: вряд ли он когда-нибудь встанет на ноги. Но Сергей был не из тех, кто легко сдается. Удары судьбы он воспринимал с завидным хладнокровием и верил, что справится со своей болезнью. Еще когда он находился в больнице, у нас состоялся серьезный разговор. Сережа спокойно, без намека на драматизм, сказал, что освобождает меня от каких бы то ни было обязательств. В создавшейся ситуации он с пониманием отнесется к тому, что я откажусь выйти за него замуж. Разумеется, я ничего об этом слышать не хотела. Он улыбнулся, поцеловал меня и заявил, что никогда во мне не сомневался.

Илья в этот тяжелый для нас период показал себя настоящим другом. Каждый день навещал Сергея и поддерживал меня. Они с Сонькой всегда были рядом. Тот день, когда врачи вынесли Сергею приговор, я помню очень хорошо. Его мать позвонила мне, мы встретились, и она очень сухо сообщила о разговоре с лечащим врачом. Я повторила ей то, что ранее уже сказала Сергею: что бы с ним ни произошло, я буду рядом и никогда его не оставлю.

— Деточка, — вздохнула она. — Надеюсь, ты понимаешь, на что обрекаешь себя. Тебе всего двадцать лет, впереди долгая жизнь, я не хочу, чтобы ты когда-нибудь пожалела о своем благородстве.

Я резко ответила, что дело вовсе не в благородстве, я люблю Сергея и хочу быть с ним.

Не знаю, поверила она мне или нет. После этого разговора чувствовала я себя очень скверно. Мысль о том, что сильный, жизнерадостный парень навсегда останется инвалидом, не укладывалась в голове. Это было чудовищно несправедливо. Сергей не заслуживал такой судьбы. В отчаянии я искала поддержки у своих друзей, мне надо было услышать, что вердикт врачей — это только слова, надежда всегда есть, Сергей справится. Именно это и сказал Илья, когда мы встретились вечером. Я рыдала на его плече, а он утешал меня как мог. Кончилось это тем, что мы оказались в одной постели. Я поспешила списать все на минутную слабость и поскорее забыть о том, что произошло. Мне казалось, Илья все поймет правильно. Но он повел себя неожиданно. Сказал, что давно любит меня и только дружба с Сергеем вынуждала его молчать, и еще уверенность в моем чувстве к его другу, но теперь он в моих чувствах к нему очень сомневается. Я ответила, что мой вчерашний поступок ошибка, которая никогда не повторится, и мое единственное желание — поскорее все забыть. Но это было проще сказать, чем сделать. Стыд и презрение к себе не давали мне покоя. И, разговаривая с Сергеем, я отводила глаза, замолкала на середине фразы, вздрагивала, когда он касался меня.

Мне хотелось выть от боли, все рассказать ему, объяснить, попросить прощения, но я знала, что никогда этого не сделаю, боясь причинить ему ненужную боль. Занятая своими страданиями, я даже не подумала ни разу, что мое поведение он мог истолковать по-своему.

Илья между тем проявлял настойчивость и все чаще повторял, что я приношу себя в добровольную жертву. И если бы Сергей был здоров, я бы вела себя совершенно иначе и сделала бы то, что и должна сделать: честно призналась, что больше не люблю его. Слова Ильи вызвали у меня приступ бешенства, потому что я-то знала: все не так.

В ту пятницу я приехала к Сергею, он встретил меня улыбкой, я что-то болтала, по обыкновению, вдруг он взял меня за руку и произнес:

— Илья мне все рассказал.

— Что «все»? — опешила я.

— О ваших отношениях. Мне следовало самому догадаться.

— Нет никаких отношений, — отрезала я. — Нет и быть не может. Не знаю, что он тебе наговорил...

— Правду, — улыбнулся Сергей. — Илья не способен врать. Если хочешь знать мое мнение, он поступил правильно, все мне рассказав. Аня, я прекрасно понимаю, почему ты сейчас все отрицаешь. Ты хороший человек, ты боишься сделать мне больно, возможно, тебе даже кажется, что это вроде предательства. Только это глупость. Меньше всего на свете я хочу видеть близких мне людей несчастными. Знать, что ты страдаешь из-за ложно понятого чувства долга.

Тут меня прорвало, и я скороговоркой выпалила все, что думала: никакая я не благородная натура, а обыкновенная дура, слабая, беспомощная, которая при первых трудностях умудрилась сделать большую глупость, искать утешение в постели старого приятеля. В результате потеряла друга и едва не потеряла любовь. Клялась, что мне в голову не приходило относиться к Илье иначе чем к другу, а сейчас я его попросту терпеть не могу, хотя следовало бы не его винить, а себя. И того, что я пережила за эту неделю, с лихвой хватит, чтобы впредь таких глупостей не совершать.

Сергей все выслушал, кивнул и охотно меня

простил. Мы обнялись и договорились, что на следующей неделе подадим заявление. А ночью он вскрыл себе вены. Истинную причину его поступка знали только мы с Ильей. Родители и вслед за ними друзья и близкие решили: Сергей покончил с собой, потому что мысль о том, что он на всю жизнь останется инвалидом, была для него непереносима. Но я-то хорошо его знала и была уверена: он принес ту самую благородную жертву, от которой отговаривал меня. Убил себя ради счастья тех, кто был ему дорог, ради их любви, которой не было и в помине.

Хотя могла быть еще одна причина: для него мысль о моем предательстве стала непереносимой. В любом случае в его внезапном уходе была виновата я. Что мне оставалось? Резать вены. Это я и сделала. Но папа был начеку, и вместо кладбища я отправилась в больницу, пролежала месяц в психушке, где мозги мне малость вправили. Теперь, по прошествии лет, я на многое стала смотреть иначе, но одно знала точно: глупость может стоить очень дорого. Ладно, если только тебе. К сожалению, чаще всего тем, кого ты любишь.

Со времени похорон Сергея мы с Ильей не общались, я всячески избегала встреч с ним и слышать о нем ничего не хотела. Ни Сонькины уговоры, ни доводы отца не помогали. Не подозревая о том, что тогда произошло в действительности, они считали: я обвиняю Илью в произошедшей аварии, раз он тогда был за рулем. Это было все-таки лучше, чем правда. Не Илью я презирала и ненавидела, а себя. Он был постоянным напоминанием о моей подлости, которая стоила человеку жизни.

От Соньки я знала: Илья открыл собственное дело, которое, по ее словам, процветает. Надеюсь, его совесть не мучает. Впрочем, это вряд ли, если верить Ирине. Неужели она действительно прочитала его мысли? Бред. Выходит, она каким-то образом узнала? От кого? Самый простой ответ: от самого Ильи. Я вздохнула и посоветовала себе поскорее заснуть.

Утром меня разбудила Сонька. Она очень деятельная особа и вскакивает ни свет ни заря, я же из тех, кто любит поваляться в постели, так что ее возня по утрам вызывает у меня живейший протест.

— Чего ты вскочила в такую рань? — буркнула я, наблюдая ее перемещения по моей спальне.

— Так всю жизнь проспишь, — скривилась она. — Мне сегодня всю ночь кошмары снились, ожившие мертвецы и прочие прелести. Просто наказание. Вид трупа дурно на меня действует. Интересно, убийцу найдут, как ты думаешь?

— Я не могу думать в семь часов утра.

— Кстати, где крем, который я вчера купила?

— В пакете, пакет в багажнике, ключи от машины на тумбочке, машина в гараже.

Она схватила ключи и вышла из комнаты, я подумала, что минут пятнадцать у меня есть, чтобы понежиться в постели и встретить новый день с оптимизмом.

Но очень скоро мне стало ясно: насчет оптимизма я дала маху, новый день начался с подарка, только был он не из тех, о которых мечтают девушки. Внизу хлопнула дверь, потом затопали по лестнице, и через мгновение в комнату влетела Сонька с совершенно безумной физиономией. Ладошки сцеплены на груди, точно у кающейся Магдалины.

— Нюся, я сейчас умру, — предупредила она и рухнула на постель.

— Что так? — спросила я. — Если пакета нет в багажнике, поищи в машине, хотя я точно помню, что положила его в багажник.

— Нюсечка, какой пакет... до него ли мне сейчас. Может, у меня глюки? Как я выгляжу?

— Паршиво, — приподнимаясь, заметила я, наблюдая бледную физиономию подруги.

— Чему удивляться, — вздохнула она. — Дядечка в твоем багажнике... Зачем он туда забрался?

— Какой дядечка? — растерялась я. — Ты что, в самом деле спятила?

— Не знаю, Нюся, по-моему, он неживой.

Я вскочила, набросила халат, не зная, что и думать. Может, Сонька и правда спятила?

— Идем, — позвала я.

— Пусть лучше дядя Боря посмотрит. У него-то нервы покрепче, он мужчина.

Я кубарем скатилась с лестницы, Сонька за мной, но в гараж она не вошла, паслась возле двери, а я прямиком направилась к своей машине. Крышка багажника была поднята. Я подошла, заглянула и ошалело замерла. В багажнике, скрючившись, лицом вниз лежал мужчина, прикрытый пиджаком. В припадке отваги я потянула пиджак на себя и взвизгнула. Состояние подруги стало мне вполне понятно.

На мужчине были рубашка и брюки, точнее, то, что от них осталось, одежда разрезана на лоскуты, и, к сожалению, не только одежда. Он сам напоминал лоскутное одеяло. Кровавые полосы перемежались с серовато-бледной кожей.

— Папа! — заорала я, боясь, что рухну в обморок. Отец влетел в гараж, ненароком толкнув мечущуюся у дверей Соньку.

— Что случилось? — испуганно спросил он. Я молча ткнула пальцем в багажник, отец подошел и произнес нараспев: — Твою мать... Откуда это? — Я только глазами хлопнула. — О, черт, — пробормотал он. — Марш из гаража. Принеси мне телефон.

— Папа, я ничего не понимаю.

— Принеси телефон, — повторил он.

За телефоном побежала Сонька. Папа обнял меня за плечи и вывел из гаража.

— Когда ты в последний раз заглядывала в багажник? — спросил он. В голове все путалось, но я понимала, что надо взять себя в руки, и попыталась дышать ровнее, а главное, начала соображать.

— Вчера вечером, когда мы с Сонькой ездили в торговый центр.

— Боже мой, и с этим ты разъезжала по городу...

Тут мне вторично стало нехорошо. Неизвестно, как долго этот изрезанный лежит в моем багажнике, а если бы милиция нас остановила?

Мысль о милиции прочно угнездилась в моем сознании, я была уверена, что отец собирается им звонить, но, когда Сонька вернулась с телефоном, папа набрал номер, и я услышала:

— Вадим, возьми двоих надежных ребят и ко мне. Что случилось? Черт знает что... поторопись.

Вадим приехал через двадцать минут, в это время мы сидели в кухне, Сонька и я пили валерьянку, папа коньяк. То ли нервы у него действительно куда крепче, то ли коньяк успокаивает лучше, но к приезду Вадима отец выглядел внешне спокойным, правда, брови хмурил и рот сурово сжал. Я хотела спросить, почему он не звонит в милицию, но не решилась.

В дом Вадим вошел один, как выяснилось позднее, двое парней, что приехали с ним, остались ждать в машине.

— Взгляни, какой подарок в багажнике дочери, — сказал ему отец, и оба пошли в гараж.

Мы с Сонькой переглянулись и отправились следом, правда, в гараж войти не решились. Вадим заглянул в багажник и присвистнул. Надо сказать, он относился к той категории людей, удивить которых, казалось, невозможно. Невысокий, коренастый, на вид старше своих тридцати пяти лет, он взирал на мир так, словно каждую минуту готовился к какой-нибудь пакости судьбы. И судьба на пакости не скупилась. По крайней мере, он не раз меня в этом уверял. Теперь я была склонна с ним согласиться.

— Покойничек, — философски изрек он. — Давно лежит?

— Вчера в шесть часов его еще не было, — подала голос Сонька.

— Скорее всего, примерно в это время он и скончался, — кивнул Вадим и перевернул покойника. К счастью, отсюда труп я не видела. — Его резали на куски, а потом пристрелили. Две пули, нет, три, вот здесь, видите?

— Да черт с ними, с пулями, что он делает в машине моей дочери? — спросил отец.

— Вы ведь не ожидаете, что я сразу отвечу на этот вопрос? Будем разбираться... А рожа-то знакомая... — Вадим нахмурился, разглядывая покойника, потом перевел взгляд на отца. — Физиономии тоже досталось, но узнать можно.

— Кто это? — озадаченно спросил папа.

— Крайнов Петр Алексеевич. Бывший мент, год уже как на пенсии, на момент своей кончины числился в бизнесменах.

— И что, это как-то объясняет его появление здесь?

— Скорее запутывает. Впрочем, это подождет. Сейчас надо принять принципиальное решение. Звоним ментам?

— Речь идет о моей дочери! — резко сказал отец.

— Понятно. Значит, своими силами справимся. Труп ребята вывезут, машину почистят.

— Папа, — подала я голос и нарвалась.

— Замолчи. Я не уверен... — добавил отец со вздохом, глядя на Вадима.

— Неприятности девушкам ни к чему, а тут бывший мент. Есть еще кое-что, делающее ситуацию откровенно дерьмовой. Боюсь, это послание.

— Послание? — опешил отец.

— Давайте об этом чуть позже.

На лице папы появилась некоторая растерянность. Вадим отправился за своими ребятами, мы с отцом вернулись в кухню. Он выпил еще коньяка, а мы с Сонькой хряпнули валерьянки.

Я слышала, как открылись ворота гаража, как заработал двигатель машины.

— Папа, — начала я решительно, но он вновь меня перебил:

— Я твой отец и обязан тебя защищать. Я знаю, что делаю.

Я в этом сомневалась, ведь пять минут назад он сам сказал, что не уверен. Но спорить не рискнула. Выглянув в окно, я увидела, как из гаража выезжает джип, на котором приехал Вадим. Значит, труп перегрузили. Тут и Вадим появился.

— Куда его? — буркнул отец.

— Устроят где-нибудь неподалеку, чтоб менты поскорее нашли. Когда парни вернутся, займутся Аниной машиной. Ну что, девушки, рассказывайте, как провели вчерашний вечер.

— Подожди, — вновь заговорил отец. — Ты сказал, это послание...

— Сказал. Я так понимаю, ситуация сейчас не простая...

— А когда она была простой? — хмыкнул отец.

— Вот-вот. Ваши конкуренты решили подкатить с другого боку: будучи заняты проблемами дочери, вам станет просто не до них.

— Не могу поверить, что они способны на такое. И при чем здесь бывший мент? Абсурд какой-то. Я его даже никогда не видел. Живым, я имею в виду, и моя дочь тоже.

— Должно быть, мент им чем-то насолил, заодно они решили и вам напакостить. Мент, кстати, мутный. Слух прошел, что на пенсию он отправился не с пустыми руками. Вроде бы к нему попали очень важные бумажки с именами тех, кто из местной криминальной верхушки сотрудничал с ментами. Сами понимаете, есть люди, которым ни к чему, чтобы эти сведения стали всеобщим достоянием. Этого одинаково не хотят ни менты, ни те, кто на них работает. Вспомните, что происходило в городе четыре года назад, и вам все станет ясно.

Мне ничего ясно не стало, ведь я знать не знала, что тогда происходило, по мне, так ничего особенного, но папа, должно быть, был в курсе, потому что молча кивнул.

— Ну, вот, дядю и оприходовали. Судя по тому, как он выглядит, от него чего-то хотели. Логично предположить, те самые имена их и интересовали.

— Кого — их?

— Опять же, логично предположить, тех из братвы, кто еще на воле гуляет.

— С братвой я дел не имею, и при чем здесь моя дочь?

Вадим пожал плечами. Как видно, не на все вопросы он знал ответ. Повернулся к нам и сказал:

— Слушаю вас, девушки.

И мы начали пересказ вчерашних приключений, говорила в основном я, Сонька иногда что-то уточняла. Находка на нее так подействовала, что она до сих пор сидела будто пришибленная.

— Значит, машина стояла возле ресторана? И не перед входом, а сбоку от здания в самом конце стоянки, где довольно темно? Там, скорее всего, труп и подкинули. Парней, что за вами увязались, вполне мог интересовать именно труп, а вовсе не ваш предполагаемый спутник. Открыли бы багажник, вызвали милицию... Хотя этот Михаил тоже темная лошадка. Глаза разные? Примета будь здоров, такого вряд ли с кем спутаешь. По этой причине носит темные очки, но вам почему-то глаза показал. Еще что-нибудь о нем можете рассказать?

Я пожала плечами, а Сонька вздохнула:

— Двухметровый красавец в дорогом костюме. Просто картинка из журнала.

Вадим нахмурился:

— Картинка? И назвался Михаилом? В доме ведь есть компьютер?

— Конечно.

— Идемте посмотрим, может, найти вашего Михаила будет не очень сложно.

— Ты кого-то подозреваешь? — спросил отец, направляясь в кабинет.

— Версия фантастическая, но чем черт не шутит.

Через пять минут мы уже были возле компьютера. Вадим занял кресло отца, его пальцы заскользили по клавиатуре. Вскоре на экране появились изображения. Одна фотография, другая, они сменяли друг друга так быстро, что взгляд не успевал сфокусироваться. Наконец Вадим удовлетворенно кивнул и вызвал на экран фотографию, максимально ее увеличив.

На стуле в небрежной позе сидел наш недавний знакомец, в щегольском двубортном костюме в тонкую полоску, в белоснежной рубашке без галстука и лакированных туфлях. Волосы зачесаны назад, глаза скрывают очки, очень узкие, делавшие его лицо особенно хищным. Небрежная поза, шикарная улыбка. Парень был так хорош, что казалось немыслимым поверить, что такие, как он, запросто разгуливают по нашему городу. Хотя по-прежнему оставалось одно «но»: несмотря на щеголеватый вид, от него за версту несло неприятностями. В общем, передо мной был типичный городской хищник: жесткий, агрессивный, сексуальный.

— Это он, — пискнула Сонька и с трудом перевела дух. От эстетического шока, я полагаю.

— Уверены? — повернулся к нам Вадим.

— На все сто, — ответила я. — Если у него нет брата-близнеца.

— Братьев нет, так же как и сестер. И с глазами у него, по-моему, полный порядок.

Он вызвал на экран следующую фотографию. На ней Михаил был запечатлен на улице, входил в подъезд дома, обернулся и в этот момент попал в объектив фотоаппарата. На сей раз без очков, и на фото было отчетливо видно, что глаза у него карие. Затем появилась третья фотография, на ней Михаил в обществе красавицы-брюнетки сидел за столом, опять же без очков, глаза отливали небесной синью.

— Хамелеон какой-то, — пробормотала Сонька.

— Линзы, — сказала я. — Он меняет цвет глаз по своему усмотрению.

— С синими он так хорош, что оторопь берет, — развила тему Соньку. — А с карими вылитый змей-искуситель.

Вадим смотрел на экран с усмешкой, предпочитая помалкивать, зато папа решил вмешаться.

— Кто этот тип? — недовольно спросил он.

— Михаил Володин. Кличка Мигель. Редкая сволочь и садист. Торговля наркотиками, проституция и прочее. Кстати, очень любит баловаться ножичком. Так что труп в вашем багажнике вполне мог появиться с его подачи, резать на куски человека как раз в его стиле.

— Подожди, — заговорил отец. — Какое отношение к моей дочери может иметь какой-то бандит? Откуда он вообще взялся?

— В этом-то вся загвоздка. Он никак не может находиться в городе. Парень тут много чего успел наворотить, и долгое время ему это сходило с рук. Но год назад его малость прижали, то есть наш красавец прокололся, и у ментов наконец-то появился повод взять его за жабры. Не дожидаясь счастливого свидания с прокурором, он смылся и, по слухам, обретается в Лондоне. Являться сюда, находясь в розыске, глупо. Правда, он очень наглая сволочь. И в отваге ему не откажешь, а еще в звериной хитрости. По общему мнению, парень совершенно безбашенный. Но чтобы вернуться, нужен очень серьезный повод. Допустим, он сильно разозлился, оттого что ему пришлось свернуть бизнес в этом городе, и решил наказать обидчиков. Тех самых, кто сдал его ментам. Сдал его, кстати, кто-то из своих. Это делает мою мысль о его причастности к трупу в багажнике вполне вероятной. Мигель решил узнать, кто его предал, оттого Крайнову и пришлось несладко. Неясно, правда, почему предполагаемый предатель вдруг заинтересовал его именно сейчас. Хотя есть еще догадка. Некто Рыжак Степан Петрович, дядя авторитетный, в настоящее время лежит в больнице. Говорят, жить ему осталось всего ничего. Так вот, в свое время Рыжак Мигелю очень помог, говорят, их связывает большая дружба. Особо осведомленные утверждают, что Мигель ему вроде сына. А почтительный сын с папашей обязан проститься. Хотя сам я сильно сомневаюсь, что этот тип способен на человеческие чувства. Так что остается лишь гадать, что ему здесь понадобилось.

— Надо же, — заметила Сонька удрученно. — А я в него почти влюбилась. Вот уж правду говорят, внешность обманчива. Ему б каждый год хватать по Оскару, а он какой-то наркобарон. Совсем люди себя не ценят.

Вадим усмехнулся.

— Откуда такая кличка? — задала я вопрос, продолжая разглядывать красавца-наркобарона.

— Ну, это понятно, — хмыкнула подружка. — На рожу его посмотри.

— Только этим и занята.

— Он же вылитый мачо.

— Он полукровка, — засмеялся Вадим. — Его отец кубинец. Учился в местном университете. Полюбил сокурсницу, она его. Потом любимый уехал на родину и забыл вернуться. Оттого у парня русские имя и фамилия. Через двадцать лет папаша одумался, приехал, и былая страсть вспыхнула с новой силой. В общем, хоть и поздно, влюбленные соединились и уехали на Кубу. Я думаю, мамаша попросту сбежала, сообразив, кого вырастила.

— Все это замечательно, — вернул нас к действительности отец. — Но мне хотелось бы знать, что этому типу нужно от моей дочери? Ко мне он тоже никаких претензий иметь не может, по крайней мере, я с трудом представляю, где и как наши интересы пересеклись.

— Девушки подобрали его на улице, так? — почесав за ухом, произнес Вадим.

— И трупа при нем не было, — кивнула Сонька.

— Они отправились в ресторан.

— И этот Мигель пообещал нам подарок. Вот скотина.

— Если он был без машины, следовательно, находясь в ресторане, переложить в багажник труп никак не мог. Значит, либо сделал это позднее, что попросту невероятно, либо раньше. Вопрос «зачем» остается в силе.

— И что нам делать с этим типом? — отец кивнул на экран.

— С ним лучше ничего не делать, — покачал головой Вадим. — Анину машину ребята почистят, потом бросят где-нибудь в городе, а вы заявите, что ее угнали. И чем скорее, тем лучше. Это на тот случай, если кто-то решил вас в игре задействовать. А потом надо только ждать и быть готовыми к любому развитию событий.

— Черт, — в досаде буркнул отец.

— Борис Викторович, поверьте, это самое разумное, что мы можем сделать.

— Остаются еще парни на джипе, — недовольно напомнил отец.

— Ну, с этими более-менее ясно. Мигеля ищут

не только менты, но и многочисленные недруги. Кто-то заметил его в ресторане и сообщил, кому считал нужным. То, что девочек видели в его компании, плохо, но не страшно. Охрану я им обеспечу. Для того чтобы не создавать лишних сложностей, им лучше держаться вместе и Соне, если вы не против, пожить здесь.

— Я не против, — затрясла головой Сонька. — В родную квартиру мне совсем не хочется. Вот только бы вещички взять.

— Без проблем, — улыбнулся Вадим.

Через некоторое время вернулись его ребята, и моя машина отбыла в неизвестном направлении. Я посмотрела ей вслед с замиранием сердца и подумала: свидимся ли? Вадим, перед тем как уйти, сказал:

— Ментам сообщите, что поехали в торговый центр «Октябрьский», там парковка маленькая и всегда тачками забита. Вам надлежит прибыть туда через два часа. Машина будет стоять в переулке, но, как вы понимаете, недолго. Вы прогуляетесь по магазинам, потом позвоните ментáм. Главное, место, где тачка стояла, хорошо запомните.

Я удрученно кивнула и закрыла за Вадимом дверь. Папа остался дома, ушел в кабинет и с кем-то разговаривал по телефону. Мы с Сонькой от безделья стали пить чай.

— Такой красавчик — и бандит, — печально заметила подруга. — Как думаешь, типы вроде него перевоспитанию подвержены?

— Ты его, что ли, перевоспитывать будешь?

— Я бы не против, — мечтательно закатив глазки, молвила она.

— Соня, ты дура.

— Я вот что думаю. Дядечку нам в багажник подсунули, пока мы в «Клеопатре» были. Этот самый Мигель и подсунул. Ага. Он был в зале. Просто мы его не заметили. И это его мысли Эсмеральда прочитала.

— Божье наказание, — фыркнула я. — Такого парня и не заметить?

— Мы ж на сцену смотрели и знать не знали, что творится у нас за спиной. Ты старательно воротила нос от Ильи и голову даже не поворачивала. Я, кстати, тоже. Точно, Мигель был в зале. Или в коридоре. Эсмеральда прочитала мысли, но не знала, от кого они исходят, потому что его не видела.

— Чтение мыслей — это просто фокус.

— Ты не можешь знать наверняка. Хоть сто раз скажи, что я дура, все сходится.

Я задумалась. Поверить, что Эсмеральда прочитала чужие мысли, я по-прежнему была не в состоянии, а вот что-то увидеть или услышать — она вполне могла. Я ведь тоже слышала обрывок разговора, который после произошедшего убийства кажется мне подозрительным.

Допустим, Мигель действительно был там, и труп в багажнике его рук дело, и появился труп в тот момент, когда машина находилась на стоянке возле «Клеопатры». Эсмеральда что-то заметила и решила припугнуть убийцу? Дура она, что ли? Кто ее знает. А если она брякнула это для разогрева публики, и тот же Мигель решил, что она чего-то там увидела, и убил ее? Вот это вполне вероятно. Мигель избавляется от возможного свидетеля... От «Клеопатры» до того места, где мы его подобрали, не так уж далеко, напрямую, дворами, можно преодолеть это расстояние быстрым шагом минут за пятнадцать. И он сел в машину, в которую подложил труп? Выходит, он просто идиот? Или в этом был какой-то смысл?

Смысл, хоть убей, не вырисовывался. Голова пухнет, а пользы никакой. А вот в подслушанном разговоре действительно что-то есть. Мужчина говорил тихо. О чем я подумала, услышав его голос? Это я сейчас фантазирую, или мысль о том, что голос знакомый, действительно мелькнула? Нет, фантазирую. По крайней мере, никаких ассоциаций голос у меня не вызвал.

— Ты чего бормочешь? — удивилась Сонька.

— Пойду-ка я в душ, — ответила я.

Через два часа папа отвез нас к торговому центру. Заглянув в переулок, мы увидели мою машину, но подходить к ней не стали, отправились по магазинам. Папа уехал, положившись на заверения Вадима, что за нами приглядывают. Черный «БМВ» сопровождал нас до торгового центра и теперь пристроился неподалеку. Один из ребят Вадима шел за нами следом, это вселяло определенный оптимизм. В тот день магазины нас интересовали мало, Сонька предложила зайти в кафе, и тут мне позвонили на мобильный. Я взглянула на дисплей. Номер скрыт, но я ответила, вспомнив о Глебе Сергеевиче, и услышала:

— Привет, милашка.

Всего-то два слова, но мне их хватило, чтобы понять, кто звонит. Однако спешить с узнаванием я не стала.

— Здравствуйте, — сказала растерянно.

— Утро расчудесное, — продолжил веселиться мой собеседник. — А как настроение?

— Отличное.

— Серьезно? Я думал, у тебя забот по горло.

— Слушайте, а вы кто? — насторожилась я.

В ответ хохотнули.

— Я обещал тебе вчера подарок.

— Михаил? Разве я давала вам свой номер телефона?

— Конечно, раз я звоню.

— Куда вы так стремительно исчезли? Нам с подругой вас ужас как не хватало.

Сонька вытаращила глаза, потом припала к моей руке, чтобы слышать, что говорит Мигель.

— Значит, подарок ты еще не видела? — поинтересовался он.

— Вы серьезно? Что за подарок?

— С ума сойти... загляни в багажник, детка.

— Прямо сейчас?

— А чего тянуть?

— Ладно. — К тому моменту парень, что нас сопровождал, тоже припал к моей руке и выглядел так, будто маялся зубной болью. — Иду к машине.

— Иди, радость моя, иди.

Я развернулась и в самом деле направилась к выходу, парень и Сонька жались ко мне с двух сторон, точно рыбы-прилипалы. Прохожие то и дело на нас натыкались и смотрели с недоумением.

— Вы о подарке серьезно говорите? — щебетала я, добавив в голос сиропа.

— Конечно. Я честный парень.

— А как он в багажнике оказался?

— У меня масса талантов.

— А подарок большой?

— Килограммов на сто.

— Шутите?

— Вовсе нет. Сейчас увидишь.

В это время мы так ускорились, что успели покинуть торговый центр, свернули в переулок, и я завопила:

— Моя машина!..

— Твоя, твоя.

— Идиот, мою машину угнали. Мамочка... Соня, звони скорее в милицию.

Сонька потянулась к телефону, я покрутила пальцем у виска, и подружка тут же замерла «солдатиком».

— Что, в самом деле тачку угнали? — подал голос Мигель.

— Что же это делается, — верещала я, потом рявкнула: — Это ты называешь подарком, скотина?

— Эй, полегче, — сказал он и принялся хохотать. — Ну, дела... впрочем, так даже лучше.

— Да пошел ты...

— Деточка, как бы весело тебе сейчас ни было, тому, кто угнал твою тачку, будет еще веселей. — Он вновь захохотал, потом пошли гудки.

— Я не поняла, он что, у нас тачку угнал? — пролепетала Сонька и уставилась на нашего телохранителя. Тот моргнул и задумался.

— Кто звонил? — наконец произнес он.

— Если бы мы утром сообщили о встрече с Мигелем в милицию, они могли бы засечь его по мобильному и арестовать, — с величайшим сожалением подумала я вслух. — И нам бы подарили именные часы с кукушкой.

— Зачем тебе часы с кукушкой? — удивилась Сонька, а телохранитель спросил:

— Это какой Мигель? — И пошел пятнами. — Он тебе звонил? Быстро к Вадиму.

— У меня машину угнали! — заорала я. — Надо ментам звонить.

— Сумасшедший дом, — неизвестно кому пожаловался парень и стал звонить Вадиму, а я в милицию. Насчет сумасшедшего дома — это в самую точку. Зато когда приехала милиция, выглядели мы очень натурально: совершенно очумелыми. И даже некоторые расхождения в показаниях общей картины не портили. Две дуры-блондинки не могли точно сказать, как давно оставили машину и была она поставлена на сигнализацию или нет. Верный телохранитель, которого, кстати, звали Колей, отлично вписался в наш дуэт, продолжая хлопать глазами и загадочно мычать.

После непродолжительной беседы мы расстались с представителями правопорядка взаимно удовлетворенными. Сели в «БМВ», познакомились с Колиным напарником Володей и отправились в офис отца. Папа уже час как был на работе.

О звонке Мигеля Вадим узнал от того же Коли и

с величайшим нетерпением ожидал нас в кабинете отца.

— Значит, он позвонил?

Я пересказала наш разговор, и папа вслед за мной посетовал, что утром мы не сообщили о нежданном знакомстве с Мигелем в милицию. Допустим, о трупе разумней было промолчать, но о вчерашнем инциденте на дороге вполне могли поведать, ну и о том, что ему предшествовало. И сейчас наркобарон уже сидел бы в наручниках и готовился остаток дней провести под присмотром.

— Если вам интересно мое мнение, — хмыкнул Вадим, — так я скажу: пусть его ловят менты, недруги и прочие граждане, кому это положено или жизнь не дорога.

— Мне этот мерзавец по барабану! — рявкнул отец. — Но он звонит моей дочери и запихивает трупы в багажник ее машины.

— Да, теперь в этом сомнений нет: труп его рук дело.

Мужчины замолчали, я хмурилась, а Сонька переминалась с ноги на ногу.

— Чепуха получается, — заговорил отец, обращаясь к Вадиму. — Ты сказал, что его ищут. Так зачем он звонит, всячески привлекая к себе внимание? Вот я, явился, ловите меня. Он что, совсем идиот?

— Черт его знает, — пожал плечами Вадим. — Но если он так делает, значит, видит в этом смысл.

— Жаль, что я его не вижу. И ты, судя по всему, тоже. Я бы очень хотел знать, при чем тут моя дочь.

— Не волнуйтесь, Борис Викторович. Разберемся.

— Да уж, сделай милость, — язвительно заметил отец, что было ему совсем несвойственно, и стало ясно, что происходящее выбило его из колеи.

— Папа, мы на работу поедем, — минут через пять произнесла я, не видя толка в своем присутствии здесь.

— Какая работа? — возмутился он. — Сидите дома.

Я потянула Соньку за рукав, и мы быстро оказались в коридоре, где к нам присоединился Коля. Вместе с ним мы отправились домой и до глубокой ночи изводили себя догадками и предположениями, в основном бесполезными.

На следующее утро Вадим вновь возник в нашей кухне, я была не в духе — жизнь совсем не радовала, и спросила сурово:

— Где моя машина?

— В Мельничном переулке, в тупике между гаражами, — бодро сообщил Вадим.

— Так, может, забрать ее оттуда?

— Ее же менты ищут.

— А найдут?

— Кто знает, — удивился он.

— Почему бы не помочь людям? Позвонить, к примеру.

— Пусть еще немножко поищут, и позвоним. Не беспокойся, за ней приглядывают.

— Нашла о чем переживать, — вмешался отец. — Сейчас машина тебе все равно не нужна.

— Папа, я не могу сидеть дома. У меня работа. И у Соньки, кстати, тоже. У нее квартальный отчет.

Папа махнул рукой:

— Возьми мою машину, я служебную вызову. Только ради бога... — дослушивать я не стала и поспешила обрадовать Соньку, что домашний арест отменяется.

Через час мы были в офисе и разбрелись по кабинетам. Устроившись за рабочим столом, я с прискорбием поняла, что сосредоточиться на текучке не получается. Мысли перескакивали со звонка наркобарона на труп в багажнике и возвращались к пророчествам Эсмеральды. Чем больше я думала о погибшей девушке, тем стремительнее росла уверенность: как ни фантастичны утверждения Соньки о ее способностях, в словах Эсмеральды что-то было. Теперь мне казалось совершенно очевидным: ее смерть — следствие неосторожно произнесенных слов, а вовсе не ограбление.

Заглянув в кабинет подруги, я убедилась: работа ее занимает так же мало, как и меня.

— Идем обедать, — позвала я. Сонька с готовностью кивнула.

Обедали мы обычно в кафе напротив. Только перешли через дорогу, как подруга, схватив меня за руку, сказала:

— Смотри, Юрка.

И в самом деле, возле газетного киоска стоял ее двоюродный брат в компании девушки лет двадцати. Они то ли ссорились, то ли весьма бурно что-то обсуждали. Заметив нас, Юрка махнул рукой в знак приветствия и поспешил от девицы отделаться. Она с недовольным видом направилась в сторону универмага, а Юра к нам.

— Привет, — сказал он, целуя Соньку.

— Юрик, — запричитала она. — Прими мои соболезнования. — Юра нахмурился, что-то прикидывая, подружка пояснила: — Я имею в виду Эсмеральду, то есть Иру. Ужасное несчастье.

— Да уж, — согласился Юра. — Меня вчера полдня в ментовке мурыжили. Очень интересовались нашими отношениями, а еще больше тем, где я был в момент убийства. Слава богу, что в ресторан я не один приезжал. А когда ей какая-то сволочь дала по кумполу, находился в студии в компании пяти почти трезвых парней. Не то непременно бы на меня списали, уж я-то знаю, ментам лишь бы крайнего найти. А вы куда? Время вроде рабочее.

— Мы обедать, — ответила Сонька, кивая в сторону кафе. — Идем с нами.

— Пообедать я не против, только за твой счет, я сегодня на мели.

— Хорошо, за мой, — посуровела подруга. Такая доброта требовала объяснения, впрочем, ждать пришлось недолго. Сонька жаждала узнать кое-какие подробности жизни Эсмеральды. Мне они, кстати, тоже были небезынтересны, и я решила разделить с подругой затраты. В общем, мы отправились в кафе втроем.

Погода стояла прекрасная, весенний солнечный денек, в такое время находиться в помещении не хочется, вот мы и устроились на веранде, что выходила во двор. Двор был чистенький, с зеленой лужайкой, старой липой и небольшим фонтаном, очень радовавшими глаз. Вместо забора кусты шиповника, из-за них виднелась стоянка ресторана «Лебедь». Взглянув в том направлении, я подумала: в «Лебедь» стоит как-нибудь заглянуть, открылся ресторан недавно, и, по отзывам знакомых, кормили там прилично.

Сонька между тем, схватив меню, быстро сделала заказ, не проявив особого интереса к тому, что хотели бы съесть я или Юра. Хотя мои вкусы ей известны, братец же собирался поесть на халяву, а дареному коню в зубы не смотрят.

Не успела официантка отойти, как Сонька полезла к брату с вопросами.

— В милиции думают, что это ограбление?

— Не знаю, что они там думают, лишь бы ко мне поменьше цеплялись.

Конечно, неприятно, когда тебя подозревают, тем более в убийстве, но особой печали по поводу потери возлюбленной в голосе Юры как-то не чувствовалось.

— Ты давно знаешь Ирину? — задала я вопрос.

— Месяцев пять.

— Она действительно мысли читала? — влезла Сонька, Юрка хмыкнул.

— Не знаю, лично я во всю эту фигню не верю, но... Ирка уверяла, что чего-то там чувствует. Может, врала, а может... по ее словам, дар у нее открылся после сильнейшего стресса, в роду у нее якобы была провидица, сестра ее бабки. Ну, вот она и решила, что у нее там что-то открылось, у Ирки, я имею в виду. Я всю эту бодягу никогда не слушал. Ну, нравилось ей быть не такой, как все, так ради бога. Вот только чего ж она мысли убийцы не прочитала, когда он намылился ей по башке дать? Могла заорать хотя бы, глядишь, осталась бы жива.

Аргумент произвел на Соньку удручающее впечатление, а вот мне серьезным не показался, впрочем, в умение Ирины читать чужие мысли я по-прежнему не верила.

— Значит, по-твоему, ничего она прочитать не могла? — спросила Сонька с обидой.

— Откуда я знаю? — фыркнул Юрка, которого ее вопросы попросту достали. — Менты тоже всякую чушь спрашивали.

— И вовсе это не чушь. Ты знаешь, что она сказала во время выступления? В ресторане находится человек, задумавший убийство, а через полчаса после этого ее убили.

— Хорошо, что я в зале не сидел. Не то бы точно стал козлом отпущения. Тебе-то какое дело до всего этого? — задал он вполне здравый вопрос.

— Мы, можно сказать, ее труп обнаружили...

— А-а... Ну и что?

— Как — что? По-твоему, мы каждый день трупы находим? Хотелось бы разобраться.

— Ага. Давай.

— А ты любил ее? — вдруг спросила Сонька, ее хлебом не корми, дай поговорить о высоком.

— Не очень.

— Но ведь вы... — разочарованно начала подруга.

— Сонька, ты как маленькая, честное слово. Познакомился с девушкой. Симпатичная, и бабки водятся. А у меня их никогда нет. Она не жмотничала и часто меня выручала, в общем, мы были созданы друг для друга. Только любовь тут ни при чем.

— Все мужики свиньи, — сквозь зубы процедила Сонька, Юра согласно кивнул.

— Нормальные у нас были отношения, — заговорил он. — Честно. И Ирка девка хорошая. Хоть и с приветом.

— А чем она раньше занималась, до того, как дар открылся? — задала я вопрос.

— Работала в одной фирме, секретаршей. Потом ее из фирмы поперли, а тут дар. Ну и подалась в кабак фокусы показывать.

— Так все-таки фокусы? — нахмурилась я.

— Не знаю, — чуть ли не по слогам ответил Юра.

— А за что ее из фирмы уволили?

— Обвинили в тесной связи с конкурентами.

— А связь была?

— Была, теснее некуда. С мужиком она познакомилась и влюбилась по самые уши. Мужик крутой, с бабками, девицы от таких тащатся. Ирку послушать, так она о том, что любовник с ее хозяином был в контрах, знать ничего не знала, но шеф, конечно, не поверил и указал ей на дверь. А потом и любовник ее бросил. И осталась она у разбитого корыта. Хотела руки на себя наложить, тут как раз дар и открылся. — Юра нахмурился и головой покачал, сообразив, должно быть, что говорить в таком тоне о девушке, пусть и не очень любимой, не следует. — Если честно, когда я ее впервые увидел... короче, влюбился. Прямо как в романах пишут. Башню снесло. И я ей вроде нравился. Даже жить вместе хотели.

— И что помешало? — спросила я, внимательно наблюдая за ним.

— Она жить без него не могла. Без мужика этого, хоть он ее и бросил. Все разговоры только о нем. Какой он замечательный, какой умный... Даже причину придумала, почему он ее бросил: оклеветали ее недруги, а он поверил. Послушать дурочку, так выходит: он решил, что она с ним по заданию своего босса дружбу водила, шпионила то есть. Чушь. Он был старше ее лет на двадцать, захотелось молодого тела, а потом, девочка, гуд-бай. А может, правда мозги ей пудрил, чтоб чужие секреты узнать. Короче, поматросил и бросил. А Ирка сказки себе придумывала. Все надеялась. Я ее пробовал вразумить, без толку. Мне все это надоело, и я решил: пусть сохнет по своему бизнесмену. В общем, мы и расстаться не расстались, но и любви не случилось. Так, когда трахнемся, когда пива попьем.

— А как звали ее любовника? — спросила я.

— Понятия не имею. Она фамилию никогда не называла. Я спросил как-то из любопытства, она говорит: зачем тебе, ты ж его все равно не знаешь.

— Может, она фотографии хранила? — задала вопрос Сонька.

— Фоток его я тоже не видел, да и вряд ли он с ней фотографировался, он же наверняка женат, и если не дурак, то осторожничал.

— У кого она в то время работала, тоже не знаешь?

— Почему, знаю. Фамилия ее босса Павликов, фирма то ли «Контраст», то ли «Контакт». Хозяин из бывших бандитов, то есть переквалифицировался в бизнесмены. По мне, все бизнесмены — бандиты, еще Маркс сказал: «В основе каждого состояния лежит преступление». А классикам надо верить. Ирка не раз говорила, что легко отделалась: вышвырнули из фирмы, и все, а могли бы и укокошить.

— Так, может, и вправду, — насторожилась Сонька.

— Ага, думал, думал и надумал. Брось, чушь все это. Убил ее какой-нибудь наркоман из-за несчастной пары тысяч, что в ее кошельке были.

— А если все-таки...

— Вот только всяких идей не надо. У вас, баб, идей воз и маленькая тележка. Одна полчаса назад предлагала к ментам идти, стучать на бывшего Иркиного любовника. У нее тоже идея: что он Ирку прикончил.

— Ты кого имеешь в виду? — на этот раз насторожилась я.

— Иркину подругу, Верку Хлопову, вы ее видели. Прицепилась как банный лист... спасибо, я вчера у ментов нагостевался.

— С чего она взяла, что бывший любовник Иры виноват в ее смерти?

— Да бред. Якобы Ирка что-то такое о нем узнала. Она ж на нем повернутая была. Расспрашивала всех, кого могла, что да как. Надо Верке, пусть идет к ментам, да куда угодно. А я пас. Лишь бы меня не трогали.

Юрка сосредоточился на еде, которую нам минут десять как принесли, а мы с Сонькой сидели с постными лицами. Спрашивается, какое мне дело до чужого любовника с его тайнами, когда своих проблем выше крыши. Однако, несмотря на здравые мысли, любопытство зашкаливало.

— Верка — девица, с которой ты на улице разговаривал? — спросила подружка.

— Угу.

— А можно с ней встретиться?

— Встречайся на здоровье. Она в магазине работает, тут, за углом. «Сударь» называется. Только скажи на милость, тебе это зачем?

На этот вопрос ни я, ни подружка ответить не могли. Сонька вяло жевала, а я разглядывала фонтан и кусты шиповника, пока мое внимание не привлекли мужчина и женщина, появившиеся на стоянке ресторана «Лебедь». Сначала я увидела Николая Ивановича. Он вышел из служебного входа ресторана и сел в машину на водительское кресло. Это меня слегка удивило, потому что, как я знала, он предпочитал ездить с водителем. Время обеденное, и в том, что он заглянул в ресторан, не было ничего особенного.

Дверь служебного входа вновь открылась, появилась женщина и прямиком направилась к тачке Николая Ивановича, села рядом с ним, но машина с места не тронулась. Ну и что? Николай Иванович — мужчина одинокий, может встречаться с кем угодно. Вот только женщина показалась мне знакомой.

Я ковыряла вилкой в салате, продолжая поглядывать на машину. Минут через десять дама вышла и скрылась в ресторане. Так и есть. Темные волосы, лицо роковой обольстительницы — дамочка, с которой я столкнулась возле туалета в «Клеопатре». Сейчас волосы ее были стянуты в хвост на затылке, одета в элегантный бежевый костюм, в руках золотистая сумочка. Что ж, вкус у Николая Ивановича есть, а вот чувство самосохранения отсутствует, не то с подобной дамочкой он связываться бы не стал. Впрочем, внешность обманчива.

Между тем машина Николая Ивановича покинула стоянку и скрылась с глаз. Юрик довольно отвалился на спинку стула и потребовал пива, но Сонька ворчливо ответила:

— Перебьешься.

— Тогда я пошел, — усмехнулся он, чмокнул Соньку в нос, сказал: — Пока, сестренка, — и удалился.

— Верку навестим? — тут же зашептала подружка.

— Мне через полчаса надо быть в банке. На обратом пути, так и быть, заглянем к Верке.

В банк мы поехали на папиной машине, за нами следовал «БМВ» с охраной. Я было хотела позвонить отцу и сказать, чтобы ребята не особо усердствовали, днем нам вряд ли следует чего-то опасаться, но, вспомнив недавний звонок Мигеля, сочла за благо этого не делать.

Собственно, Соньке со мной ехать в банк было необязательно, но она совершенно не способна сейчас усидеть на работе одна. Опять же, Вадим советовал нам держаться вместе, не создавать трудности охране, хотя злодеи вряд ли рискнут ворваться в офис.

В банке мы пробыли дольше, чем планировали, а на обратном пути свернули в переулок, где находился магазин «Сударь». Если честно, я плохо представляла нашу встречу с подругой Ирины, как мы объясним ей свой интерес? Сомнительно, что она станет отвечать на наши вопросы. Но Сонька заявила: «Положись на меня» и решительно направилась к магазину.

«Сударь» специализировался на продаже мужских костюмов. Небольшой торговый зал был пуст, не считая двух продавщиц, одна из которых отчаянно зевала возле прилавка, а другая разгадывала кроссворд.

— Здравствуйте, — сказала Сонька. — Вера сегодня работает?

— Вера! — заголосила зевавшая девица, заглянув в распахнутую дверь, которая вела то ли в коридор, то ли в подсобку.

На ее зов появилась девушка, которую мы не так давно видели в компании Юры, и теперь с удивлением смотрела на нас, ожидая объяснений.

— Я сестра Юры Серова, — бойко начала Сонька. — Хотела бы с вами поговорить.

— О чем? — удивление на лице девушки лишь увеличилось. Сонька перевела взгляд на ее сослуживицу, и Вера сказала: — Я покурить выйду.

Девушки на ее слова никак не отреагировали. Мы втроем вышли из магазина, свернули за угол, здесь была скамейка, но Вера осталась стоять, скрестила руки на груди и произнесла:

— Ну, в чем дело?

— Дело в вашей подруге, — заговорила Сонька. — Ирине Емельяновой. Вечером, когда ее убили, мы были в «Клеопатре». — Далее Сонька изложила свою версию: погибла Ира потому, что во время представления прочитала мысли потенциального убийцы.

— Она действительно умела мысли читать? — спросила я.

— Ну... иногда у нее получалось, — неохотно ответила Вера. — Она говорила, если звезды к тому располагают. А со звездами никогда наверняка не знаешь. Еще говорила, что мысли близких людей читать не может, это запрещено.

— Кем? — опешила Сонька.

— Не знаю. Слушайте, она с прибабахом была, это точно. Вроде как не от мира сего. Но человек хороший. Ее послушать, все вокруг добренькие и несчастненькие, только им об этом напоминать надо. В ресторане ей платили прилично, публика валом валила ее сеансы смотреть, чего еще надо?

— Значит, все-таки фокус, — недовольно вздохнула Сонька. — И убил ее грабитель.

— Может, и грабитель, — кивнула Вера.

— Юра сказал, у вас есть своя версия, — вмешалась я.

— Может, и есть.

— И вы хотели идти к следователю.

— Хотела. Вот только не знаю, будет ли толк.

— Это касается ее бывшего любовника? Вы его имя знаете?

— Нет. Ирка все секретничала. У него репутация, то да се. Женат небось, вот и все секреты. Сволочь, бросил ее, когда Ирку с работы поперли. Изза него поперли. Я думаю, он с ней любовь крутил, потому что она у Павликова работала. А когда выгнали, помахал ей ручкой, у него таких, как она, штабеля у двери.

— Но если вы правы, непонятно, зачем ему желать ее смерти. Вы ведь считаете, что он причастен к ее убийству?

— Не говорила я такого. Но на месте ментов тряхнула бы этого гада как следует.

— Юра сказал, что после того, как любовник ее бросил, Ира стала интересоваться его делами и могла что-то такое узнать...

— Не делами его она интересовалась, а им самим. Она ни о чем ни думать, ни говорить не могла, только о нем.

— И ни разу даже имени не назвала? Откуда такая скрытность? Подруги обычно откровенничают. Сколько они были знакомы?

— Месяца три, может, больше. Я его видела однажды. Мы с Иркой с дачи возвращались, он позвонил и встретил нас на вокзале. Мужик ей в отцы годился, хотя видный такой и, ясное дело, с бабками. Тачка дорогая, сам одет с иголочки. Выглядел клево и к ней относился хорошо. А потом раз — и бросил. Сказал, ты молодая, тебе замуж выходить надо. Вот гад. Носит же земля таких уродов. У него и в мыслях не было относиться к ней серьезно. Так, романчик на стороне, пока женушка в салонах прохлаждается.

— Ирина говорила, что он женат?

— Не говорила. Но, ясное дело, женат, в сорок-то с лишним лет. И разводиться не собирался, ему и так хорошо было. А она-то дура...

— Я так и не поняла, что такого она могла о нем узнать, — вернулась я к интересовавшей меня теме.

— Я знаю одно: что-то она точно раскопала. А началось все месяца два назад. Мы в кафе сидели, встретили знакомую Ирки, она раньше в «Клеопатре» работала, потом ушла в «Карусель». Они начали болтать, что да как, я в туалет отлучилась. А когда вернулась, девица уже ушла, а Ирина задумчивая такая была и вроде даже испуганная. После этого и пошло: чего-то она все искала... И мне заявила: ее любимый в опасности.

— В опасности? — растерялась Сонька.

— Ага.

— Чего ей так за него переживать, если он ее бросил?

— Бросить-то бросил, но она все равно считала, что он лучше всех на свете. Такая дура...

— А как девушку из «Карусели» звали?

— Вика. Фамилии не помню, хотя Ира ее называла. Простая какая-то фамилия. На прошлой неделе мы с Иркой встретились, и она говорит: кто-то был у нее в квартире. Замок не сломан, ничего не украли, но вещи не так лежат. Я говорю, иди в милицию. А она мне: я должна сначала поговорить с любимым, она только так его и называла. Он сейчас, видите ли, занят, но на следующей неделе обещал с ней встретиться. Уж теперь вряд ли.

— Дела, — молвила Сонька, с сомнением поглядывая на меня.

— Следователь с вами беседовал? — задала я очередной вопрос.

— Нет. Я думаю, идти мне к ним или нет?

— Конечно, идти, — кивнула Сонька.

— А если Ирку грабитель убил и любовник ни при чем? С головой-то у нее точно проблемы были. Просто наказание какое-то. Ладно, мне пора.

Она направилась в магазин, а мы к машине, которая была припаркована неподалеку.

— Эй, — вдруг позвала Верка, мы дружно обернулись. — Это ваша тачка? — спросила девушка.

— Да, — ответила я.

— Черт, — выругалась она и бросилась в магазин, оставив нас гадать, что это вдруг на нее нашло.

Мысль эта не давала мне покоя. Сонька поглядывала на меня, не решаясь заговорить. Однако вскоре не выдержала:

— Куда ты несешься точно угорелая?

— Помолчи, — отмахнулась я. Наш офис остался далеко позади, место назначения я видела смутно.

— Ты думаешь то же, что и я или у меня просто крыша поехала?

Я все-таки притормозила и посмотрела на подругу.

— А что ты думаешь?

— Не трудно догадаться. Вера сказала, что видела любовника Эсмеральды. И его тачку тоже.

— Хочешь сказать...

— Ладно, у меня глюки, — пожала плечами Сонька.

— Ты считаешь, что этим самым любовником мог быть мой отец? — спросила я с насмешкой. На Соньку я злилась зря, вполне логично такое предположить, ведь Верка чересчур эмоционально отреагировала на мою машину, точнее, на машину отца. — Допустим, — вздохнула я. — И что дальше?

— Ничего, — вновь пожала плечами подруга. — Действительно, ничего. Твой папа мог встречаться с кем угодно. Слава богу, Эсмеральда совершеннолетняя. Какое это может иметь отношение к тому, что с ней случилось?

Я припарковалась возле магазина и теперь разглядывала площадь впереди, нервно барабаня пальцами по рулю.

— Давай начистоту, — решилась я. — Если верить девушке, Эсмеральду убили потому, что она интересовалась делами своего любовника.

— Девчонка могла нафантазировать. И что скрывать твоему отцу? Я имею в виду, что такого особенного? Лично мне в голову ничего не приходит. Конечно, ты своего папу лучше знаешь, но по мне, так это просто бред.

— Надеюсь. И все же... Помнишь, когда мы рассказали об убийстве, они с Николаем Ивановичем как-то странно переглянулись.

— Не выдумывай. Хотя... допустим, отец был знаком с Ириной, о чем Николаю Ивановичу известно. И вдруг ты говоришь, что девушку убили. Естественно проявить беспокойство. Дядя Боря не хотел, чтобы ты знала, как он проводит время, и предпочел промолчать. Вполне разумно. Разве нет?

— Не знаю. Соня, у меня на душе кошки скребут. Ведь Ирина сказала, что ее любимый в опасности.

— Если честно, у меня тоже кошки скребут, — сказала Сонька.

— Поехали к отцу, — заводя машину, предложила я.

— Лучше поговорить с ним вечером, когда ты немного успокоишься, — вздохнула подружка.

Конечно, я вовсе не уверена, что папа имеет какое-то отношение к погибшей девушке, но, начни я его расспрашивать, само собой получится, будто в чем-то его подозреваю. Однако голос разума затих и более меня не беспокоил.

Мы подъехали к бизнес-центру, где находился офис отцовской фирмы. На стоянке увидели его служебную машину, рядом машину Николая Ивановича. Значит, оба здесь.

— Мне с тобой идти? — вздохнула Сонька.

— Лучше тут подожди.

Я направилась к центральному входу. Водитель Николая Ивановича читал газету, распахнув дверь «Мерседеса» и откинувшись в кресле. Ему было лет сорок, работал он у Правдина много лет, по крайней мере, другого водителя я не припомню. Звали его Гена, Геннадий Петрович, он был известен большой суровостью к женскому полу. Его жена, прожив с ним в любви и согласии десять лет, ушла к его младшему брату, что явилось для Геннадия Петровича полной неожиданностью. С тех пор всех женщин он считает лгуньями и распутницами. Длительное общение с Николаем Ивановичем, который предпочитал молодых девушек, это его убеждение лишь укрепило. Но на меня его недоброжелательность не распространялась. Заметив меня, Геннадий Петрович улыбнулся и отбросил газету в сторону. Его безусловным достоинством, с точки зрения

Правдина, была молчаливость. Он умел хранить секреты, но с теми, кого считал «своими», поболтать не отказывался.

— Здравствуйте, — сказала я и помахала ему рукой.

— Ты к отцу? — спросил Геннадий Петрович, выходя из машины. — Лучше повремени.

— У них совещание? — подходя ближе, поинтересовалась я.

— Вроде того... ЧП в городе, — понизил он голос.

— А что случилось?

— Сегодня утром убили Павликова.

— Это какой Павликов? — нахмурилась я, вспомнив фамилию бизнесмена, у которого когда-то работала Эсмеральда.

— Всеволод Вельяминович, конкурент наш, царствие ему небесное. Мой-то как услыхал сегодня по радио, так к твоему отцу и помчался, хотя вроде в Москву ехать собрались. Такие дела.

— Павликова убили? — бестолково переспросила я.

— Ага. В новостях сказали. Застрелили утром возле дома, когда он на работу поехал. Говорю, ЧП, давно у нас бизнесменов не стреляли. И нате вам.

— Вы говорите, он наш конкурент?

— Конкурент, — смутился Геннадий Петрович. — Всему городу известно, чем он занимался до того, как бизнесменом стал. Должно быть, кто-то из бывших дружков сильно осерчал. А ты была в «Клеопатре», когда там гадалку убили? — он решил сменить тему. — Вот ведь тоже... считай, в центре города, и охрана рядом, а девчонка погибла.

— Вы с ней были знакомы? — осторожно спросила я.

— Нет, конечно. Иваныч про убийство сказал. Мы ведь в тот вечер тоже там были, хозяин то есть.

— Николай Иванович был в «Клеопатре»? — нахмурилась я. — Я его не видела.

— Ужинать заезжал. Я-то тебя видел, ты мимо проехала, а я в машине ждал. Хозяин один ужинал, вернулся быстро, наверное, вы с ним разминулись. Мы уехали, а уж девчонку потом нашли.

— Вы в Москву с утра собирались? — задала я вопрос.

— Нет, к обеду хотели. Но как новость услышали, сразу сюда.

— А часа два назад Николай Иванович куда ездил?

— Никуда, — удивился Гена. — Все время в конторе был. В два мы с Эммой в налоговую ездили, на служебной машине, Иваныч попросил, а он все время здесь. Почему ты спросила?

— По-моему, я его в ресторане видела. В «Лебеде». Мы с Сонькой обедали, а он к машине шел с какой-то женщиной. Очень красивая, волосы длинные, темные.

— Темные? — добродушно хмыкнул Геннадий Петрович. — Ты обозналась. Мы все больше по блондинкам.

— Странно, я была уверена, что это Николай Иванович. И женщину я в «Клеопатре» видела в вечер убийства.

— Я всех его пассий знаю, — покачал головой Геннадий Петрович. — Рыжие были, и серо-буро-малиновые тоже. А чтоб темная да с длинными волосами, такой — нет. Да он весь день в конторе, решают, как дальше жить. В бизнесе как на войне, для кого горе, а кому-то открывающиеся перспективы.

— Пожалуй, к отцу в самом деле идти сейчас не стоит, — вздохнула я и вернулась к машине.

— Чего тебе Гена сказал? — с любопытством спросила Сонька.

Я облизнула губы, вздохнула и, глядя на нее, выпалила:

— Павликова убили.

— Мы его знали? — Тут Сонька нахмурилась и даже лишилась на некоторое время дара речи. — Это тот самый...

— Тот самый.

— А кто убил?

— Знать бы ответ на твой вопрос.

— Подожди, это что же получается, — заволновалась Сонька. — Два дня назад убивают Ирину, которая у него работала, а сегодня его самого?

— Странное совпадение, правда? Хотя уволили ее довольно давно, и это действительно может быть совпадением. Но если учесть, что Ирина пыталась узнать какие-то тайны своего любовника...

— О господи, Нюся, давай прекращать все это.

— Что «все? — усмехнулась я.

— Мне не нравится, что мы подозреваем твоего папу.

— А мы его подозреваем?

— Вот характер, — в досаде плюнула Сонька. — Он твой отец.

— Вот именно. Ладно, поехали.

— Куда?

— На работу. Гена сказал, что в вечер убийства Николай Иванович ужинал в «Клеопатре».

— Час от часу не легче, — всплеснула подруга руками. — Ну и что? Он же один живет, где ему еще ужинать, как не в ресторане, и почему бы не в «Клеопатре».

— Но мы его там не видели, хотя Гена утверждает, что в тот момент, когда мы с тобой подъехали, он был в ресторане.

— И что?

— Я слышала разговор, довольно странный, если не сказать подозрительный. Говорил мужчина тихо, голос я могла и не узнать. А ты обратила внимание на человека, который шел к выходу, стараясь, чтобы не видели его лица. Он тебе знакомым не показался?

— Я его мельком видела... нет, не показался. Хотя черт знает... Допустим, это Николай Иванович, ты ведь на него намекаешь? Что дальше?

— Дальше я столкнулась с женщиной возле туалета, стервозного вида дамочка без возраста. Она на меня как-то странно посмотрела.

— Тебя послушать, кругом одни подозрительные личности. Что на тебя нашло?

— Сегодня, когда мы обедали, Николай Иванович вышел из «Лебедя» и через пару минут к нему в машину села та самая женщина. Это совершенно точно. А Гена говорит, Николай Иванович, услышав об убийстве, вернулся в офис, а его отправил в налоговую на служебной машине.

— В «Лебеде» он на своей тачке был? Ну, заехал перекусить. Не пиццу же ему в офис заказывать. Даже если у него было свидание с этой бабой, что с того?

— Допустим, он не хотел, чтобы об этом свидании знали, — не очень уверенно произнесла я.

— Допустим. Допустим даже, что в «Клеопатре» был он и ты слышала его разговор с этой бабой. Что дальше?

— А сегодня утром убили Павликова.

— Все, хватит, — нахмурилась Сонька. — У тебя крыша поехала.

Оказавшись в своем кабинете, я попробовала сосредоточиться на работе. Мне это почти удалось. Правда, кое-какие мысли все еще надоедливо возвращались, а потом мне стало стыдно: я что, действительно подозреваю отца? В чем, интересно? Ну, знал он Эсмеральду, был ее любовником, а потом бросил. Возможно, как раз и бросил оттого, что она работала секретарем у его конкурента. Хотя, по словам Веры, сначала Ирину с работы уволили, а уж потом и он предложил ей расстаться. Способен папа использовать девушку в каких-то своих целях, а затем оставить? У него репутация порядочного человека, и у меня никогда не было повода в этом усомниться. Хотя о его отношениях с женщинами мне вообще ничего не известно. Иногда даже лучшие из мужчин ведут себя как последние свиньи. Если бы не слова Ирины о том, что ее любимому грозит опасность, я бы выбросила эту историю из головы. Впрочем, девушка могла и фантазировать.

Зазвонил мобильный, я буркнула:

— Да. — И услышала:

— Здравствуйте, Анна, это Глеб. — Я, признаться, растерялась. Была уверена, что он не позвонит, хоть и надеялась.

— Здравствуйте, — собравшись с силами, ответила я.

— Как ваши дела? Больше никаких приключений?

— Бог миловал. Я рада, что вы позвонили, — не совсем к месту сказала я. Мне показалось, он усмехнулся.

— Если честно, я не уверен, что поступаю правильно.

— А причина?

— Ну... разницы в возрасте вполне достаточно.

— Разница в возрасте мало кого останавливает.

— Наверное, я несовременен. Что ж, очень рад, что у вас все в порядке.

Ясное дело, сейчас он скажет «до свидания», а мне этого совсем не хотелось.

— Вы позвонили только для того, чтобы в этом убедиться? — поспешно спросила я.

— Глупо врать. Не только.

— Зачем еще?

— Сейчас наберусь отваги и приглашу вас поужинать. Как вам эта идея?

— Вы приглашайте, а я подумаю.

— У вас характер.

— Это плохо?

— Напротив. А не поужинать ли нам сегодня вместе?

— С удовольствием. Где, когда?

— Выбор за вами. Я освобожусь часов в шесть.

— До шести я буду на работе.

— Я за вами заеду. Можно?

— Адрес запишите.

— Я его знаю.

— Серьезно?

— Конечно. Вчера я весь день мучился сомнениями: позвонить или нет, и попытался побольше о вас узнать.

— Вечером расскажете.

— Непременно. Значит, в шесть?

Мы простились, я отложила мобильный в сторону, сама удивляясь своему волнению.

Не могу сказать, что Глеб полностью завладел моим воображением. Внешность у него самая обыкновенная, да и разница в возрасте, если честно, все-таки смущает. Но, несмотря на это, я ждала его звонка, и теперь предстоящее свидание очень меня занимало. Наверное, все дело в том, как мы познакомились. Вот уж не думала, что я такая романтичная натура. Говорят, девушки подсознательно выбирают мужчин, похожих на их отцов. Встретимся, присмотрюсь к Глебу получше. Вполне возможно, он покажется мне совсем неинтересным и даже скучным. Я не знаю, женат ли он, но соглашаюсь встретиться. Кажется, меня это нисколько не смущает.

В этот момент дверь распахнулась, и в кабинет влетела Сонька. Произнести ничего не смогла и только тыкала пальцем в телефон на столе. Признаться, у меня мелькнула мысль: что, если в багажнике появился еще один труп?

— Где эта гребаная охрана? — вдруг рявкнула она.

— А...

— Звони, — заявила Сонька.

Тут дверь распахнулась шире, и в кабинет, слегка подвинув подружку, вошел молодой человек в кругленьких очочках, благообразный и румяный. Пока я гадала, в чем дело, из-за его спины возник еще один, на голову выше, в пиджаке поверх черной футболки и с очень неприятной физиономией. Она показалась мне вдвойне неприятной, когда я сообразила, что не далее как позавчера мы встретились с ним на дороге и вел он себя скверно. Правда, сейчас он стоял со скучающим видом, сцепив руки и разглядывая что-то под ногами.

— Приличные люди стучат, прежде чем войти, — сказала я.

Очкарик расплылся в улыбке:

— Анна Борисовна, ради бога, простите нас за вторжение. Очень, очень важное дело.

— Вот этот гад... — возвысила голос Сонька, ткнув пальцем в здоровячка.

— Вышло недоразумение, — сладким голосом перебил ее очкарик. — Витя, кстати, пришел извиниться.

Очкарик уставился на своего спутника, и мы тоже. Тот поднял голову, хмыкнул и произнес презрительно: «Извиняюсь», — прошел и сел на свободный стул.

Словно не замечая этого, очкарик развел руками, пухлыми, с короткими пальцами, и сказал:

— Надеюсь, теперь у вас претензий нет?

— Есть. Катитесь оба.

— Как грубо, — попенял мне очкарик, прошел и тоже сел на стул. — У нас к вам несколько вопросов.

— Хотите, чтобы я вызвала милицию?

— Вы можете это сделать, но я бы на вашем месте торопиться не стал. Ответить на вопросы вам все равно придется, лучше, если разговор пройдет в атмосфере дружбы и взаимопонимания. Для вас лучше, Анна Борисовна.

— Ты погрози еще, скотина, — усмехнулась Сонька. — Здесь вам не темный переулок...

— Не всегда же вы будете здесь, — склонив голову набок, с улыбкой ответил очкарик.

Я кивнула Соньке, она отошла к окну, взяв телефон с моего стола, очкарик наблюдал за этим с насмешкой.

— Что за вопросы? — стараясь говорить спокойно, спросила я.

— Мужчина, который был с вами в ресторане...

— Мигель?

Визитеры переглянулись.

— Значит, вы хорошо знакомы, — протянул очкарик.

— Ничего подобного, — возразила я, злясь на себя за опрометчиво сорвавшееся с языка имя, точнее, прозвище. — Мы познакомились как раз в тот вечер, у него якобы сломалась машина, и он нас попросил его подвезти. Потом предложил поужинать. Отправился в туалет и исчез. Правда, успел расплатиться. Назвался Михаилом, сказал, что приехал из Питера. Это все, что мы знали на тот момент. Потом появились ваши друзья, — я кивнула в сторону верзилы.

— Вы сказали «Мигель», — вкрадчиво произнес очкарик.

— Точно. Вы знаете, кто мой отец?

Очкарик кивнул.

— Ему не понравилось, что какие-то психи разговаривают со мной грубо да еще грозят. Так как ваши друзья заполошно орали «где он», мы предположили, что интересует их Михаил. Он и моего отца заинтересовал. Оказалось, Михаил хорошо известен правоохранительным органам и в настоящее время находится в розыске.

— После того памятного вечера он не давал о себе знать? — спросил очкарик, внимательно наблюдая за мной, должно быть, мнил себя психологом.

— Нет. Если такая мысль придет ему в голову, я непременно сообщу об этом в милицию.

— Не спешите этого делать, лучше позвоните мне. — Он положил на стол карточку, на которой были записаны телефон и имя: Олег Игоревич Паньков, что совершенно не объясняло его появления здесь.

Не успела я ответить, как в кабинет ввалилась моя охрана, парни выглядели возбужденными и слегка запыхавшимися.

— Спокойно, господа, — произнес Олег Игоревич. — Мы просто беседуем.

Я кивнула, подтверждая его слова, знать не зная, как вести себя в данной ситуации. Игнорируя вновь прибывших, очкарик обратился ко мне:

— Ваш знакомый случайно ничего не оставил в машине?

Вопрос меня озадачил. Он что, труп имеет в виду? Мы с Сонькой переглянулись.

— Оставил? — нахмурилась я.

— Видите ли, Анна Борисовна, при нем могла быть некая вещь, которую он не рискнул носить с собой.

— В таком случае он вряд ли сообщил бы мне об этом.

— Логично. Мы можем осмотреть вашу машину?

— Нет.

— Жаль.

— Мне тоже. Мою машину вчера угнали.

— Вот как... — очкарик кивнул и задумался. — Что ж, спасибо, что уделили нам время. На всякий случай предупреждаю: Мигель неподходящая компания для такой девушки, как вы.

— Я сообразительна.

— Не сомневаюсь.

Тут дверь вновь распахнулась, и в комнату вошел Вадим. Очкарик, увидев его, едва заметно усмехнулся.

— У нас нет претензий к девушке, — заявил он. — Надеюсь, у вас к нам тоже. Если ее и стоит защищать, то не от нас.

Очкарик поднялся и пошел к двери, здоровячок за ним. Вадим посторонился, дав им возможность выйти.

— Что за типы? — переведя дух, спросила я.

— Опасные, — усмехнулся Вадим. — Хоть и выглядят придурками. — И повернулся к своим парням: — Ну что, герои?

— Вадим Сергеевич, мы и подумать не могли...

— А вас никто думать не просил. Вам было сказано: с девушек глаз не спускать.

Он досадливо покачал головой и удалился, вслед за ним и наша охрана.

— Да, — вздохнула Сонька. — Житуха у нас пошла расчудесная, чудит и чудит. Ты что-нибудь понимаешь?

— Им нужен Мигель. И, по их мнению, он мог что-то оставить в машине.

— Им нужен мертвый дядечка? — ахнула Сонька.

— Вряд ли. Вадим сказал, что у погибшего был компромат на кое-кого из местных бандитов. Как человек цивилизованный, он мог доверить сведения диску или флэшке, — предположила я.

Сонька кивнула:

— Надеюсь, об отсутствии к нам претензий очкарик говорит серьезно. Хоть и улыбался ласково, но выглядит он даже противней своего дружка.

С этим я не могла не согласиться.

Выпив чаю, мы с Сонькой понемногу успокоились, и она отправилась в свой кабинет. Я занялась срочной работой и через некоторое время, взглянув на часы, с удивлением поняла: уже половина шестого, значит, съездить домой и переодеться я не успею.

Я подошла к зеркалу и придирчиво оглядела свой наряд. Знать бы, что мне предстоит ужин в ресторане, не стала бы надевать этот костюм. Хотя он подчеркивает достоинства фигуры. И, если не придираться, выгляжу я очень неплохо. «Надо предупредить Соньку», — решила я и отправилась к ней.

— Я с тобой, — заявила подруга, услышав, что я ужинаю с Глебом.

— Что он подумает, если я тебя притащу?

— Ладно. Поезжай. Мне-то что делать, домой отправляться или к тебе?

— Лучше ко мне.

— И я думаю, что лучше. Сегодняшний очкарик тоску на меня нагнал. Угораздило же подобрать на улице наркобарона. Кому расскажешь, не поверят.

— Ты лучше помалкивай.

Я вернулась к себе, подошла к окну и возле дверей офиса увидела знакомую машину. Схватила сумку и поспешно покинула здание. Глеб Сергеевич вышел меня встречать, на этот раз он был один, что меня несколько удивило. Хотя, может, он только поздним вечером с охраной ездит в поисках девиц, попавших в беду.

— Вы очень красивая девушка, — вместо приветствия сказал он с улыбкой.

— Да, мне говорили, — кивнула я. Он улыбнулся еще шире, а я засмеялась.

— Прошу, — распахнул дверцу Глеб Сергеевич. Я села, он устроился рядом. — Я заказал столик в итальянском ресторанчике на Гороховой, надеюсь, вы не против?

— Неважно где, важно с кем, — ответила я, и мы опять засмеялись. — А где ваша охрана?

— Кто? — не понял Глеб.

— В прошлый раз вы были не один.

— А-а... Молодой человек, которого вы приняли за охранника, начальник финансового отдела в моей фирме. Второй — мой водитель. Позавчера мы возвращались с делового ужина. Я еще не достиг таких высот в бизнесе, чтобы носа из дома не высунуть без парочки мордоворотов.

— Но вы к этому стремитесь?

— Вовсе нет. Меня вполне устраивает настоящее положение дел. Кстати, у нас на хвосте черный «БМВ».

— Пришлось рассказать папе о наших приключениях. Результат вы видите.

— Ваш папа разумный человек, — кивнул Глеб.

— По телефону я не успела спросить. Глеб Сергеевич, вы женаты?

Он улыбнулся.

— Мой ответ очень важен?

— Конечно. Может, не стоит вам тратить на ужин свои деньги, а мне свое время.

Теперь он засмеялся.

— Нет, я не женат. Развелся больше шести лет назад. Жена не могла иметь детей.

— Серьезная причина, — кивнула я и против воли усмехнулась.

— Не для меня, — спокойно сказал он. — А вот для нее это стало навязчивой идеей. Примерно трижды в день жена заявляла, что я найду себе какую-нибудь девицу, она родит мне ребенка, и я к ней уйду. В конце концов у меня создалось впечатление, что она только об этом и мечтает.

— И вы нашли девицу?

— Развелся с женой. Она, кстати, быстро вышла замуж за вдовца с двумя детьми. Так что у нашей истории вполне счастливый конец.

В небольшом зале почти все столы оказались свободными. В ожидании заказа мы пили вино и беседовали. Глеб Сергеевич рассказал, что перебрался в наш город пять лет назад, а я порадовала его тем, что родилась в том самом городе, откуда он приехал.

— Надо же, какое совпадение, — заметил он, но мне показалось, совпадение его ничуть не удивило, впрочем, он сам сказал, что наводил обо мне справки. Весьма предусмотрительно. Интересно, что ему обо мне рассказали? Единственная дочка богатого папы, взбалмошная красотка, у которой нет постоянного приятеля? То есть приятелей как раз сколько угодно...

— Аня, вы не против, если мы перейдем на «ты»? И, ради бога, не называйте меня по отчеству, для вас я просто Глеб.

Я кивнула, и разговор плавно потек дальше. Глеб мне нравился. Конечно, странно было «тыкать» мужчине намного старше меня, да и беспокойство одолевало: найдем ли мы общие темы для разговора?

Вот об этом я волновалась напрасно. Через час выяснилось, что с Глебом можно говорить обо всем на свете. Он был прекрасным собеседником. Ясное дело, он желал произвести впечатление, но это было скорее плюсом. Старается, значит, неспроста, выходит, я ему нравлюсь.

Он пару раз, словно нечаянно, коснулся моей руки, и мне это было приятно. Вместо того чтобы ужинать, мы увлеченно болтали, и теперь свою ладонь с моей он не убирал. Так мы и сидели, вытянув руки и глядя друг на друга. «Неужто я влюбилась?» — в легком замешательстве думала я. Может такое быть? Ни с того ни с сего? Я его совсем не знаю... Ну и что? Как будто влюбляются только в хороших знакомых. Как раз наоборот. В Сережу я влюбилась, наслушавшись Сонькиных рассказов. Глупости, никто не знает, как и почему это происходит. Живешь себе — и вдруг... Глеб не красавец и по возрасту мне совсем не подходит. Выглядит молодо, но ему точно за сорок. В зрелые годы мужчины не теряют головы при виде красоток. У таких, как Глеб, на первом месте бизнес, на втором и третьем тоже бизнес. А я на каком? Ты еще даже в списке не значишься, так что успокойся. Интересно, что он думает... вот сейчас, когда рассказывает смешную историю, приключившуюся с ним в Испании прошлым летом. Возьму и спрошу... Я взяла и спросила. Глеб слегка растерялся, потом вздохнул:

— Честно?

— По возможности. Но о моем самолюбии все-таки помни.

— Ну... думаю, что ты с норовом и с тобой нелегко. Расслабиться не дашь, никогда не знаешь, что ты выкинешь в следующую минуту... Вот как сейчас, к примеру. На самом деле я думаю: на кой черт ты позвонил, ты ж ей в отцы годишься, сидишь, перья распушил. Она посмеется немного и уйдет, а ты будешь страдать на старости лет.

— Правда будешь страдать? — улыбнулась я.

— А что еще останется?

— В такое трудно поверить.

— Я слишком стар, чтобы влюбиться?

— Разве дело в возрасте? — удивилась я. — Влюбиться легко, а вот любить... моя бабушка говорила, для этого талант нужен. Кто-то может, кто-то нет.

— Насчет таланта не знаю, но второй день у меня такое чувство, будто я и не жил до этого времени...

— Куда это нас занесло? — улыбнулась я.

— Ты спросила, я ответил, — пожал он плечами. — Впредь буду осмотрительнее.

Он убрал руку, а я испугалась, что его обидела.

— Я рада, что ты позвонил. Если бы ты этого не сделал, я бы сама попыталась тебя разыскать.

— Поверю на слово.

Между тем народу в зале прибавилось, теперь почти все столики были заняты. За фортепьяно появился музыкант и стал наигрывать что-то меланхоличное.

— Пригласишь меня танцевать?

— Если не боишься, что отдавлю тебе ноги. Танцор из меня никудышный.

— Так это ж здорово.

Он засмеялся, покачав головой.

— Провоцируешь?

— В меру сил.

— Ладно, идем танцевать, вполне законный повод заключить тебя в объятия.

В его объятиях мне понравилось. Думаю, продолжая в том же духе, мы бы довольно скоро покинули ресторан и оказались в одной постели. Но тут мой взгляд натолкнулся на парочку за столом у окна, и мысли потекли совершенно в другом направлении. В компании мужчины лет тридцати пяти, длинноносого и лысоватого, сидела красавица-брюнетка с лицом злодейки из комиксов. То, что в последнее время я то и дело натыкаюсь на нее, вызвало что-то вроде беспокойства.

На меня она даже не взглянула, о чем-то нервно разговаривая с длинноносым, он хмурился, вздыхал и отводил взгляд. Дамочка улыбалась и смотрела на него с легким презрением. Вдруг она сказала что-то резкое, отвернулась, и наши взгляды на миг встретились. Женщина насмешливо вздернула губу, а я подумала, что те же мысли о мельтешении и ей могли прийти в голову, только касались они меня.

— Что тебя так заинтересовало? — спросил Глеб.

— Пара за столом у окна. Женщина очень красива.

— Может, и так, но я бы с ней иметь дело поостерегся.

— Проглотит, как кролика, — хихикнула я.

— Надеюсь, все-таки подавится. Рядом с ней мой друг.

— Познакомь нас, — неожиданно для себя попросила я.

Глеб вроде бы удивился.

— Если хочешь... по-моему, они скандалят. Тебе не показалось?

— Тогда знакомство отложим.

В этот момент длинноносый взглянул в нашу сторону и кивнул Глебу, тот ответил кивком, музыка кончилась, мы мимо них направились к своему столику.

— Здравствуй, Глеб, — сказал мужчина, поднимаясь, и они пожали друг другу руки.

— Знакомьтесь, — начал Глеб. — Это Анечка, это Максим Петрович.

— Ольга Леонидовна, — улыбнулась женщина. — Можно просто Оля.

Голос у нее был завораживающий, очень мягкий, нежный, он совсем не соответствовал ее облику.

— Присаживайтесь, — засуетился Максим Петрович.

— Нет-нет, не хотим вам мешать, — покачал головой Глеб.

— Ерунда.

— Милый, я думаю, молодые люди не нуждаются в компании. — Ольга вновь улыбнулась, глядя на нас.

— Да? — Максим растерялся. — Ну, что ж... прости, Оля, я вас не познакомил. Это Глеб Сергеевич. Я тебе о нем рассказывал.

— Очень приятно, — склонив голову набок, произнесла она. — Странно, что мы не встречались раньше. Вы ведь друзья с Максимом?

— Последнее время мы редко видимся, — взволнованно заговорил Максим. — Дела... может, все-таки к нам?

— Это ваша супруга? — перебив его и кивнув в мою сторону, спросила Ольга.

— Глеб не женат, — ответил за него Максим.

— Я бы на вашем месте не стала упускать такое сокровище.

— Непременно прислушаюсь к вашему совету, — усмехнулся Глеб. — Приятного вечера. — И, обняв меня, повел к столу.

Женщина оставила двойственное впечатление. С одной стороны, она вызывала симпатию (тут, наверное, не последнюю роль сыграл волшебный голос), с другой, в ее словах угадывалась насмешка, что, согласитесь, неприятно. Глеб после этой встречи стал задумчивым, то и дело смотрел в их сторону, будто пытался что-то вспомнить. Расспрашивать его о дамочке было бессмысленно, раз он, как и я, только что с ней познакомился.

— Тебя что-то тревожит? — не выдержала я.

— Что? А... нет. Что меня может тревожить? Просто странное чувство...

— Какое?

Глеб засмеялся:

— Ты же сама сказала: проглотит, как кролика. Я не хочу, чтобы кроликом оказался мой друг.

— Давно они вместе?

— Понятия не имею. Он мне ничего не рассказывал. Да и видимся мы редко.

— А с Максимом вы давно знакомы?

— Лет пятнадцать. Вообще-то он двоюродный брат моей бывшей. Что не мешает нам оставаться друзьями после моего развода. Собственно, во многом благодаря ему я и перебрался в этот город, решил, что перспектив для бизнеса здесь куда больше. Максим отличный парень, правда, есть одно «но». Он чересчур потакает женским слабостям. Говоря проще, позволяет дамам из себя веревки вить.

— Ты-то, конечно, не позволишь, — улыбнулась я.

Он засмеялся:

— Ну, разве что тебе.

— Верится с трудом, но намерение я оценила.

Тут бы мне отвлечься от мыслей об Ольге и вернуться к прежним темам, но вместо этого я начала то и дело поглядывать в их сторону. Если до нашего появления они выясняли отношения, то теперь заметно успокоились. «Она встречалась с Николаем Ивановичем, — думала я. — Либо дамочка крутит любовь сразу с двумя мужчинами, либо их встреча носила деловой характер. Интересно, чем Ольга занимается? А что, если спросить о ней Николая Ивановича? Скажу, встретила вашу знакомую в ресторане... У женщины с таким лицом вряд ли может быть недостаток поклонников. А Николай Иванович большой ценитель красивых женщин. Бабник, проще говоря. Они любовники, — в конце концов решила я. — А прячутся, потому что она боится потерять покладистого Максима. С Николаем Ивановичем шансов у нее куда меньше».

Я продолжала исподволь наблюдать за женщиной. Она взяла бокал, поднесла его ко рту, сделала глоток и вдруг замерла, струйка красного вина потекла по подбородку. Ольга поставила бокал и схватила салфетку, закашлявшись. Я перевела взгляд в том направлении, куда за мгновение до того смотрела она, и, признаться, опешила. Было бы чем, непременно бы тоже подавилась. За столиком в уголке рядом с ширмой сидел Мигель и широко улыбался. На сей раз он был без очков и глаза его были темны как ночь.

— Что с тобой? — донесся до меня будто издалека голос Глеба.

— Душно, — ответила я, отводя взгляд. — А может, выпила слишком много.

— Хочешь, уйдем отсюда, — предложил он.

— Нет, нет, все в порядке.

Я вновь посмотрела на Ольгу. Что-то сказав Максиму, она поднялась и пошла к выходу. Занятая ею, я не сразу обратила внимание на то, что Мигель из зала исчез. За ширмой был проход в кухню, и он, скорее всего, скрылся там. Вне всякого сомнения, эти двое знакомы, вполне возможно, здесь он появился, чтобы увидеться с Ольгой, и она его появлению отнюдь не обрадовалась.

— Я сейчас, — схватив сумку, сказала я Глебу и направилась к выходу.

В холле Ольги не было, я заглянула в туалет — никого. Куда она делась? Швейцар возле дверей посмотрел на меня с улыбкой. Спросить у него? Рядом с туалетом была еще одна дверь. Подумав, я осторожно ее приоткрыла, за ней начинался коридор. Я быстро шла вперед, уже сообразив, что там выход во двор. В коридоре стояли какие-то коробки, я почти бежала, боясь, что появится кто-то из работников ресторана. Дверь на улицу была не заперта. В этом я убедилась, потянув ее на себя. И сразу же увидела Мигеля. Метрах в двадцати от входа он стоял спиной ко мне, сунув руки в карманы брюк, явно кого-то ожидая. Кого, сообразить было не трудно. Я аккуратно прикрыла дверь, очень боясь, что Мигель услышит скрип, к счастью, дверь не скрипнула и Мигель не обернулся. Тут я услышала шаги, потом голос:

— Ты что, спятил? Тебя же ищут. — Голос женщины звучал хрипло, должно быть, от волнения.

В первую минуту я усомнилась, что это Ольга. Прильнула к узкой щели, что оставила для наблюдения, и увидела ее. На Ольге было вечернее платье, открывающее плечи, она зябко куталась в легкий палантин, хотя на улице было тепло.

— Ой, как страшно, — усмехнулся Мигель в ответ на ее слова.

— Я думала, у тебя хватит ума здесь не появляться.

— Ты мне деньги должна.

— Я все верну. Мы же договорились.

— Да. И где ты их возьмешь?

— Я все верну, — повторила Ольга.

— Надеюсь. Хотел бы знать, что ты задумала.

— Это не твое дело, — резко ответила она.

— Не мое, — согласился Мигель. — Просто любопытно.

— Ради бога, уходи, — попросила Ольга.

— За кого ты так боишься? — Он вдруг замолчал, я попятилась от двери, развернулась и пошла быстрее.

Я была почти возле туалета, на ходу достала телефон из сумочки, и в этот момент кто-то схватил меня за локоть. Я едва не закричала от неожиданности. Хотела повернуться и не смогла, зато увидела узкое лезвие ножа, блеснувшее в свете люстры. Мигель держал меня, одной рукой обхватив за плечи, а вторую с зажатым в ней ножом поднес к самому лицу.

— Плохая идея, детка. Дернешься, и от твоей красоты ничего не останется.

Я замерла, зажмурившись от ужаса, надежда была только на то, что кто-нибудь появится в коридоре.

— Дай телефон, — сказал Мигель, он по-прежнему стоял за моей спиной, и лица его я не видела. Он взял мобильный из моих рук и сунул в карман пиджака. — Кому звонить собралась? — насмешливо поинтересовался он. Нож убрал и развернул меня к себе.

Я смотрела в его глаза с длинными ресницами и не могла произнести ни слова от страха, таким жутким был его взгляд. Я некстати подумала, что сейчас глаза у него карие, но по цвету все равно различаются, возможно, из-за освещения в коридоре, а потом сообразила: он надел линзу только на один глаз. Выходит, глаза у него в самом деле разные.

— Ты прелестна, — заявил он и поцеловал меня. Пока я пыталась понять, что это на него нашло, за спиной послышались шаги. Скрипнула дверь. — Жаль, совсем нет времени, — вздохнул он и, впихнув меня в туалет, захлопнул дверь перед моим носом.

Сердце колотилось с бешеной скоростью. Чтобы удержаться на ногах, мне пришлось вцепиться рукой в умывальник. В зеркале я увидела свою бледную до синевы физиономию и для начала выругалась. Потом решительно взялась за дверную ручку. Дверь не открылась. Я подергала ее и так, и эдак и выругалась опять, после чего забарабанила в дверь кулаком.

Стучать пришлось долго, наконец я услышала мужской голос.

— Что случилось? — поинтересовались с той стороны.

— Дверь не открывается, вот что, — возмутилась я.

— Одну минуту...

— Черт, — пробормотала я уже гораздо спокойнее.

— Аня, — теперь меня звал Глеб. — С тобой все в порядке?

— Разумеется, нет. Я не могу отсюда выйти.

Через пять минут меня освободили, Глеб улыбался, находя мое приключение забавным. Рядом с ним стоял швейцар.

— Извините, — сказал он. — Замок заело.

— Я начал беспокоиться, ты так долго отсутствовала, — сказал Глеб, подхватив меня под руку и направляясь в зал. — Кстати, ты телефон потеряла. — И протянул мне мобильный.

— Откуда он у тебя?

— Ко мне подошел мужчина и сказал, что ты выронила его возле туалета.

— Сукин сын.

— Аня, что произошло? — нахмурился Глеб.

Я выпила залпом бокал вина и наконец-то пришла в себя.

— Этого типа мы позавчера подобрали на улице. Его-то как раз и искали парни на джипе. Я хотела позвонить в милицию, а он отобрал у меня телефон и запер в туалете.

— Подожди, он ведь сидел в зале. Почему ты мне сразу ничего не сказала?

Говорить, что я шпионила за Мигелем, мне не хотелось.

— Я не была уверена, что это он, — пожала я плечами.

— Позвонить в милицию?

— Какой в этом толк? Он ведь ушел.

— Да, как только вернул твой мобильный. Ты что-нибудь знаешь об этом человеке? — спросил Глеб.

— Ничего, — ответила я. — Кроме того, что он мерзавец.

— А где, черт возьми, была твоя охрана? — додумался спросить Глеб.

— Должно быть, сидят в машине возле ресторана. Уверенные, что здесь я в полной безопасности.

— Он угрожал тебе?

— Нет, — подумав, соврала я. — Извини, наверное, мне лучше поехать домой.

Глеб расплатился, и мы покинули ресторан.

— Я отвезу тебя, — сказал он.

Ехали мы в молчании. Уже возле моего дома я сказала:

— Прости, что испортила вечер.

— Чушь. Ничего ты не испортила. Меня беспокоит этот парень. Что ему от тебя нужно?

— Уверена, что наша встреча явилась для него таким же неприятным сюрпризом, как и для меня.

Я не торопилась покидать машину, прикидывая, стоит ли рассказать о том, что Ольга и Мигель хорошо знакомы, и в конце концов решила: не стоит. Пришлось бы признаться, что я подслушала их разговор, такое поведение будет мало понятно Глебу и вызовет вопросы.

— Увидимся завтра? — спросил он нерешительно.

— Конечно.

Папа еще не вернулся, Сонька в гостиной смотрела телевизор.

— Ну, что? — подняв голову и приглядываясь ко мне, спросила она. — Глеб произвел впечатление?

— Произвел. — Я села рядом.

— Должно быть, не особо сильное, раз ты так рано вернулась. Он тебя соблазнял?

— У него хватило ума не делать этого в первый вечер.

Сонька презрительно фыркнула, но тут же нахмурилась.

— Эй, что опять случилось?

— В ресторане был Мигель, — ответила я.

— Как это? Что, вот так просто явился и... Его же ищут. Больной он, что ли?

— Скорее наглый. Ты же слышала, что говорил о нем Вадим.

— Он просто сидел или...

— Или. В ресторане был друг Глеба, не один, с дамой. Так вот, по-моему, эта женщина как раз и интересовала Мигеля. Отгадай, кто она?

— Я ж не ясновидящая. Неужто кто-то из знакомых?

— Не совсем. Та самая дамочка, что встречалась с Николаем Ивановичем.

— И что? — нахмурилась Сонька. Потом тряхнула головой. — Как-то все очень запутано... Она встречается с компаньоном твоего отца и сидит в ресторане с другом Глеба. И хорошо знает Мигеля. Ты что-нибудь понимаешь?

— Нет. Но выглядит это подозрительно. Можно, конечно, все списать на совпадение, однако я в них не верю.

— Ага, кто-то убивает Эсмеральду, потом ее бывшего босса, нам подбрасывают труп экс-мента, у которого якобы были какие-то сведения, интересные бандитам. Глеб спасает нас от придурков на джипе и начинает тебя обхаживать, — продолжала Сонька.

— Глеб-то тут при чем?

— Он женат? — вместо того чтобы ответить, спросила подружка.

— Нет.

— Ну, хоть это хорошо. Хотя, по мне, лучше бы был женатиком. Ты бы дала ему коленом под зад, и мне одной головной болью меньше.

— Какая еще головная боль?

— Нюся, он тебе не пара. В городе полно молодых парней, на фига тебе этот побитый молью дядя? Девки бросаются таким на шею от безденежья, а у тебя денег куры не клюют. Ты отцу звонила?

— Зачем?

— То есть рассказывать ему о том, что произошло в ресторане, ты не собираешься?

— Тогда меня точно посадят под домашний арест.

— Может, оно и к лучшему. Не нравится мне все это. И твой Глеб в первую очередь. Не спрашивай, почему, вот не нравится, и все. Я тебе больше скажу: сомневаюсь, так ли уж случайно он появился в переулке.

— Не болтай глупости, — отмахнулась я.

— И ничего это не глупости. Самый простой способ произвести на девушку впечатление — спасти ее от злодеев. Встреться вы с ним при других обстоятельствах, ты в его сторону и смотреть бы не стала. А здесь: благодарность, то, се...

— Как, по-твоему, он мог узнать про этих психов на джипе?

— Таскался за нами, выжидая удобного случая.

— А смысл?

— Кабы знать.

— Ты бы поменьше детективов смотрела, — хмыкнула я.

— Нюся, не вздумай влюбиться. Давай сначала разберемся во всей этой истории.

Разобраться очень хотелось. Логично предположить, что кого-то интересует мой отец, а отнюдь не я. О делах отца я мало что знаю. Но недругов у него достаточно. Один из них, кстати, утром был убит.

— В новостях про Павликова говорили, — будто читая мои мысли, сообщила Сонька. — Застрелили прямо возле дома, где он жил. Из винтовки. Киллер находился на чердаке здания напротив. Классика жанра. Вроде нет сомнений, что убили его из-за возникших разногласий... Так и сказали, — моргнув, добавила Сонька.

— Вот что, завтра заедем в «Карусель», надо разыскать подругу Ирины, — подумав, сказала я.

— Зачем? — Сонька вздохнула. — Нюся, я не против покопаться в чужих тайнах, но Вадим предупредил, что Мигель псих, любит с ножичком баловаться. — С этим я не могла не согласиться и невольно поежилась, вспомнив блеск стали возле своих глаз. — Но Мигель... хрен с ним... а вот дядя Боря... подозревать его просто свинство.

— С чего ты взяла, что я отца подозреваю?

Сонька только рукой махнула.

— Поехали в «Карусель» или хоть к черту на рога.

Утром отец сказал за завтраком:

— Нашли твою машину. В десять тебе надо быть в милиции. В холле на тумбочке лежит визитка, там все записано, куда, к кому.

Сонька в это время прихорашивалась в спальне, и я решила, что момент удобный.

— Папа, я хотела спросить...

— Да?

— Труп в багажнике...

— Забудь об этом, — отрезал он.

— Но...

— Никаких «но». Тебя все это не касается. И, ради бога, давай без глупостей, у меня и так полно забот.

— Вчера в новостях говорили об убийстве какого-то Павликова.

— Ну и что?

— Ты был с ним знаком?

— Я знаком со всеми, у кого бизнес в этом городе. В числе моих друзей он не значился, но, разумеется, его гибель произвела впечатление. Черт-те что творится, — буркнул отец. — Я был уверен, что подобное уже в прошлом, оказывается, ошибался.

— Вадим тебе рассказал, что вчера ко мне в офис явились двое типов?

— Разумеется, рассказал. И меня это очень беспокоит. Я бы предпочел, чтобы ты на время уехала. Возьми с собой Соньку и отправляйся отдохнуть.

— А моя работа? К тому же они сказали, что у них к нам нет претензий.

— Они сказали, — передразнил отец. — Грош цена их словам. — И, помедлив, спросил: — С кем ты вчера вечером встречалась?

— С потенциальным клиентом.

— Вот как. Не помню, чтобы раньше ты принимала приглашение поужинать от потенциальных клиентов, — улыбнулся он. — Или здесь что-то особое?

— Еще не знаю.

— Когда поймешь, не забудь рассказать. А еще лучше познакомить.

— Папа, мне не нужна охрана, — собравшись с силами, произнесла я.

— А уж это мне позволь решать. Не думай, что я

за тобой шпионю, — гораздо мягче сказал он. — Я хочу быть уверен, что ты в безопасности. А об этом парне я спросил просто из любопытства. Ты молодая, красивая девушка, и тебе пора подумать... я хотел сказать, если этот молодой человек тебе понравился, я только рад.

«Не такой уж и молодой», — подумала я. И радоваться папа поспешил. Хотя как знать, может, вопреки моим ожиданиям возраст «молодого человека» вовсе не смутит отца.

— Я вчера видел Илью, — допивая кофе, сказал он. — Хотел как-нибудь пригласить его к нам пообедать.

— Приглашай, но на меня не рассчитывай.

Отец только головой покачал в досаде. Я вертела чашку в руках, папа молча наблюдал за этим, потом спросил:

— Что еще?

— Я хотела спросить... — Он кивнул. — Так, ничего, — отмахнулась я, не решившись. Вопрос, что вертелся у меня на языке, касался Эсмеральды. Был с ней отец знаком или нет? Но как я ему объясню, почему меня это интересует?

— Ты уверена? — приглядываясь ко мне, уточнил он.

— Папа, у тебя кто-нибудь есть? — выпалила я.

— Ты имеешь в виду любовницу? С чего вдруг тебе вздумалось спрашивать об этом?

— Ну... просто интересно.

— Не хватает мне только обсуждать своих баб с собственной дочерью.

— Что плохого в том, что я хочу знать...

— Уверяю, в моей личной жизни нет ничего интересного. Да и на личную жизнь времени нет. — Он поднялся, поцеловал меня и отправился переодеваться.

«Вот и поговорили», — с тоской подумала я.

Через полчаса Сонька поехала на работу, а я в милицию. На сей раз в машине охраны.

В милиции я пробыла довольно долго. Только к обеду мою машину мне вернули. Тут как раз позвонил Глеб.

— Как дела?

— Отлично. А у тебя?

— Пытаюсь сосредоточиться на работе.

— И что мешает?

— Одна знакомая девушка. Очень хочется все бросить и оказаться рядом с ней.

— Речь идет обо мне?

— Конечно. Встретимся?

— Прямо сейчас?

— Прямо сейчас. Пообедаем вместе.

Мы встретились в кафе. Смотрели друг на друга, улыбались, но разговор не клеился. Банальности произносить не хотелось. Понемногу разговорились, но тут мобильный Глеба стал без конца трезвонить. Сначала Глеб отвечал спокойно, потом нервно, после чего телефон отключил. Такая жертвенность произвела на меня впечатление, одновременно вызвав угрызения совести.

— Извини, — смущенно пожал он плечами. — Мы знакомы всего пару дней, а я...

— А ты? — улыбнулась я.

— По-моему, я безнадежно влюблен.

— Почему безнадежно?

— Потому что... много всяких «потому что». Уверен, твой отец не придет в восторг.

— При чем здесь мой отец?

— Конечно, он ни при чем, — вздохнул Глеб. — Болтаю всякую чушь, не обращай внимания. Совсем разучился соблазнять хорошеньких девушек, — засмеялся он. — Сам над собой потешаюсь. В моем возрасте надо сохранять здравый смысл.

— Не пойму, что тебя беспокоит.

— Чего ж не понять?

— То есть ты попросту не знаешь, нужна я тебе или нет.

— Вопрос в том, нужен ли я тебе?

— Пожалуй, с таким вопросом ты действительно поторопился. Мы видимся третий раз... Но будь ты мне безразличен, я бы...

Тут зазвонил мой телефон, Сонька спрашивала, когда я буду на работе.

— Давай перенесем встречу на вечер, — вздохнула я. — Раз уж нас никак не хотят оставить в покое.

Глеб проводил меня до машины, я поехала в офис, но по дороге решила заглянуть к отцу на работу, сообщить, что с машиной все в порядке. Собственно, об этом можно было рассказать и по телефону, но я не теряла надежды поговорить с отцом на интересующую меня тему.

Папы в кабинете не оказалось, так же как и секретаря, так что спросить, где он, было некого. Кабинет Николая Ивановича находился прямо напротив папиного, и я заглянула туда. Правдин разговаривал по телефону, увидев меня, кивнул и ткнул пальцем в кресло. Я прошла и села. Он закончил разговор и положил трубку.

— Привет, красавица. Что-нибудь срочное? Отец вернется не раньше семи.

— Ехала мимо, хотела сказать, что машину я забрала.

— У тебя же машину угнали... Отец говорил. Неужто нашли?

— Нашли.

— Чудеса. И что, она на ходу?

— На ней и приехала.

— Поздравляю. А как городская шпана, больше тебя не беспокоит?

— Все попрятались. Но ребята Вадима везде за мной таскаются. Папа...

— Твой отец мудрый человек, слушай его. А на охрану можно просто не обращать внимания. Чаю хочешь?

— Нет, спасибо. Извините, что отнимаю время...

— Да брось ты, всех дел все равно не переделаешь. Чувствую, ты хочешь о чем-то поговорить, — откинувшись на спинку кресла, произнес он. — Если на отца собралась жаловаться — уволь. Тут я на его стороне. Но если что-то... я готов выслушать.

С отцом они были ровесники, но, в отличие от папы, Правдин выглядел старше своих лет. Чуть выше среднего роста и довольно щуплый от природы, он рано облысел и уже давно обзавелся брюшком. Папа, всегда следивший за собой, находил время для фитнес-клуба и раз в неделю играл в футбол, пытаясь приохотить к этому и своего друга. На что тот неизменно отвечал, что предпочитает другой вид спорта, должно быть, намекая на свои многочисленные романы. Николай Иванович обожал молоденьких девушек, которых сразу же предупреждал, что как жених он бесперспективен, к тому же скареден от природы, но это девушек не останавливало. Что в нем находили молодые особы, мне было непонятно, наверное, каждая из его пассий втайне надеялась, что ей-то повезет и она подцепит старого ловеласа на крючок. Пока им не везло.

Он часто бывал в нашем доме, и я к нему так привыкла, что давно считала членом семьи. Одно время он всерьез строил планы породниться, сватая мне своего племянника. Но, поняв, что эта идея ни у меня, ни у папы восторга не вызывает, нисколько не обиделся.

— Вовка дурак, — заявил он. — Я бы на его месте при виде такой девчонки ужом вился и непременно бы добился своего. А он только мычит, как телок. Придется искать невесту ему под стать. Нарожают дураков... впрочем, денег я им оставлю столько, что и без ума проживут.

Вовка, слушая это, только ухмылялся. Дядю он боялся как огня. Не пил, не курил и рвался к мировым рекордам. На ядовитый вопрос Соньки, когда он женится, серьезно отвечал: «Как дядя скажет». Несмотря на критические отзывы об уме племянника, Правдин его в обиду не давал и очень любил. Правда, был строг. Надо мной добродушно подшучивал и часто повторял: «Эх, сбросить бы годков двадцать...», а Соньку иногда вгонял в краску весьма откровенными шуточками. Впрочем, лишнего он никогда себе не позволял.

Когда я была маленькой и ссорилась с отцом, очень любила жаловаться Николаю Ивановичу, он меня выслушивал, а потом отправлял к отцу мириться. Вот и сейчас он, должно быть, решил, что я собралась высказывать недовольство. Я вздохнула, пытаясь сформулировать вопрос, и наконец произнесла:

— Николай Иванович, вы в курсе папиных личных дел?

Он заметно растерялся:

— Что ты имеешь в виду?

— У него ведь есть знакомые женщины?

— Твой отец никогда не женится, — отмахнулся он. — Не бери в голову.

— Почему не женится?

Николай Иванович нахмурился, придвинулся ближе к столу и сцепил руки замком.

— Что это на тебя нашло?

— Он из-за меня не женится?

— Ах, вот что... ты тут совершенно ни при чем.

— Тогда в чем дело?

— Ну... видишь ли... отец у тебя хороший мужик, достойный всяческого уважения. Но, как у всех нас, смертных, у него есть... не буду говорить «недостатки», в общем, по натуре он собственник. Ты понимаешь, о чем я говорю? Женщина должна принадлежать ему целиком и полностью. И никакого там личного пространства и прочей чуши. А насмотревшись на наших дам с их вольным поведением, он решил, что хранить верность женщины попросту не способны. Но ведь под замок-то жену не посадишь, не при домострое живем. Бабы у него, конечно, есть, но стоит ему увлечься, он сразу ее бросает.

— Чтобы она его не бросила?

— Ну, уж не знаю. Его должно принадлежать ему, и баста. Когда фараона хоронили, убивали всех его наложниц, чтоб никому не достались, это мне в

Египте рассказывали. Отец, конечно, не кровожаден, просто не хочет зависеть от чьих-то чувств. Или капризов. Свои чувства тоже тратить не желает. Вот узнает отец, о чем мы тут с тобой беседуем, и надает мне по шее. Между прочим, правильно надает, — Николай Иванович в досаде махнул рукой, злясь на себя за свою откровенность. — Не зря говорят, язык без костей...

— Откуда он узнает, если вы ему не расскажете? — усмехнулась я. — А среди его знакомых была Ирина Емельянова?

Мой вопрос произвел впечатление. Правдин помрачнел и с минуту недовольно меня разглядывал.

— С такими вопросами иди к отцу. Захочет — скажет.

— Значит, была?

— Понятия не имею. Он меня со своими девушками не знакомил.

— Когда я сказала о ее гибели, вы с папой как-то странно посмотрели друг на друга. Вот я и решила, что это имя вам знакомо.

— Ничего подобного... — он вновь откинулся на спинку кресла, а мне стало совершенно ясно, что с этого мгновения мое присутствие в его кабинете Правдину в тягость. — Аня, я уже сказал, с такими вопросами к отцу. — При желании Николай Иванович, несмотря на легкость характера, умел быть очень убедительным.

— Папа считает, что его личная жизнь меня не касается, — вздохнула я, стараясь растопить внезапно образовавшийся ледок.

— Тем более, — мягче ответил Николай Иванович. — С какой стати тебе вдруг стала интересна его личная жизнь? Я понимаю, это убийство тебя взволновало, раз ты оказалась в ненужном месте в ненужное время. И женское любопытство я тоже способен понять. Уверяю тебя, твой отец не имеет к этому никакого отношения. Вот и все.

— Вы ведь в тот вечер тоже были в «Клеопатре», — решилась я.

Николай Иванович развел руками.

— Ну, был. Заезжал поужинать. Уехал до того, как все это случилось. Слушай, ребенок, ты чего там себе навыдумывала? — с беспокойством спросил он.

— Николай Иванович, вы же сами сказали: женское любопытство.

— Только не вздумай затеять игру в сыщиков. Ты же девушка умная, должна понимать: каждый делает то, что у него лучше получается. Расследование — это милицейский хлеб. Меня твое настроение беспокоит, — покачал он головой.

— Не вижу повода, — улыбнулась я и поднялась. — Кстати, я познакомилась с Ольгой Леонидовной, кажется, она ваша приятельница.

Николай Иванович взглянул с недоумением, но тут же кивнул:

— А...а, Оленька. Приятная женщина, я иногда заезжаю к ней обедать, кстати, рекомендую: у нее очень неплохой ресторан «Лебедь», недавно открылся. Хорошая кухня, и цены умеренные.

— Так она хозяйка ресторана?

— По-моему, там два или даже три хозяина. Насколько мне известно, Оленька просто вложила деньги...

— Вы давно знакомы?

Николай Иванович пожал плечами:

— Да уж, наверное, с год. Она близкая подруга одного моего знакомого.

— Максима Петровича?

— Да. Мы с ним по работе часто пересекаемся, как-то вместе ужинали. Он познакомил нас с Олей, а она сразу взяла меня в оборот как потенциального клиента, настойчиво советовала заглянуть в «Лебедь».

— Она ведь тоже была в «Клеопатре» в тот вечер?

— Оля? — удивился Николай Иванович. — Я ее не видел. Возможно, позднее приехала.

— Да, наверное, — ответила я, сделала Николаю Ивановичу ручкой и направилась к двери.

Почему-то мне казалось, что мои вопросы папиному компаньону совсем не понравились. Он даже решил, что я его в чем-то подозреваю. Был ли он тем самым мужчиной, на которого обратила внимание Сонька? «Вряд ли», — прикинув так и эдак, решила я. Должна она была узнать человека, с которым видится не реже, чем раз в неделю. Даже если он прошмыгнул мимо, прикрывая лицо рукой. И, услышав голос Ольги, когда мы знакомились, я готова была поклясться, что раньше его никогда не слышала. Но ее прекрасный мягкий голос звучал совсем иначе в момент свидания с Мигелем. Николай Иванович прав, я занимаюсь не своим делом. Если бы не страх за отца... Связывало его что-то с погибшей Ириной? Теперь для меня было очень важно это выяснить. Разговор с Николаем Ивановичем привел к еще одному неожиданному результату. Я совсем иначе оценила недавнюю беседу с Глебом. Своего отца я слишком поспешно записала в романтики. То, что он столько лет не помышлял жениться, не имело ничего общего с его любовью к маме или беспокойством о том, как я к этому отнесусь. Возможно, и Глеб успел сообразить, что девушка с характером, за спиной которой маячит богатый папа, не совсем подходящая кандидатура для ничего не значащих отношений. И теперь придумывает благовидный предлог, чтоб отыграть ситуацию назад, и вешает мне лапшу на уши, сетуя на свой возраст. Хотя мог бы просто не звонить. А вдруг в самом деле больше не позвонит? Признаться, такая мысль меня напугала. И удивила. Не могла же я вот так ни с того ни с сего влюбиться? А как еще влюбляются? Господи, что за каша в голове...

Оказавшись в машине, я решительно набрала номер Глеба.

— Надеюсь, ты по-прежнему не в состоянии сосредоточиться на работе, — сказала я.

Он засмеялся:

— Даже не пытаюсь.

— Имей в виду, если всякие глупости придут тебе в голову — я девушка настойчивая и в покое тебя не оставлю.

— Я насмерть перепуган, хоть и не понял, о чем ты.

— Мне плевать на твой возраст.

— Да мне на него тоже плевать. Если глупые мысли, — слово «глупые» он выделил, — и приходили мне в голову, то давно испарились, стоило представить, что вечером мы встретимся. Мы ведь встретимся?

— Конечно.

Немного успокоенная, я отправилась на работу. И первым делом заглянула к Соньке. Если мой трудовой порыв был на нулевой отметке, то Сонькин еще ниже. С видом страдалицы она сидела, подперев щеку рукой, и разглядывала потолок.

— Слава богу, — зашипела она. — Прикрой дверь.

— Что, опять были гости? — испугалась я, закрыла дверь и стремительно приблизилась к подруге.

— Хуже. Дядечку нашего нашли, — зашептала она, косясь на дверь. — По радио слышала.

— Этого следовало ожидать, — пожала я плечами, стараясь сохранить оптимизм.

— Оно, конечно, так, но боязно, Нюся. Этот гад разноглазый не зря нам его подсунул, теперь жди какой-нибудь пакости. В том смысле, что вряд ли он этим ограничится. Я готовлюсь к самому худшему.

— Не спеши, может, обойдется.

— Уж лучше бы обошлось. Теперь убийцу начнут искать, и неизвестно, что найдут.

— Надеюсь, все-таки его и найдут.

— Твои слова да богу в уши. Куда проще найти крайнего. Вся надежда на твоего папу, он не даст нас в обиду.

— Я разговаривала с Николаем Ивановичем. С Ольгой он знаком около года, познакомил их Максим Петрович.

— Ну...

— По-моему, ему мои вопросы не понравились.

— Нюся, у меня сейчас не о том голова болит. А то, что Правдину вопросы не понравились, так это вполне объяснимо: крутит шашни с этой Ольгой, а у нее вроде как дружок есть. Может, с Вадимом поговорить?

— О чем? — не поняла я.

— Ну, не знаю... Я остро нуждаюсь в крепком мужском плече и утешении. Что-нибудь в духе «не волнуйся, милая, я обо всем позабочусь».

— Продолжай мечтать, — усмехнулась я и отправилась к себе.

С трудом дождавшись шести часов, я вновь заглянула к Соньке. Мои немногочисленные сотрудники отправлялись по домам, подруга с кем-то ругалась по телефону, ее голос доносился из-за закрытой двери кабинета. Когда я вошла, трубку она уже повесила и сказала с досадой:

— Все просто с ума посходили, сговорились, что ли, действовать мне на нервы.

— Надеюсь, ты не меня имеешь в виду? Поехали в «Карусель».

Сонька взглянула на часы.

— Для шоу еще слишком рано.

— Во время шоу с девушкой не поговоришь.

— Тоже верно, — вздохнула Сонька, поднимаясь из-за стола.

Ночной клуб «Карусель» находился в здании гостиницы, когда-то считавшейся лучшей в нашем городе. Я этих времен по малолетству не помнила. Высоченное здание в центре города, серое и обшарпанное, теперь вызывало стойкую неприязнь. При виде гостиницы на ум приходило сравнение «как бельмо на глазу». Уже несколько лет ее собирались снести и построить новую, которая своим обликом соответствовала бы исторической части города. Но далее разговоров дело не шло. Более того, по соседству за это время успели воздвигнуть еще одного двенадцатиэтажного монстра, который город, разумеется, не украсил.

Бросив машину в переулке, мы поднялись по ступеням к боковому входу. На улице возле фонтана молодежь, потягивая пиво, строила планы на ближайший вечер. Один из парней, заметив нас с Сонькой, протяжно свистнул. Сонька на ходу продемонстрировала ему средний палец, очень собой довольная. Я толкнула стеклянную дверь, и мы оказались в просторном холле. Поначалу решив, что он пуст, мы пересекли его, направляясь к коридору с кабинетами по обе стороны, ожидая обнаружить там кого-нибудь из администрации. И тут услышали:

— Э...э, девушки...

К нам направлялся молодой человек очень внушительной комплекции, судя по выражению лица, точнее, по его отсутствию, охранник.

— Вы куда? — спросил он.

— Есть кто-нибудь из администрации? — хмуро спросила Сонька, всем своим видом давая понять, что тратить на него драгоценное время не намерена.

— Первый кабинет налево, — ответил парень, окинув нас взглядом с ног до головы. Я сказала «спасибо» и устремилась к первому кабинету. Вежливо постучала и, не дождавшись ответа, открыла дверь.

За столом, вальяжно развалясь в кресле, сидел молодой мужчина и пялился в компьютер.

— Я занят, — резко сказал он, не поднимая взгляд.

Судя по его виду, ничем особо полезным он не занимался, Сонька вошла и заявила решительно:

— Может, вы проявите интерес к посетителям?

Парень поднял голову, придал себе задумчивый вид и сказал:

— Слушаю вас. — Сел при этом прямо, что меня порадовало: значит, наш внешний вид произвел на него впечатление.

— У вас в шоу занята девушка, зовут ее Вика, фамилии мы не знаем, но какая-то простая.

— Вика... Вика... — парень нахмурил лоб. — Не помню. А в чем, собственно, дело?

— Так она работает у вас или вы не помните?

Началась война взглядов, Сонька таращилась на парня, он на нее. В подруге я не сомневалась, парень первым отвел взгляд.

— Да вы садитесь. Вика... Новикова?

— Возможно, — усмехнулась Сонька, продолжая стоять.

— Она уже не работает.

— Вот как? Жаль. А как ее найти?

— Понятия не имею.

— Но ее домашний адрес у вас должен быть.

— Справок не даем, — язвительно ответил парень.

— Жаль, а я рассчитывала.

Сонька развернулась на каблуках и вышла из кабинета, мне пришлось последовать за ней.

— Какого черта ты смоталась? — зашипела я.

— Он ничего не скажет. Уж поверь...

— И как мы теперь эту Вику найдем?

Сонька не ответила, но, поравнявшись с охранником, который теперь маячил у входной двери, с чувством произнесла:

— Козел ваш менеджер.

— А чего вы хотели-то? — заинтересовался парень, понизив голос и косясь в сторону коридора. Чувствовалось, с Сонькиным определением он, в принципе, согласен.

— Вика Новикова...

— Уволилась. Из-за этого, кстати, — кивнул он в направлении кабинета.

— У нас для нее есть работа, не знаешь, как ее найти?

— Записывай телефон.

Он продиктовал номер, Сонька ему подмигнула, и мы покинули клуб. Возле дверей нас ждал Коля — верный телохранитель. Очень кстати: свистуну Сонькин палец чем-то не приглянулся, и он с приятелем вознамерился продолжить общение, но, увидев Колю, передумал. Колин напарник ждал в «БМВ». Я, признаться, успела забыть о них, а сейчас усмотрела в их присутствии явную пользу. Оказавшись в машине, Сонька набрала номер Вики.

— Вика, это знакомая Иры Емельяновой, мы могли бы поговорить? — Ответа девушки я не слышала, но легко его угадала. — Иру убили три дня назад... да... возле «Клеопатры»... да... хорошо. Поехали на Московскую, — сказала Сонька, закончив разговор. — Кафе «Океан». О гибели Эсмеральды

Вика не знала, по-моему, у нее к нам больше вопросов, чем у нас к ней.

— Не знала? Странно, с подругами Эсмеральды следователь был обязан поговорить.

— Может, не успел, а может, не такие уж они близкие подруги.

Возле кафе припарковаться было негде, и мы потратили время на поиски места, где можно оставить машину. Наш охранник побрел за нами к кафе, на сей раз его затея удачной мне не показалась, но выговаривать ему было бесполезно, а спорить с папой тем более. Сонька, напротив, смотрела на парня с приязнью, возлагая на него определенные надежды в смысле нашей безопасности.

Войдя в кафе и оглядывая небольшой зал, я с опозданием подумала: как выглядит Вика, мы не знаем. Кафе облюбовала молодежь из тех, у кого лишних денег не водится, большинство столиков были заняты, сидели в основном компаниями по три-четыре человека. Шумно, накурено.

Сонька нахмурилась и громко позвала:

— Вика!

На ее призыв откликнулась худенькая девушка, которая расположилась в глубине зала с подругой, высоченной брюнеткой. Вика совсем не соответствовала моим представлениям о девушке, выступающей в шоу. Среднего роста, с льняными волосами до плеч, лицо почти без косметики, глаза чуть подведены, и губы подкрашены. На ней была майка с блестками и джинсы, на ногах сандалии. При нашем появлении брюнетка поднялась и сказала:

— Ну, я пошла. — Поцеловала подругу и добавила: — Не вешай нос.

Она покинула кафе, а мы устроились за столиком. Насчет вопросов Сонька угадала.

— Привет, — сказала Вика. — Вы Ирины подруги? Что случилось? Неужто ее убили? Кто? Где? Я сегодня с дачи приехала, ничего не знаю. — Нам пришлось ответить на ее вопросы, прежде чем приступить к своим. — Кошмар какой-то... — покачала головой Вика. — Прямо возле ресторана убили? Ну, надо же...

Сонька, конечно, рассказала о последнем представлении Эсмеральды и о том, что та прочитала мысли убийцы.

— Глупость все это, — отмахнулась Вика. — Ничего она прочитать не могла, так, иногда отгадывала. В зале всегда сидело два-три человека, подсадные утки. Один раз я сидела. Иногда ей везло, и что-то в самом деле совпадало, а потом у нас такой народ, во все, что угодно, готовы поверить.

Я слушала и вдруг подумала: а что, если все наоборот? Ирина якобы прочитала чьи-то мысли, а убийца решил не упускать такой удобный случай, направив сыщиков по ложному следу. То есть причина убийства совсем в другом... В чем? Если верить подруге, Ирина узнала нечто такое... Хотя есть еще милицейская версия: напал на нее грабитель, которого интересовала ее сумка, точнее, содержимое кошелька.

— Вы давно с Ирой дружили? — вздохнула Сонька, которую утверждение Вики разочаровало, подружка предпочитала верить в чудеса, в данном случае в чтение мыслей.

— Не могу сказать, что дружили, так, общались иногда. Мы же вместе в «Клеопатре» работали, виделись каждый день, иногда болтали. У нас девицы стервозные, так и норовят подсидеть друг дружку, а Ирка добрая была. Вот мы и...

— Она о своей личной жизни что-нибудь рассказывала?

— Да у нас вся личная жизнь на виду. Парня ее Юркой зовут, фамилию не знаю. Лоботряс-художник, деньги из нее тянул, потому что сам всегда на мели. Особой любви я между ними не заметила. Но она его жалела, говорила, талантливый, мол, все гении сначала непризнанные. Может, он и гений, я в картинах не разбираюсь, но по виду ни за что не скажешь, обычный лодырь. Нашел дуру, ну и пользовался. Чуть не каждый день являлся деньги занимать.

— А кроме этого Юры, был кто-нибудь?

— Не знаю. Мы недолго вместе работали, потом я в «Карусель» ушла, и с тех пор мы с Иркой не виделись. Один раз встретились случайно, в кафе. Она с подругой была.

— О чем вы тогда говорили?

— Да ни о чем. Как жизнь, и все такое...

— Вика, попробуйте все-таки вспомнить, это очень важно.

Девушка задумалась.

— По словам ее подруги, разговор с вами произвел на Иру впечатление, — заметила я.

— Да? Странно. Ничего особенного я не говорила. Спросила про общих знакомых, а... вспомнила, — обрадовалась Вика. — Я ей про Юльку Кораблеву рассказала. Девушка вместе со мной в «Карусели» работала. Ее машина сбила. Прямо рядом с клубом, когда она на работу шла. Какой-то гад сбил и слинял, так до сих пор и не нашли.

— А что девушка?

— Похоронили девушку, — вздохнула Вика. — Говорят, если бы сразу «Скорую» вызвали, был бы шанс, а она неизвестно сколько там пролежала.

— Как же так, вы сказали, машина сбила ее по дороге на работу почти рядом с клубом, а клуб фактически в центре города.

— Она на Гончарной жила, вы знаете, где это? На работу ходила напрямую через овраг. Там сейчас коттеджи строят. Ну вот, возле самого моста ее и сбили, там мало кто ездит, да и пешеходов раз-два и обчелся. Никто тачку не видел. В общем, так этого типа и не нашли.

— У Юли был молодой человек?

— Не знаю. Я ее ни с кем из парней не видела. Девки болтали, что у нее мужик был из богатеньких. А потом бросил. Она здорово переживала, даже поддавать начала на этой почве. Ну, наш Витька ее и предупредил, что, если дальше так пойдет, она вылетит с работы. Она вроде за ум взялась, по крайней мере, на работу трезвой ходила.

— Когда все это произошло?

— Сейчас скажу... Из «Карусели» я ушла в середине января, значит, в феврале.

— И с Ирой вы встретились...

— В начале марта. Да, перед праздником.

— Ира и погибшая Юля давно знали друг друга?

— По-моему, они и знакомы-то не были, — пожала Вика плечами.

— Тогда почему вы о ней рассказали?

— Да просто так, к слову. Говорю: девушку из нашего клуба машиной сбило, а она спросила, кого.

— И как отреагировала Ира, услышав имя девушки?

— Ну, как... веселого тут мало, пусть она ее не знала, все равно живой человек, а Ирка жалостливая была.

— То есть вам не показалось, что она ее фамилию слышала раньше?

Вика вновь пожала плечами.

— Вроде нет. А при чем здесь вообще Юлька? — насторожилась она.

— Ирина подруга говорит, что после разговора с вами Ирина была сама не своя.

— Может, они и были знакомы, но мне Ира об этом не сказала.

— До того как устроиться в «Клеопатру», Ира работала секретарем. Об этом она что-нибудь рассказывала?

— Нет. В «Клеопатре» она была на особом положении, с хозяином на «ты». Его друг их познакомил и сам ей этот номер придумал.

— Что за друг? — встрепенулась Сонька.

— Гельман Илья, он у нас часто бывал, в «Клеопатре», я имею в виду.

Мы с Сонькой переглянулись.

— У них с Ильей были близкие отношения?

— Они в одном классе учились. Дружили когда-то. Ну, он ей по-дружески и помог. Илья вообще хороший парень, даром что денег куры не клюют. Наши девки все в него повлюблялись, да что толку? Нужны ему больно девки из кордебалета, он птица высокого полета и женится на богатой. Ира, кстати, рассказывала, в юности он влюбился без памяти. Илья тогда еще был мальчиком из неблагополучной семьи, а угораздило его влюбиться в какую-то фифу с папой-бизнесменом. Папа дал ему от ворот поворот, девушка отца послушалась и Илью отфутболила. Его это здорово задело, и он решил во что бы то ни стало стать богатым. Вот и стал. Фифа небось теперь локти кусает, такого парня проморгала.

Сонька с недоумением уставилась на меня, я пожала плечами. Через несколько минут мы простились с Викой. Я-то думала, что разговор с девушкой хоть что-то прояснит, оказалось, все запуталось еще больше.

— Илья-то тут при чем? — устраиваясь в машине, досадливо буркнула Сонька.

— Вот тебе ответ, как она его мысли прочитала, — усмехнулась я.

— Ты у нас, оказывается, фифа, которой папа запретил встречаться с Ильей. Что за чушь, скажи на милость? Постой, — нахмурилась Сонька. — Она в тот вечер сказала: «Девушка, о которой думает Илья, сидит в зале». Так? Выходит, Ира тебя знала — в лицо, по крайней мере?

— Ничего удивительного, Илья просто сказал ей, что я в зале.

— Чтобы она якобы прочитала его мысли, и он таким образом сообщил тебе, что очень сожалеет...

О чем? Он что, тоже считает себя виноватым в той аварии? И при чем здесь твой папа? Когда это он запретил тебе встречаться с Ильей? Или я чего-то не знаю? То, что Илья был в тебя влюблен, — не секрет ни для меня, ни для Сереги... ой, извини, — испугалась Сонька. — Но твой папа... дядя Боря всегда к Илье прекрасно относился, неделю назад сетовал, что вы все никак не помиритесь. Мне кажется, он был бы рад, если бы вдруг ты и он...

— Не надоело тебе болтать? — разозлилась я.

— Но фифа — это точно ты? Или у тебя на этот счет свое мнение?

— Выходит, что я.

— У Илюхи крыша поехала, сочинить такое про твоего отца... Или Эсмеральда сама ничего толком не знала и все это придумала девкам на радость? Слушай, а что, если предполагаемый любовник Иры как раз Илья и есть?

— Чушь, — поморщилась я. — Вера сказала, что любовник ей в отцы годился, а с Ильей они ровесники, учились в одном классе.

— Да это я сдуру брякнула. И прятаться Илюхе ни к чему, парень он у нас холостой. Что дальше делать будем?

— Если Илья с ней откровенничал, вполне естественно ожидать, что и она с ним тоже.

— То есть имя ее любовника он должен знать. Тебя ведь имя интересует?

— А тебя? — спросила я с усмешкой.

— Меня — твое душевное состояние. Я бы на эту историю вообще забила, но ты вряд ли согласишься. Так?

— Так, — не стала я спорить.

— Тогда звони Илье. Встретимся и выясним, что ему известно о любовнике Ирины.

— Звони ты.

— Хорошо. Где встречу назначить?

— Без разницы. Я с ним встречаться не собираюсь.

— Почему, ты можешь объяснить? — взорвалась Сонька.

— Нет.

— Ага. Очень хорошо.

Она набрала номер и через несколько секунд заговорила:

— Илюша, это я. Как дела? Слушай, давай встретимся, кофе выпьем... сегодня... не получится? Тогда, может, завтра? Хорошо, я позвоню... Не особо он мне обрадовался, — убирая телефон, вздохнула Сонька. — Паны бранятся, а у холопов чубы трещат.

— Что за глупость?

— Глупость... это мудрость народная. Вы друг на друга дуетесь, а виновата я. Хотя парня понять можно. Ты от него нос воротишь, а я вроде как на твоей стороне, выходит, уже ему не подруга, а так, знакомая. Есть еще идея?

— У Эсмеральды должны быть родственники. Может, им что-нибудь известно?

— Если мы к ним сунемся, менты об этом наверняка узнают. И в восторг не придут. Объясняйся потом с ними, что да как.

С этим было трудно не согласиться.

— Тогда попытаем счастье с родней Юли Кораблевой.

— И как ты себе представляешь наш визит к ним? Да и где искать ее родственников? Чего ж мы у Вики не спросили адрес Юли? Тоже мне, сыщики... Позвонить ей?

— Лучше в кафе вернуться. — Не успела я это сказать, как из кафе вышла Вика и направилась в сторону троллейбусной остановки. Я посигналила, подъезжая к ней, открыла окно и предложила: — Садитесь. — Она села, а я спросила: — Куда?

— Не знаю, — вздохнула Вика. — Домой, наверное. Ждала здесь одного парня, он с работой помочь обещал, но не явился, дела у него... Придется в «Клеопатру» назад проситься. Может, и возьмут.

— Вика, вы адрес Юли Кораблевой знаете?

— Где живет, знаю. Мы же с девчонками на похороны ходили. Могу показать.

Стало ясно, что девушка просто не знает, чем себя занять, и наше появление пришлось как нельзя кстати. Мы поехали на Гончарную. Для начала возле «Карусели», свернув к оврагу, взглянули на то самое место, где машина сбила Юлю. Место действительно бойким не назовешь. Всего-то полкилометра от клуба, а такое впечатление, что здесь глухая окраина. Овраг, пешеходный мост через него, выходивший на Гончарную. Овраг потихоньку засыпают, с двух сторон как грибы растут коттеджи, но пока ни один не заселен.

Чтобы на машине попасть на Гончарную, пришлось вернуться к «Карусели», проехать до ближайшего переулка и сделать основательный крюк.

Мы выехали к пятому дому, там находилась аптека. Дом, где жила Юля, был рядом. Отсюда до ночного клуба пешком гораздо быстрее доберешься, чем на маршрутке, а на троллейбусе вообще пришлось бы ехать с пересадкой. Неудивительно, что Юля предпочитала ходить на работу пешком.

Дом был двухэтажный, старый, перед домом скамейка, на которой сидела женщина и кормила голубей.

— Это Юлина мама, — шепнула Вика. Мы с Сонькой переглянулись. — Вы с ней хотели поговорить?

Несмотря на сомнения, из машины мы все-таки вышли.

— Здравствуйте, — громко сказала Вика, женщина повернулась и стала нас разглядывать. Девушка направилась к ней. — Вы меня не помните?

Женщина нерешительно улыбнулась:

— Вы Юлечкины подружки?

— Да. Работали вместе. Заехали узнать, как у вас дела.

— Какие дела? — вздохнула женщина. — Живу потихоньку. Идемте в дом, я вас чаем напою, — предложила она.

— Не беспокойтесь, — сказала Сонька, устраиваясь рядом с ней на скамейке. — Давайте здесь посидим.

Женщина подвинулась, и мы с Викой сели рядом.

— Вас на сороковом дне не было, — заметила она.

— Мы уезжали.

— Да... у всех свои заботы. А я вот одна... все никак не свыкнусь. — Она заплакала, достала носовой платок из кармана платья. — Мечтала ее детишек нянчить, а теперь... вот, голубей кормлю. На работу хочу устроиться, может, с народом полегче будет. А вы в «Карусели» работаете? За деньги, что собрали, спасибо, мне как раз Юленьке хватило на памятник... — Женщина замолчала.

— Вас из Юлиных подруг кто-нибудь навещает? — робко спросила Сонька.

— Да какие подруги... разлетелись кто куда. В школе она с девочкой дружила, та уж года три как в Питере живет. Из «Карусели» приходили Таня с Ларисой, вы их знаете?

— Да, конечно.

— Ну, вот, а больше никого.

— У Юли был молодой человек? — спросила Сонька.

— Некогда ей было ухажеров заводить, по вечерам работала, а на работе что за ухажеры, так, баловство одно.

— Но ведь... у нее был... я хотела сказать, она была влюблена... — неуверенно начала я и замолчала под взглядом женщины.

— А... вы об этом... так ведь бросил он ее. Еще осенью. Уж как она переживала. Я сначала, грешным делом, порадовалась, когда они расстались. Не пара она ему. Ясно, что попользуется девкой да бросит. А она его любила. Все забыть не могла.

— Вы что-нибудь знаете о нем? — решилась спросить я.

— Да ничего я не знаю. Он же старше ее лет на двадцать, ну она и помалкивала про него, чтоб меня не волновать. Я поняла, что есть у нее кто-то, раз она то и дело дома не ночует. Стала спрашивать, что за парень, почему к нам не заходит. А она все отговаривалась, что занят очень. Я и заподозрила, что женат. Решила с ней поговорить серьезно. Но она опять в молчанку играла, твердила одно: он хороший. У меня душа не на месте, вот и проследила их. Он к дому-то не подъезжал, у аптеки ее высаживал. Я вечером вышла да встала на углу, чтоб меня с дороги не заметили. Тогда его и увидела. Чуть моложе меня, Юля из машины вышла да к его окошку подошла, он окно открыл, поцеловал ее, я его и увидела. Вечером ей ничего говорить не стала, а утром не стерпела. Ясно ведь, что она для него вроде игрушки и он женат. Она все отрицала, потом заплакала. Говорит, люблю его. Я решила, это блажь, а как он ее бросил, Юля сама не своя ходила. Позвонит ему, а потом все плачет, плачет. Долго успокоиться не могла, только после Нового года вроде в себя пришла, но все равно я видела, больно ей. Уж я не лезла, чтоб рану не бередить, но очень за нее переживала. А потом... ох, горе горькое.

— Вы его имя знаете?

— Нет. Не называла она его. Может, боялась, что я скандалить к нему отправлюсь... Как будто скандалом что поправишь. Нет, даже имени не знаю. А вам оно на что? На похороны он не пришел, может, и не знал, конечно, что с ней такое приключилось. А, может, не захотел. Бог ему судья.

Когда мы вернулись в машину, Вика спросила:

— Девчонки, вы этого любовника ищете? Зачем он вам? Вы что, думаете, это он...

— Ничего мы не думаем, — разозлилась Сонька.

— Заливайте. По-вашему выходит, Ирка напугалась, когда я про Юлю рассказала. Ну, может, не испугалась, так заинтересовалась. Значит, что-то она такое подумала... Неспроста Юлю машина сбила, так? Не хотите говорить, не надо. Только я могла бы помочь. Поспрашивать у девчонок, может, кто-то чего о Юлькином любовнике и знает. Если он богатенький, то, скорее всего, в клубе ее и присмотрел. Я в то время еще в «Карусели» не работала, а Танька с Лариской, которые Юлину мать навещали, давно там работают, вдруг что-то знают.

— Поспрашивай, — кивнула я. Сонька фыркнула и отвернулась.

Мы отвезли Вику домой. Только она вышла из машины, как Сонька стала мне выговаривать:

— Ты что, с ума сошла? А если это и вправду твой папа? Вика успела сделать далекоидущие выводы, а тебе хоть бы что? Хочешь, чтобы у отца были неприятности?

— Хочу понять, что происходит.

— Допустим, это дядя Боря. Ну, менял он девок как перчатки, а они по нему сохли. Неудивительно. Я тоже сохла. Только при чем здесь убийство?

— Вот именно, при чем?

— Нюся, я бы на твоем месте лучше с папой поговорила.

— Пробовала, не получается. Что-то происходит, понимаешь? И я не уверена, что отец об этом догадывается.

— Тем более надо с ним поговорить.

— Не будет он со мной разговаривать, по крайней мере сейчас. И у меня одни догадки, мы даже не уверены, что таинственный любовник и есть мой отец. Хотя сама собой напрашивается мысль, что речь идет об одном и том же человеке. Предположим, Ира что-то знала об этой девушке, я имею в виду Юлю, то есть знала, что он когда-то с ней встречался. И то, что девушку сбила машина, здорово Ирину напугало. По крайней мере, произвело впечатление. Она интересовалась его делами, так? Возможно, не бизнесом, как мы подумали, а бывшими любовницами. Заметь, Ира его ни в чем не обвиняла, но что-то ее очень беспокоило. И это что-то связано с гибелью Юли.

— Надеюсь, мы выясним, что это, не усложнив твоему отцу жизнь. Не любовник, а неуловимый Джо какой-то, — чертыхнувшись, заметила Сонька. — Твоему отцу ни к чему прятаться. А здесь сплошная конспирация. Допустим, Юрке рассказывать о бывшем любовнике и вправду ни к чему, но подруге? Ты бы стала секретничать?

— Не знаю.

— Вот так раз... У Юли был повод помалкивать, не хотела мать беспокоить. Но все равно как-то странно. Он вроде нарочно прятался.

Только она произнесла это, как у меня зазвонил мобильный.

— Это Глеб, — сказала я и ответила.

— Я свободен. Как у тебя со временем?

Мы договорились встретиться через полчаса. Сонька, слушая наш разговор, недовольно морщилась.

— Не слишком ли активно он тебя обхаживает?

— Не слишком.

— Да? Только не говори, что ты влюбилась. Вот уж дядя Боря обрадуется, когда узнает, что твой парень его ровесник. Нюся, проблема отцов и детей всегда стоит слишком остро. Он человек другой эпохи, ну о чем тебе с ним говорить?

— Не поверишь, но есть о чем.

— Это сейчас, пока ты в эйфории. А дальше? Пожилые мужики — страшные зануды. Особенно бизнесмены.

— И это говорит женщина, которая сохнет по моему отцу.

— Твой папа особенный. Другого такого просто нет. И я уже не сохну. Я сожалею.

— От того, что ты действуешь мне на нервы, ничего не изменится.

— Хочешь совет? Трахнись с ним побыстрее и начинай искать недостатки. Уверена, при ближайшем рассмотрении он не покажется тебе сокровищем.

— А вдруг?

— Вдруг, вдруг... Куда ты едешь? Вези меня к предкам, сидеть одна в твоем доме я не намерена, а в своей квартире боязно. Навещу семью. Папа задолбает нравоучениями, а мама блинами закормит. — Тут Сонька взглянула на «БМВ» с охраной, который так и следовал за нами. — Слушай, а если ребята твоему папе донесут, чем мы заняты, как ты ему объяснишь?

— Если донесут, скажу правду.

— Ага, — Сонька вздохнула и стала смотреть в окно.

В тот вечер мы с Глебом поужинали в ресторане и отправились на набережную. По случаю хорошей погоды там было многолюдно. Мы брели, обнявшись, вдоль реки, держась подальше от фонарей. За нами тенью следовали Юра с Володей. Их присутствие за спиной отнюдь не способствовало моему романтическому настроению.

В двенадцатом часу мы подъехали к моему дому.

— Пока, — сказала я, собираясь выйти из машины, Глеб остановил меня, взял за руку и поцеловал. Весьма нерешительно. Я бы не возражала, начни он действовать с большим пылом, но сидеть в машине под пристальным взглядом двух парней из отцовской охраны показалось мне верхом глупости, я вторично сказала: — Пока, — и отправилась домой.

В гостиной папа смотрел телевизор, одновременно листая журнал.

— Ты одна? — удивился он. — А где Соня?

— Решила навестить родителей.

— Похвально. Ужинать будешь?

— Я ужинала.

— Опять потенциальный клиент? — он усмехнулся. — Может, нам пора познакомиться?

— Я подумаю, — поцеловав отца, я пошла к себе.

Интересно, отец знает, с кем я встречаюсь? Вадим наверняка знает, раз машина Глеба мозолит глаза его парням. Вопрос в том, входит ли в его обязанности докладывать об этом? У папы сейчас и без меня полно забот. «Скорее всего, не знает», — решила я. Странное дело, меня очень тревожила мысль, как отец отнесется к моему новому знакомству. И дело вовсе не в возрасте Глеба. Вдруг Сонька права и интерес Глеба ко мне возник не случайно? Кажется, у меня психоз начинается. Я готова всех подозревать. Могут у них с отцом быть общие интересы? Судя по тому, что я знаю, вряд ли. И все же...

Я прилегла на диван и закинула руки за голову. Если Глеб конкурент отца, Вадим просто обязан отреагировать на его появление, а вслед за ним и папа. А какой реакции я, собственно, жду? Во-первых, конкурент не значит враг, во-вторых, отец хорошо знает мой характер. Запреты тут не помогут. Он спросил, с кем я встречаюсь, что вполне естественно. Но настаивать на ответе не стал. А что Глеб? С одной стороны, мы вовсю обсуждаем наши отношения, я бы сказала, возможные отношения, с другой, он не спешит оказаться со мной в постели. Этому тоже может быть множество причин. А беспокоюсь я потому, что он мне нравится, как давным-давно никто не нравился. А тут еще Сонька со своими намеками.

— Анюта, — проходя мимо моей комнаты, позвал папа. — Я ложусь. Спокойной ночи.

— Спокойной ночи, — ответила я.

На следующий день я наконец-то смогла сосредоточиться на работе, и Сонька вроде бы тоже. По крайней мере, до самого обеда она ко мне не заглядывала. Зато в половине третьего, когда я собралась перекусить и с этой целью набирала ее номер, подружка вошла в мой кабинет и замерла у порога с видом сироты-страдалицы.

— Ну и что ты там стоишь? — проявила я интерес, прикидывая, откуда следует ждать неприятностей.

— Пожалуй, лучше сесть, — кивнула Сонька, устроилась в кресле и сообщила: — Звонила Вика.

— Так, — кивнула я, наблюдая за подругой. — И что сказала?

— Фамилию Юлиного любовника никто не знает, но познакомились они в клубе, Юля об этом сама рассказывала. Однако завсегдатаем клуба он не был. В «Карусели» отмечали какой-то юбилей или что-то вроде этого, там она его и подцепила. Это было в прошлом году, вроде бы весной. О любовнике Юля особенно не распространялась, она вообще была девушкой замкнутой. До того как им расстаться, любовник часто ей звонил, и она разговаривала с ним в гримерке при других девушках, но на имя никто не обратил внимания. Подарками он ее не заваливал, так что поводов для особого любопытства у девчонок не было. Они считают, что он бизнесмен средней руки, конечно, женатый, вот Юля о нем и не распространялась. Твоего папу бизнесменом средней руки никак не назовешь. На всякий случай напоминаю, у дяди Бори были корпоративки в прошлом году дважды по случаю праздников, но ни разу в «Карусели».

— Ну и что? Его могли пригласить друзья.

— Скажи на милость, почему тебе так хочется, чтобы этим типом оказался твой отец?

Я покрутила пальцем у виска, а Сонька вздохнула:

— Тогда я вовсе ничего не понимаю. Тут вот еще что. Девчонки сказали, примерно две недели назад к ним в клуб наведался парень, его очень интересовали Юля и ее бывший любовник. Он успел поговорить со всеми девчонками. Из клуба его быстро поперли, но он подкарауливал их на улице перед работой. Весьма настойчивый тип. И еще, одна из девчонок вспомнила, что он спрашивал ее о некой Екатерине Сергеевой, не слышала ли она от Юли этого имени. Имя она помнит точно, потому что он повторил его несколько раз, а Сергеева девичья фамилия ее матери. Юля это имя при ней никогда не упоминала. Другим девчонкам он тоже задавал этот вопрос. Что скажешь?

— Скажу, что не только мы заинтересовались таинственным любовником.

— И кому он сдался, кроме нас?

— Той же Эсмеральде, к примеру. Парень не назвался, но ведет себя как заправский сыщик, может, так и есть.

— По-твоему, Эсмеральда обратилась к нему, желая побольше узнать о бывшем любовнике?

— А по-твоему?

— По-моему, Эсмеральде ни к чему расспрашивать о любовнике Юли, если она и так знала, кто он.

— А если у нее были сомнения?

— И при чем здесь какая-то Екатерина Сергеева? Если Эсмеральда обращалась к кому-то за помощью, в милиции должны знать об этом. Или вот-вот узнают.

— Это в том случае, если их перестанет устраивать версия ограбления. Или тот же парень решит явиться к ним. Вика не сказала, как он выглядит?

— Когда он болтался возле клуба, она как раз была на больничном. Но, по словам девчонок, он приятный парень, интеллигентный, на мента не похож.

— А на кого похож?

— Я думаю, не очень-то они над этим голову ломали.

— Но точно не мент, — кивнула я. — Иначе бы охрана «Карусели» его не поперла.

— Ага.

— Логично предположить, что Екатерина Сергеева интересовала его по той же причине, что и Юля.

— Мы что, будем искать эту девицу? — вздохнула Сонька.

— А что еще остается?

Сонька недовольно поморщилась:

— Ладно, давай искать. Только как? В городе полмиллиона жителей, Екатерин Сергеевых может быть два десятка, если не больше. Хотя... Мы могли бы попросить Вадима помочь нам. — Я усмехнулась, а Сонька пригорюнилась. — Других идей нет.

— У меня есть.

Я достала телефон и набрала номер Глеба.

— Я как раз собирался тебе звонить, — сказал он.

— Значит, я тебя опередила. Звоню с корыстной целью.

— Ну, наконец-то, — засмеялся Глеб. — Что я должен для тебя сделать?

— Меня интересует некая Екатерина Сергеева. Предположительно, молодая девушка. Точного возраста не знаю. Если честно, я ничего о ней не знаю. Твоя служба безопасности не могла бы этим заняться?

— Можно вопрос? Точнее, два.

— Первый: почему она меня интересует? А второй: с какой стати я не обращусь к отцу?

Глеб вздохнул:

— Я понял. У тебя есть причины, и ты не хочешь их обсуждать.

— Ты умный парень. Ну, так что?

— Только имя и фамилия? Попробую что-нибудь сделать.

Я закончила разговор, Сонька, сцепив руки на груди, сверлила меня взглядом.

— Ты не хочешь обращаться к Вадиму и доверяешь типу, которого знать не знаешь. Нюся, ты спятила. Скажи, ты папу своего любишь?

— Глупый вопрос.

— Хорошо, глупый. Почему тогда...

— Еще один глупый вопрос.

— Ладно, я дура, а ты умная.

После этого разговора Сонька весь день на меня дулась. А я пыталась разобраться в своих чувствах. Конечно, Сонька права, проще было обратиться к Вадиму. Но если... вот это «если» и не давало мне покоя. Допустим, таинственный любовник — мой отец. Ну и что? А то, что если гибель Юли произвела впечатление на Эсмеральду, то она, скорее всего, не считала ее случайной. И погибла сама. Подозревать отца мне и в голову не пришло. Поверить, что он мог иметь к смерти девушек какое-то отношение, я просто не в состоянии. Да и с какой стати? Но за всем этим что-то есть. Папа со мной откровенничать не намерен, значит, придется разбираться самой.

— Домой меня отвезешь? — спросила Сонька, заглянув в мой кабинет в половине шестого.

— Будешь ночевать у себя?

— Буду, если ты опять встречаешься со своим Глебом.

— Чем он тебе не угодил? — возмутилась я.

— Всем. Отвезешь или нет?

— Отвезу, — буркнула я.

Уже в машине Сонька сказала:

— Давай заедем в супермаркет, мне продукты купить надо.

— Мне тоже.

Я свернула к супермаркету, у входа Сонька взяла тележку и покатила ее к прилавку, где были выставлены макароны. Под моим удивленным взглядом взяла сразу три пачки «Макфы» и положила в тележку.

— Не многовато? — кивнув на тележку, спросила я. Сонькина непривычная молчаливость сильно меня беспокоила.

— В самый раз. Я сажусь на диету.

— Тогда макароны зачем?

— Это макаронная диета. Чего ты глаза вытаращила?

— Что это за диета такая? — растерялась я.

— Мне Инка из отдела реализации посоветовала. Она похудела на три килограмма.

— За год?

— За две недели.

— От макарон похудела?

— Кончай лыбиться. Это средиземноморская диета. Ты же в Милан катаешься дважды в год, итальянцы целыми днями едят макароны и чувствуют себя распрекрасно. Так?

— Ну...

— Все дело в том, как есть. Питание должно быть сбалансированным. Видишь, что здесь написано? — Сонька взяла пакет «Макфы» и сунула мне под нос. — Изготовлены из твердых сортов пшеницы и просты в приготовлении... Худеть надо с умом, чтобы организм получил все необходимое. И потом, я их просто люблю.

— Я тоже, — пожала я плечами. — Пиши свою диету. Будем худеть вместе.

«Папа придет в восторг от новой диеты», — подумала я. Обычно, когда я собираюсь худеть, он начинает ворчать, что фигура у меня великолепная и я ерундой занимаюсь, наношу вред своему здоровью и прочее. Но против макарон точно возражать не станет. Я взяла две пачки, собралась положить их в тележку и с удивлением обнаружила, что ее под рукой нет. Зато в двух метрах от меня стоял парень, опираясь на мою тележку, и разглядывал что-то на витрине.

— Молодой человек... — повысила я голос, поражаясь его наглости. Он повернулся, взглянул с недоумением, потом перевел взгляд на тележку и залился румянцем.

— Извините, — сказал поспешно. — Я, кажется, перепутал...

Чуть впереди стояла тележка, доверху заполненная продуктами, сверху лежало несколько пачек макарон.

— У вас что, тоже средиземноморская диета? — не удержалась я, увидев, что он направился к ней.

— Что? А, нет. Это для детского дома. — Он улыбнулся и пошел дальше, мы с Сонькой переглянулись, подружка пожала плечами.

— Ну, чего ты встала, идем, — позвала она.

Расплачиваясь за продукты, я вновь увидела парня. Он стоял возле соседней кассы. По виду студент, лет двадцать с небольшим. Невысокий, худой. Одет очень скромно, видавшие виды джинсы и футболка, которая от многочисленных стирок выглядела довольно бесформенной, ворот растянулся, и рисунок поблек. Я в своих дорогих тряпках вдруг почувствовала себя неловко.

Расплатившись, мы вышли из магазина, побросали покупки в багажник, а когда выезжали с парковки, я опять обратила внимание на парня. Нагруженный пакетами, он шел к автобусной остановке.

— Куда он со всем этим добром, — пробормотала Сонька. Мы как раз с ним поравнялись. Молодой человек повернулся, в этот момент ручка одного из пакетов лопнула, и все его содержимое посыпалось на асфальт. — Останови, — сказала подруга, вышла из машины и стала молча помогать парню укладывать продукты в пакет.

— Спасибо, — сказал он смущенно.

— Пожалуйста.

— Садись в машину, — открыв окно, предложила я ему.

— Да мне в Киреево...

— Садись, тебе сказали, — проворчала Сонька и помогла ему загрузить пакеты в машину. Он устроился сзади, придерживая пакеты рукой, явно чувствуя неловкость. — Ты сказал, это в детский дом? — повернулась к нему Сонька.

— Да. Мы с друзьями раз в месяц собираем подарки, продукты, игрушки, всякую мелочь... и отвозим. Меня Паша зовут, — он протянул руку, Сонька ее пожала.

— Соня. Это Аня.

Я тоже протянула руку, не оборачиваясь, он осторожно ее пожал.

— Очень приятно, — сказал, кашлянув.

Физиономия его была добродушной, а улыбка смущенной. Я то и дело поглядывала на него в зеркало. На носу веснушки, уши торчат, светлые волосы в беспорядке падают на лоб. Он вызывал симпатию и этой своей улыбкой, и даже простоватостью. Сразу видно, хороший человек. Я вдруг подумала, что в нашем окружении давненько не было таких ребят. Сплошь бизнесмены да папенькины сынки, которые болтаются по ночным клубам, швыряясь деньгами. У этого их точно нет, а те, что есть, он тратит, в отличие от меня, вовсе не на тряпки и прочую ерунду.

— У вас какое-то общество? — спросила я.

— Да какое общество, скидываемся, кто сколько может.

— Я бы тоже хотела, — неуверенно произнесла Сонька, неуверенность была явно связана с тем, как парень воспримет ее предложение.

— От помощи не отказываемся, — кивнул Паша и опять улыбнулся. Сонька порылась в сумке и протянула ему визитку.

— Вот. Звони, если что.

— Позвоню обязательно.

Он не спеша убрал визитку в портмоне, потрепанное и, подозреваю, пустое. Сонька продолжала задавать вопросы, он на них охотно отвечал. Так незаметно мы доехали до Киреева, спального района за рекой. Высадили Пашу возле тринадцатого дома, который оказался общежитием.

— Спасибо, — сказал Павел, выходя из машины. — Без вас я бы добирался минут сорок.

— Обязательно позвони, — напомнила Сонька.

Он скрылся за обшарпанной дверью общаги, а подружка вздохнула:

— Нюся, как-то неправильно мы живем. У него в кошельке рублей сто червонцами, а он детям помогает...

— Что ты хочешь от меня услышать?

— Ладно, я так... чувствую себя дерьмово...

— Я примерно так же, — кивнула я.

— А он симпатичный. Лопоухий, правда. Вот в кого надо влюбляться.

— Ну, и что мешает?

— Привычка жить на хорошую зарплату, вот что. Как думаешь, он позвонит?

— Почему бы и нет?

— Чего ж я его телефон не спросила? Ничего, в крайнем случае я знаю, где его искать.

— Ага. В общаге девять этажей.

— Найду, уж можешь мне поверить.

Утром отец за завтраком сообщил, что уезжает в Москву.

— У меня встреча в пятницу и, скорее всего, в понедельник. Нет смысла возвращаться домой, так что уезжаю я на несколько дней.

— Хорошо, — кивнула я.

— Может быть, поедешь со мной? — спросил папа.

— Ты будешь занят делами, а мне там что делать?

— Неужели ты не найдешь себе занятие? — улыбнулся он. — Это в Москве-то?

— Папа, ты просто не хочешь, чтобы я оставалась здесь одна.

— Конечно, не хочу. Я беспокоюсь.

— Но... кажется, в последние дни все было спокойно. Или я чего-то не знаю?

— Спокойствие может быть обманчивым.

— У меня планы на выходные.

Папа недовольно нахмурился, но более не настаивал.

Я отправилась на работу, в два часа мы с Сонькой, как обычно, пошли обедать. Подружка заказала фруктовый салат, мечтательно поглядывала в окно и тяжко вздыхала. Я, наблюдая за ней, прикидывала, что бы это значило. Судя по симптомам, подружка влюбилась, вот только кандидат в возлюбленные мне виделся смутно, и это сбивало с толку.

Не считая Сергея и моего отца, Сонька была влюблена лишь однажды, и это явилось тяжелым испытанием для ее родителей, потому что выбор пал на кандидатуру малоподходящую: диджея ночного клуба, парня лет двадцати пяти, сплошь покрытого татуировками. Он мог часами говорить о модных группах, но этим его интересы и исчерпывались. Молодой человек одним своим видом привел Сонькину маму в состояние депрессии и вызвал у отца гневный протест. Сонькин отец занимал серьезный пост в областной администрации, и такой зять мог явиться ему лишь в кошмарном сне. Соньку это не остановило. Напротив, она твердо стояла на своем, и никакие доводы на нее не действовали. Она лихо рассекала с избранником на его весьма потрепанной «Ямахе», из блондинки перекрасилась в брюнетку и носила серьги на губе и брови. Родители всерьез решили, что по ней плачет психушка. Выглядел возлюбленный презабавно: невысокого роста, с круглой, как луна, физиономией и курносым носом. Красавица Сонька была его на полголовы выше, и чтобы не выработать у парня комплекс неполноценности, перешла на обувь без каблуков. Это не помогло. Колюня, как называла его Сонька, все равно рядом с ней казался заморышем. Они сняли квартиру и начали совместную жизнь, которая продлилась ровно две недели. Сонька не могла простить парню разбросанные по комнате носки и категоричный отказ мыть за собой посуду. Уже на третий день они разругались в пух и прах. Правда, быстро помирились. Но после этого

Сонька начала подмечать за ним и другие недостатки, так что в рекордные сроки от достоинств парня следов не осталось. Когда выяснилось, что за квартиру придется платить ей, она молча собрала вещи и вернулась к родителям. С тех пор в ее лексиконе слово «диджей» стало ругательным. Подружка вновь перекрасилась в блондинку, избавилась от пирсинга, заявила, что замуж вообще никогда не выйдет, а в тридцать лет родит ребенка и будет воспитывать его одна.

Это заявление испугало родителей куда больше, чем недавний жених. Мама начала подыскивать Соньке мужа и пребывает в поисках по сей день. Утомившись родительскими нравоучениями, подружка вновь вознамерилась переехать на съемную квартиру, но делать этого не пришлось, родители решили, что из двух зол нужно выбрать меньшее, и преподнесли ей в подарок «двушку» в новом доме. В припадке дочерней признательности Сонька согласилась выйти замуж, но попозже. Однако сразу же об этом забыла. Время от времени в ее квартире появлялись мужчины, но подолгу не задерживались. После диджея она стала очень разборчива, и угодить ей было непросто. В каждом она подозревала потенциального разбрасывателя носков и обращалась с ними сурово. Секс она считала необходимым для здоровья и отправлялась на свидание строго по расписанию, как на прием к зубному. При этом обожала истории о любви. В общем, по моему мнению, в Сонькиной голове был полный кавардак, но, так как и с моей дела обстояли не лучше, поучать подругу я остерегалась. У нас с ней была одна и та же проблема: Сонька всех знакомых парней сравнивала с Колюней и сразу же находила подозрительное сходство, а я сравнивала их с Сергеем и ни малейшего намека на сходство обнаружить не могла. Результат был один: любовь к нам не спешила. И только Глеб Сергеевич вызвал волнение в моей душе. А теперь и подружка смотрит в окно с загадочной улыбкой на устах.

— Я чего-нибудь не знаю? — не выдержала я, понаблюдав за ней некоторое время.

— О чем ты, Нюсечка?

— У тебя вид влюбленной дуры.

— Почему же сразу дуры? — обиделась Сонька, шмыгнула носом и выдала свою коронную улыбку. — Паша мне вчера звонил.

— Он не из тех, кто тянет время.

— Ты будешь издеваться или слушать? Он позвонил, чтобы еще раз сказать спасибо. И мы, естественно, разговорились. И я предложила встретиться.

— Когда встречаетесь?

— Вчера. То есть сегодня, надеюсь, тоже. А вчера он ждал меня у памятника Ленину.

— Очень романтично.

— Да, очень. Меня со школы там никто не ждал. Мы гуляли в парке. Потом он пригласил меня в кафе. Я, конечно, отказывалась, не хотела, чтобы он тратился. Но он меня уговорил. Кафе называется «Рондо». Никогда, Нюсечка, туда не ходи. Кормят ужасно. Но я съела все, чтобы его не обидеть.

— А как же «Макфа»?

— Что?

— Твоя макаронная диета?

— Приходится идти на жертвы. Не могла же я выбрать итальянский ресторан. Паша и так губами шевелил, разглядывая цены в меню. Должно быть, считал, хватит ли у него денег. Я предложила заплатить, но он наотрез отказался. И покраснел. Он так уморительно краснеет. Потом он проводил меня домой, я ему позвонила через полчаса, хотела убедиться, что он благополучно добрался до своей общаги. Но он еще не добрался. Знаешь, мне кажется, он шел в свое Киреево пешком. Наверное, все деньги потратил, чтоб меня накормить. Романтично, правда?

— Соня, ты свинья.

— Я? — ойкнула подруга.

— Тебе не кажется, что ты просто забавляешься? А между тем Пашка вполне из плоти и крови, то есть не игрушка.

— Нюсечка, социальные барьеры в наше время легко преодолимы.

— Это тебе кто сказал?

— Прекрати, — зашипела подруга, в досаде топнув ногой. — Он мне нравится. Он куда лучше всех этих... — Дослушать я не успела, у меня зазвонил мобильный, Сонька презрительно отвернулась, услышав, как я произнесла:

— Здравствуй, Глеб.

Он ответил:

— Здравствуй, милая. Не отрываю тебя от дел?

— У меня обеденный перерыв.

— Я по поводу твоего задания. В городе оказалось двадцать семь женщин в возрасте от восемнадцати до тридцати двух лет, которые носят имя Екатерина Сергеева. Но тебя, возможно, заинтересует Сергеева Екатерина Владимировна двадцати восьми лет. Четыре месяца назад она попала в криминальные сводки. Возвращалась вечером с работы и подверглась нападению грабителя. С тяжелыми травмами была доставлена в больницу.

— Черт, — пробормотала я. — Она жива?

— Не знаю. Продиктуй свой электронный адрес, сброшу тебе всю информацию.

Я отложила телефон, а Сонька съязвила:

— И чем твой выбор лучше? У твоего Глеба денег куры не клюют, только вряд ли он хоть копейку пожертвует несчастным детям. Нюся, ты чего? — ахнула Сонька, приглядываясь ко мне.

— Идем в офис. Глеб должен сбросить информацию по поводу Сергеевой.

— Ты спросила «она жива», ты ведь это спросила?

— Идем, — заторопилась я.

Через несколько минут я уже проверяла электронную почту. Двадцать семь Сергеевых Екатерин с адресами, по которым они зарегистрированы. На следующем листе данные на Сергееву Екатерину Владимировну. Родилась в районном городе, окончила университет, последнее место работы — фирма «Трио», менеджер по кадрам. «Трио» занималось производством пластиковых окон и в числе нескольких предприятий принадлежало моему отцу и его компаньону. Далее скупые сведения о нападении на девушку четыре месяца назад. Что с ней стало после этого, неясно.

— Это что ж такое, — промямлила Сонька, усевшись рядом со мной возле компьютера.

— Неизвестный тип не зря ею интересовался, — вслух подумала я. — Одну девушку сбила машина, на другую напал грабитель.

— С чего ты взяла, что это как-то связано? — завопила Сонька.

— С того, что это он так решил. Поехали в «Трио», там должны знать, что с ней случилось.

— Нюся...

— Не хочешь, так иди работай, — отрезала я.

Конечно, Сонька поехала со мной. Офис фирмы находился на окраине города, в промзоне. Я с трудом представляла, как объясню там свое появление, но была полна решимости. Притихшая Сонька то и дело на меня поглядывала, не рискуя задавать вопросы.

В дверях «Трио» мы едва не столкнулись с Правдиным. Такого я не ожидала. И, если честно, растерялась.

— Аня? — удивился Николай Иванович. — Ты здесь какими судьбами?

— Я думала, вы уехали в Москву вместе с папой, — промямлила я.

— Как видишь, нет. — Он продолжал смотреть с недоумением, а я томилась.

— Предки окна хотели заказать, — поспешила мне на выручку Сонька. Выдумка не самая удачная, Николаю Ивановичу немедленно сообщат, что мы задавали вопросы, так что вранье нас не спасет.

— Здесь работала Екатерина Сергеева, менеджер по кадрам, — сказала я.

— Екатерина... — нахмурился он. — Ну, да, работала. Потом уволилась. Что это мы в дверях стоим. Идемте в переговорную.

Правдин уверенно направился по коридору, мы с Сонькой трусили за ним. Подружка заговорщицки кивала на спину Правдина и тайными знаками пыталась что-то донести до моего сознания. Николай Иванович толкнул стеклянную дверь, и мы оказались в небольшой комнате с круглым столом и несколькими стульями. Папин друг занял один из них и посмотрел на нас с нетерпением.

— Так зачем она вам понадобилась?

— Вы сказали, она уволилась?

— Да, примерно год назад.

— А причина?

— Наверное, нашла место получше. Прекрасный работник, мне она нравилась. Хотя встречались мы всего несколько раз. Если память мне не изменяет, здесь она работала года три. Или чуть больше. Ты мне объяснишь...

— А с моим отцом у нее какие были отношения?

— Что ты имеешь в виду? — удивился Николай Иванович.

— Ну, может быть, их отношения не сложились?

— Сомневаюсь, что твой отец вообще был знаком с ней. Ты же знаешь, у каждого из нас свои обязанности... я бы все-таки хотел знать...

— Николай Иванович, может быть, кто-то из сотрудников в курсе, где Сергеева сейчас работает? Мне очень важно ее найти.

— И причину ты объяснить не хочешь.

— Я ведь не прошу вас выдать военную тайну.

— Какие уж тут тайны. Хорошо, поговори с сотрудниками. Я распоряжусь. Скажи, пожалуйста, а отец знает о твоих исследованиях? — вздохнул он.

— Что за исследования вы имеете в виду?

— Ладно, иди, — отмахнулся Правдин, весьма недовольный.

Никто из сотрудников не сообщил нам ничего

существенного. Кто-то сюда устроился уже после ухода Сергеевой, кто-то ее прекрасно помнил, но понятия не имел, где она сейчас работает. Девушка скромная, хороший работник, ни с кем из сослуживцев особенно не общалась. Одна женщина вспомнила, что уже после увольнения с Катей случилась беда, ее избили на улице какие-то хулиганы. Катя вроде бы снимала квартиру, адрес и телефон были в ее личном деле, которое сохранилось в архиве. Вот и все.

Выходя из здания, мы обнаружили Правдина, прогуливающегося перед входом.

— Ну, узнала, что хотела? — спросил он. Николай Иванович улыбался, однако улыбка не смогла скрыть его беспокойства. — По-моему, мне нужно позвонить твоему отцу, — продолжил он со вздохом.

— Не могу понять, что вас тревожит, — усмехнулась я.

— То же, что и твоего отца: твоя безопасность. После убийства этой девицы в «Клеопатре» ты ведешь себя странно. Вы случайно не решили поиграть в сыщиков?

— Думаете, у меня есть на это время?

— Вот уж не знаю... Аня, ты ставишь меня в неловкое положение. Доносить на тебя отцу мне не хочется, а промолчать... не сделать бы хуже. Какие-то типы однажды уже пытались тебя похитить.

— Николай Иванович, не надо никому доносить, — влезла Сонька. — Ваша стерва Сергеева парня у меня увела. Я хотела взглянуть на разлучницу, вот и все.

— Чего ж вы сразу не сказали, — развел руками Правдин.

— Так ведь у меня увели, а не я увела. Женская гордость и все такое...

— Ну, девчонки, — он покачал головой и пошел к своей машине.

— Скажи, что я гений, — усмехнулась Сонька.

— Ты близка к этому.

Мы поспешили убраться подальше от офиса, за нами пристроилась машина с охраной. За последние дни я так к ней привыкла, что по большей части просто не обращала на нее внимания, но сейчас меня кольнула мысль: может, они нас не только охраняют... Я погнала ее прочь, но лучше от этого мне не стало.

— У нас два адреса, — сказала я. — Тот, что в ее личном деле, и тот, по которому она была зарегистрирована. Первый проверить нет проблем. Позвони и спроси, проживает ли там Катерина Сергеева.

Сонька покорно набрала номер телефона.

— Простите, я могу поговорить с Катей... Да? А вы не скажете... — Через пару минут Сонька закончила разговор и повернулась ко мне: — Никакой Кати молодой человек не знает. Он снимает квартиру три месяца, кто жил там до него, понятия не имеет.

— Тогда едем на Ворошилова.

— Не представляю, как ты будешь объясняться с отцом, если Николай Иванович ему донесет...

— Не твоя забота.

— Свинья ты, Нюська.

Шестнадцатый дом по улице Ворошилова был новой девятиэтажкой. Двое мужчин в комбинезонах устанавливали железную дверь в подъезде, старая, деревянная, стояла возле стены. Сонька второпях задела ее плечом и, если бы не бдительный дядечка, оказалась бы вместе с ней на асфальте.

— А все ты, — зашипела она, входя в подъезд.

— Я на дверь налетела?

— У меня нервы не в порядке, а виновата в этом ты. Нервируешь, нервируешь...

Прикинув, на каком этаже должна быть пятьдесят седьмая квартира, мы вошли в лифт. Этажом мы все-таки ошиблись, пришлось спуститься на два пролета ниже. Нужная дверь оказалась в глубине длинного коридора. Сонька решительно нажала кнопку звонка. Мы услышали переливистую трель, вслед за этим дверь открылась. Женщина в халате в яркий горох спросила:

— Вам кого?

— Катя Сергеева здесь живет?

Хозяйка обернулась и позвала:

— Лидочка, здесь Катюшу спрашивают.

На ее зов вышла женщина лет пятидесяти, в таком же халате. Внешне женщины тоже были похожи, но та, что открыла нам дверь, выглядела старше.

— Здравствуйте, — сказала Лидия. — Я Катина мама.

Сонька выпорхнула вперед:

— Мы хотели узнать, как ее дела. Это Аня, а я Соня. Мы вместе работали. В фирме «Трио».

— Да-да... Проходите, пожалуйста, вот сюда, в кухню.

Сестра Лидии (я не сомневалась, что они сестры, так велико было сходство) закрыла за нами дверь, мы сбросили туфли и последовали за Лидией, поколебавшись, хозяйка пошла за нами. До нашего прихода женщины пили чай. Мать Кати поставила перед нами чашки, ее сестра устроилась возле окна.

— Значит, вы вместе работали?

— Да. Вот, пришли узнать...

— Катя в больнице, — ответила Лидия со вздохом. — И пока неизвестно, когда ее выпишут. — Она поспешно отвернулась.

— Лида, мы же договорились, — покачала головой ее сестра.

— Да-да, все будет хорошо. Обязательно.

— Мы узнали, что с ней случилось, от общих знакомых, случайно, потому и пришли.

— Да, спасибо... чудовищная история. Она задержалась на работе, возвращалась поздно, было уже темно. Катюша снимала квартиру на Кирова, там рядом с остановкой парк, днем она всегда ходила этой дорогой, так ближе. И в тот раз пошла. Парк совсем маленький... конечно, не стоило ей этого делать, но... видно, судьба. Этот тип ударил ее сзади, схватил сумку, у нее в кармане был газовый баллончик. Она попыталась защищаться, это грабителя, наверное, и взбесило. Он стал ее избивать. Живого места на ней не оставил. В больнице мне сказали: просто чудо, что она жива. Всего через несколько минут после того, как все случилось, из дома напротив мужчина вышел погулять с собакой, и «Скорая» приехала очень быстро. Если бы не этот мужчина, Катюшу бы не спасли. У нее все было переломано. Даже сейчас врачи не дают никакой гарантии... Она может остаться инвалидом на всю жизнь. — Мать Кати села, прикрыв глаза рукой.

— Вы пейте чай, пейте, — обратилась к нам ее сестра.

— Спасибо, — ответили мы, не притронувшись к чашкам.

— Вот так, — вздохнула мать Кати, убирая руку от лица.

Мы сидели в молчании, в соседней комнате заплакал ребенок. Сестра Лиды торопливо поднялась и покинула кухню.

— Я сейчас живу у сестры, чтобы быть рядом с Катюшей. Сестра меня очень поддерживает. Не знаю, что бы я делала без нее.

— Катя уволилась из «Трио» больше года назад, — решилась спросить я. — Где она работала после этого?

— На Главпочтамте. Работа ей не очень нравилась, да и платили немного. Она искала другую работу.

— Почему же она ушла с хорошего места?

— Я думала, вы знаете. Вы же работали вместе, — нахмурилась Лидия.

— Она ушла, потому что... потому что рассталась со своим другом?

— Да, конечно. Катя очень гордая девушка, она не хотела, чтобы... вы понимаете?

— Он был ее начальником? — кашлянув, уточнила Сонька. — Извините, что я спрашиваю. Просто... в общем, разные слухи ходили.

— Вы сами сказали: слухи. Кате они были неприятны, вот она и ушла, чтобы ничто ее с этим человеком не связывало.

— Почему они расстались? — задала я очередной

вопрос, хотя спросить в первую очередь хотела о другом.

— У него ведь была семья, он гораздо старше Катеньки.

— Они расстались по обоюдному согласию? — влезла Сонька.

— Катя его очень любила, — помедлив, ответила Лидия. — Она никогда не жаловалась, но я видела... В общем, для нее это было тяжелым испытанием. Не подумайте, что я его в чем-то обвиняю. Борис Викторович хороший человек.

Мы с Сонькой переглянулись. Теперь с сомнениями можно проститься. Любовник Кати — мой отец. Это меня совсем не удивило, и все же... было такое чувство, будто меня наотмашь ударили по лицу.

— Врачи спасли Кате жизнь, она перенесла две операции, но... они не подняли ее на ноги. Помочь могла третья операция, меня заверили, что шансы есть. Операция была платная, стоила больших денег. У нас этих денег не было, даже если б я продала квартиру, их все равно бы не хватило, живу в райцентре. Катя ничего и слышать не хотела о том, чтобы обратиться за помощью к нему. Но я мать, я должна была сделать все возможное. И я ему позвонила. Сама. Ничего не сообщив Кате. Он был потрясен, когда я ему сказала, что она в больнице, оказывается, он ничего не знал. И в тот же день перевел деньги, всю сумму. Хотя они расстались больше года назад, и он вполне мог мне отказать.

— Он навещал ее в больнице? — спросила я.

— Нет, — покачала она головой. — Но он ведь помог, это главное... Извините, — Лидия поспешно вытерла слезы.

— Насколько я знаю, у Бориса Викторовича нет жены, — не удержалась я.

— У него взрослая дочь. Не замужем. И он считает, что она не поймет, если он... по крайней мере, так он сказал Кате. Борис Викторович с самого начала предупредил ее, что у них нет будущего. Мою дочь это не остановило. Так как же я могу его винить?

Оказывается, папа заботился обо мне. Для начала не худо бы поинтересоваться моим мнением. Конечно, очень предусмотрительно сразу же предупредить девушку, и все-таки я вынуждена признать, ореол вокруг моего отца слегка поблек. «Все мужики свиньи», — в досаде подумала я. Мой отец не исключение.

— В какой больнице лежит Катя? — спросила я. — Мы бы хотели ее навестить, если можно.

— В областной. — Лидия назвала отделение и номер палаты и проводила нас до двери. Мы торопливо простились и направились к лифту.

— Ну и что такого? — заговорила Сонька. — Твой папа завел роман с какой-то девицей. Эка невидаль. И с какой стати ему на ней жениться? Он честно ее предупредил.

— Да замолчи ты, — не выдержала я.

— Здрасьте, теперь я виновата.

— Дело вовсе не в том, что папа ее бросил.

— А в чем?

— В том, что случилось позднее. Катю изувечил какой-то псих, Юлю сбила машина. У Эсмеральды был повод заподозрить неладное. Меня тоже очень тревожат эти совпадения.

Мы вышли из подъезда, я посмотрела на свою

машину и поняла: за руль в таком состоянии никак нельзя.

— Прогуляемся, — бросила я Соньке и быстро направилась через двор в сторону переулка. Сонька трусила рядом.

— Иногда все кажется подозрительным, а на самом деле это сплошное заблуждение, — увещевала она меня. — Сейчас как раз такой случай. Мы узнали об этих девушках, и ты сразу сделала неверный вывод, я с тобой не согласна.

— Какой вывод я, по-твоему, сделала? — развернулась я к Соньке. Она замерла, хмуро меня разглядывая.

— Ты решила, что твой отец имеет к этому отношение, — буркнула она.

— Ты тоже так решила, — отрезала я. — Потому что это первое, что приходит в голову.

— Ничего я не решала.

— Помолчи. Смотри, что получается. Отец заводит роман с Катей. Не знаю, как долго они встречались, но чуть больше года назад они расстаются, у него появляется новая подружка — Юля.

— Это только твои предположения, — пискнула Сонька.

— Молчи и слушай.

— Пожалуйста, только не говори гадости о своем отце. Он лучший из мужчин, которых я знала. Просто свинство с твоей стороны лишать меня иллюзий. Допустим, твой папа сменил трех подружек за год. Согласна, это не очень хорошо с точки зрения морали, но он, в конце концов, не священник, а бизнесмен. И человек свободный. Ладно бы еще жене изменял...

— Если ты не заткнешься...

— Валяй, излагай дальше свои гениальные идеи.

— Катю жестоко избивают. Она в больнице, причем, по словам матери, ей повезло, она вполне могла погибнуть. К тому моменту папа расстается с Юлей, а три месяца назад ее сбивает машина. Об этом узнает Эсмеральда, а потом ее убивают. С девушками происходят неприятности по прошествии нескольких месяцев после разрыва с отцом, — сказала я. — Убийство Эсмеральды вряд ли свяжут с папой, ведь они уже расстались. Она успела завести другого парня.

— Ты что сейчас сказала? — нахохлилась Сонька. — Ладно, не сказала, подумала. Это ты про своего отца так?

— Соня, у кого из нас голова набекрень? Я не сомневаюсь в своем отце. Я пытаюсь понять, что за чертовщина происходит.

— А это не одно и то же? Ладно, скажи мне прямо, без всех этих оговорок. Ты ведь не подозреваешь своего отца в причастности к несчастьям с девушками, нет?

— Я — нет. Но если кто-то будет знать то же, что мы сейчас... Как считаешь, о чем он подумает?

— Полное дерьмо, — помедлив, сказала Сонька. И принялась грызть ноготь. — У твоего отца достаточно недругов, чтобы воспользоваться ситуацией. Нюся, надо что-то делать. Предупредить твоего папу?

— Думаешь, он не знает?

— О Кате и Эсмеральде знает точно.

— Для начала нужно выяснить, совпадения это или... или кто-то все организовал.

— Нюся, мы не потянем. Не хочешь говорить с

отцом, давай обратимся к Вадиму. Его-то это точно заинтересует.

— Вопрос: кому и в какой степени мы можем доверять?

— Да ты что... ни фига себе... то есть я хочу сказать, куда это нас занесло, подруга?

— Пока об этих странных совпадениях знаем ты и я. Хотя... уже нет.

— Ты имеешь в виду парня, который выспрашивал девчонок из «Карусели»?

— Он не просто выспрашивал, он интересовался, слышали ли они от Юли имя Екатерина Сергеева, мы о ней с тобой узнали от него.

— Ну...

— У тебя нет впечатления, что нас пустили по этому следу? Предположим, имели в виду не именно нас, а любого, кто даст себе труд поинтересоваться Юлиной историей.

— У меня голова разболелась. Я за тобой уже не поспеваю. Одно радует: у тебя нет черных мыслей насчет дяди Бори, во всем остальном разберемся с божьей помощью.

Я усмехнулась, и вдруг на ум пришел недавний разговор с Правдиным. Если отбросить всю шелуху, он сказал буквально следующее: мой отец собственник по натуре, и ему претит мысль о том, что его женщина может принадлежать другому. Предположим, что лучший друг неплохо знает моего папу. А я? Я хорошо его знаю? Он замечательный отец. И порядочный человек. Порядочный человек, который то и дело меняет любовниц. А когда с одной из них случилась беда, он не поехал к ней в больницу, решив, что и денег будет вполне достаточно.

«Ага, он должен жениться на ней, — мысленно фыркнула я. — Раз она теперь калека». Это больше подходит для героя бульварного романа, а не для мужчины из плоти и крови.

Я направилась к машине, Сонька шла рядом и помалкивала, тоже погруженная в свои мысли.

— Ты сегодня встречаешься с Глебом? — спросила она.

— Да, наверное.

— Если хочешь, я переночую у тебя, раз дядя Боря уехал. У меня были планы, но...

— Только не надо жертв.

— Хочешь или нет? — разозлилась Сонька.

— Планы — это Пашка?

— Он хороший парень.

— Кто спорит. Садись в машину, отвезу тебя домой.

— Нюся, мы должны с кем-то посоветоваться. У тебя, конечно, ума палата, но я не уверена, что мы поступаем правильно. Давай с Правдиным поговорим, если Вадим не подходит. Николай Иванович лучший друг твоего отца, ему мы довериться можем. А он поговорит с твоим папой. Ну как, как мы сами в этой истории разберемся?

— Хорошо. Я подумаю.

Сонькины страхи были мне понятны. Я и сама отчаянно трусила. Самим нам не разобраться в происходящем. Как бы своими действиями не навредить отцу. Я должна поговорить с ним. Он вернется, и мы поговорим. Это самое разумное.

Высадив подругу возле дома, я поехала к себе. И вновь вспомнила разговор с Правдиным. Сегодня он явно не пришел в восторг, когда увидел нас возле офиса «Трио». Очень может быть, что трагические происшествия с девушками друга и его беспокоят. Но еще больше — наше вмешательство. Скорее всего, он предпочел бы не привлекать к ним внимания. Эсмеральда узнала о гибели Юли, и, по словам подруги, известие это произвело на нее сильное впечатление. Знала ли она о Кате? Вполне вероятно. После встречи с Викой она стала активно интересоваться всем, что связано с делами отца. И, начав копать, узнала нечто такое... Вслед за Эсмеральдой убивают ее бывшего босса, а он конкурент отца. Что же она узнала? В любом случае я уверена, что в этом причина ее гибели. А если все это просто плод моего воображения? В этот момент я остановилась на светофоре и подумала: «Почему бы не навестить Катю? Хотя вряд ли ей что-то известно... И все-таки...»

Скорее всего, в больницу я отправилась, не зная, что могу еще сделать, а бездействие меня пугало. Впрочем, возможный разговор с Катей тоже внушал опасения. Что я ей скажу? Да и вообще, стоит ли расспрашивать ее о событиях, воспоминания о которых ничего ей, кроме боли, не принесут? Мне следует думать не только о себе, но и о ней тоже.

Затормозив возле нового здания областной больницы, я так и не решила, идти к Кате или нет. Я лишь взгляну на нее. Если что, скажу, что перепутала палаты.

В аптечном киоске я купила бахилы и поднялась на третий этаж. Медсестра, молодая девушка, сидя за столом, записывала что-то в журнал. Я подошла к ней и спросила:

— Екатерина Сергеева как себя чувствует?

— Проходите, обход закончился, — сказала девушка, не поднимая головы.

— Как она себя чувствует? — повторила я, невесть почему начиная злиться.

— Нормально. — Девушка все-таки подняла голову и теперь сверлила меня взглядом. — Гораздо лучше, чем можно было бы ожидать. Вы родственница или подруга?

— Знакомая.

— Ее мало кто навещает, в основном мать да тетка. А ей сейчас нелегко. Палата по коридору налево.

Я шла по коридору, с удивлением понимая, что боюсь. На сей раз это не имело ничего общего с мыслями об отце. Я думала о том, что однажды уже шла вот так по больничному коридору и долго, очень долго собиралась с силами, прежде чем открыть дверь палаты. Внезапно накатившие воспоминания едва не заставили меня повернуть назад. В голову пришла совершенно нелепая мысль: вот сейчас я войду и увижу Сергея.

Я постучала и легонько толкнула дверь. Она со скрипом открылась, и я увидела девушку, лежавшую на кровати лицом ко мне. Лицо выглядело так, словно его сначала разрезали на куски, а потом неумело сшили. Я попятилась, пробормотав: «Извините», а она, взглянув на меня, сказала:

— Я вас знаю. Вы его дочь.

— Да, я его дочь, — кивнула я, вошла и закрыла за собой дверь.

— Это он вам сказал? Неужели он? Глупости. Да?

— Я узнала случайно.

В палате она лежала одна. Светлая комната с белыми стенами, и девушка на кровати с изуродованным лицом.

— Садитесь, — вздохнула она. — Вы зачем пришли?

— Трудно объяснить.

— Он о вас всегда говорил, будто вы маленькая девочка. Когда я вас увидела с ним на корпоративке, то очень удивилась, что вы ненамного моложе меня.

— Наверное, папу это смущало.

— Наверное. Когда мы расстались, я жить не хотела. А теперь очень хочу. Даже такой. Смешно, правда?

— Нет.

— Что?

— Мне не смешно.

— Не думайте, что я его в чем-то обвиняю. Вовсе нет. Он мне в любви не клялся и никогда ничего не обещал. Это я его соблазнила, а вовсе не он меня. Я его увидела и влюбилась. Через три месяца после того, как на работу устроилась. У нас был семинар в головном офисе. Он шел по коридору. Я даже не знала, кто он, девчонки сказали. Я все думала о нем, думала... И даже не мечтала... то есть мечтала, конечно, но точно знала, что это все глупости. Он и я. Конечно, глупости. А потом мы с друзьями пошли в ресторан, у одной девочки был день рождения. И я увидела его там. Он сидел за столом с Правдиным и еще каким-то мужчиной. Я набралась храбрости и пригласила его танцевать. И еще долго сказать боялась, что у него работаю. Девчонки говорили, романов с подчиненными он не крутит. И я никогда никому не говорила... но все равно как-то узнали. Наверное, кто-то видел нас вместе... Не рассказывайте ему об этом, ладно? — коснувшись своего лица, пробормотала она. — Он говорил, что я красивая... Он ни в чем не виноват, — повторила она.

— Катя, я хотела вас спросить. Парень, который на вас напал... простите, вам тяжело это вспоминать...

— Спрашивайте. Меня следователь сто раз спрашивал, я уже привыкла.

— Его ведь не нашли?

— Нет. Я его совсем не запомнила. Темно было. Он сзади меня ударил, я упала, он сумку схватил, я лежала не шевелясь, думала, пусть подавится, только бы меня не трогал, а он стал меня бить. Я сопротивлялась, пыталась кричать, а он мне рот стиснул и бил в живот, в грудь, по голове. Я вытащила баллончик, но он руку перехватил, и моим же баллончиком мне в лицо, и совсем спятил, от злости, наверное, бил ногами... — она отвернулась и замолчала.

«Я не должна была сюда приходить», — с опозданием подумала я.

— Он тщедушный такой, откуда силищи столько, — усмехнулась Катя. — Я даже сначала решила, что это подросток, но с подростком я бы, наверное, справилась.

— Грабитель, выхватив сумку, должен был поскорее сбежать, — тихо сказала я. — Следователю это не показалось странным?

— Они говорят, это его баллончик так разозлил. Наркоман какой-нибудь, они все психи.

— Вы говорите, избивать вас он начал сразу.

— Ну да. Потому что псих. Им нравится калечить людей, чувствовать свою власть.

Конечно, и психов, и наркоманов вокруг предостаточно, и все-таки это было мало похоже на обычное ограбление. Жертва даже не сопротивлялась сначала. Хотя, может, это его и завело. Ударил раз, другой, вошел во вкус. Обычная сволочь. И все же... Что, если не сумка интересовала нападавшего? А что? Врачи, по словам матери Кати, буквально вытащили девушку с того света. Вот и ответ. Он хотел ее убить. Но так, чтобы убийство не выглядело преднамеренным. Катя, с точки зрения следователя, жертва случайного грабителя. Как Эсмеральда. Как Юля, жертва случайного лихача-водителя. Не было никаких случайностей. Их убили. А Кате просто повезло. Если это можно назвать везением.

— После того как вы расстались, папа с кем-нибудь встречался?

— Наверное. Я не знаю.

— А почему...

— Почему он меня бросил? Ну, это просто. Потому что не любил. Никогда. И это вовсе не его вина, просто я не смогла... не сумела...

— Что?

— Удержать его. В таких, как я, такие, как он, не влюбляются. Я это знала. Зато несколько месяцев были мои.

Я шла по больничному коридору, пытаясь разобраться в своих чувствах. Я думала о Кате, о ее любви к моему отцу и страшной цене, которую она заплатила за эту любовь. Изувеченная, на больничной койке, она продолжает любить человека, который ее бросил. Предал. И не возненавидела его, не прокляла, а испытывала чувство благодарности за те месяцы, что он был рядом с ней. А я бы так смогла? Странно было слышать ее рассказ и знать, что речь идет о моем отце. О человеке, которого, как мне казалось, я знаю очень хорошо. Для меня он только отец, добрый, безусловно, любимый и самый родной. Но у него была другая жизнь, о которой я даже не догадывалась. Эти женщины, за что они так его любили, получая взамен лишь маленькую толику радости?

Один коридор сменял другой, а я все шла куда-то, ускоряя шаг, как будто старалась сбежать от своих мыслей. И едва не ткнулась носом в запертую дверь. И только тогда огляделась с удивлением, пытаясь сообразить, где нахожусь. Отделение, где лежала Катя, я давно покинула и теперь стояла в соседнем корпусе. Здесь вовсю шел ремонт. Однако никого из рабочих сейчас поблизости не было. Как меня сюда занесло?

Чертыхнувшись, я побрела назад. Свернула в ближайший коридор, где начали менять окна. Быстро пересекла его и оказалась перед стеклянной дверью и едва не столкнулась с мужчиной в белом халате. Он шел навстречу, сунув руки в карманы, и что-то насвистывал. На лоб надвинута шапочка, глаза скрыты очками с толстыми линзами.

— Простите, где выход из отделения? — спросила я.

— Прямо и направо.

Он пошел дальше, а я пробормотала, замерев от неожиданности:

— Мигель?

Черт, это он, конечно, он. Я полезла в сумку за телефоном, наблюдая за тем, как он скрывается за поворотом. Закричать? Мы в больнице, а этот тип, по словам Вадима, псих и садист. Я торопливо набрала номер, надеясь, что мне не придется долго объясняться, и тут услышала:

— Стой. — Кричали в том самом коридоре, куда он свернул полминуты назад. — На пол, лицом вниз.

Вместо того чтобы бежать вперед, я сломя голову побежала назад. Выскочил парень, отчаянно замахал руками и крикнул:

— Уходи отсюда, быстро! — По инерции я пронеслась еще с полметра и оказалась в его объятиях. — Уходи, тебе говорят! — рявкнул он. Из-за его плеча я увидела длинный коридор, мужчин, пятерых или шестерых, и человека в белом халате, которого они брали в плотное кольцо.

— Спокойно, ребята, — сказал Мигель, поднимая руки. — Готов с вами хоть на край света.

— На пол, быстро! — заорал кто-то. Мигель стал медленно опускаться на одно колено, и я уже решила: сейчас все кончится.

Но он вдруг резко выпрямился, в два прыжка достиг окна, правая створка которого будто нарочно оказалась открытой, вскочил на низкий подоконник и сиганул вниз. Створка окна ударилась о стену, стекло разбилось, и во все стороны полетели осколки.

— Кто внизу? — перекрикивая общий гвалт, проорал мужчина в комбинезоне, двое бросились к окну, тот, что держал меня все это время, сказал в досаде:

— Тебе-то чего здесь надо? А ну, марш отсюда!

На ватных ногах я припустилась к выходу, теперь у меня было лишь одно желание — поскорее оказаться как можно дальше от больницы. Я бегом спустилась по лестнице и только на улице немного пришла в себя. Мигель прыгнул с третьего этажа. Может, конечно, и не разбился насмерть, но покалечиться должен был.

Я оглядела фасад здания: никакой суеты вокруг. Должно быть, окна коридора выходили во двор. Куда б ни выходили, Мигель сейчас уже в наручниках. Если остался жив. Эти люди в больнице, кто они? Логично предположить: милиция. Его давно ищут и... Я вспомнила разговор с Вадимом. Кто-то из друзей Мигеля находился в больнице. Он явился к этому человеку, хотя мог бы предположить, что здесь его будут ждать. Он и предположил, оттого и вырядился врачом. А если вовсе не милиция его здесь поджидала, а те, кто считает его своим врагом и спешит поквитаться? Звонить в милицию или нет? Пока я размышляла, на узкой дорожке появились сразу две милицейские машины, и я вздохнула с облегчением. Теперь голову ломать ни к чему.

Бодрым шагом я направилась к своей «Ауди», рядом с ней привычно пристроился «БМВ» с охраной. На кой черт мне охрана, если все самое интересное они умудряются прошляпить. Окна «БМВ» были открыты, парни с серьезными лицами наблюдали за тем, как я приближаюсь, я помахала им рукой. Должно быть, они, как и я, считают, что папа дурака валяет, отправив их везде меня сопровождать, вот и не усердствуют особенно. Сев в машину, я засмеялась, смех был довольно нервный.

— Черт-те что, — покачала я головой, удивляясь

прихотям судьбы. Она как будто нарочно сводит нас то и дело. Ну, теперь-то мы с Мигелем простились надолго. Если повезет, то навсегда.

Одно было хорошо — неожиданное приключение избавило меня от невеселых размышлений об отце. Так что Мигелю следовало сказать спасибо. Интересно все-таки, жив он или нет. Сообщат об этом в новостях? Надо позвонить Соньке, поздравить с тем, что одной головной болью у нас стало меньше. Однако Сонькин домашний телефон не отвечал, а мобильный оказался вне зоны досягаемости. Зато Глеб на мой звонок ответил сразу.

— Через двадцать минут жду тебя на площади Победы, — сказал он.

Если честно, я была уверена, что вечер мы закончим в одной постели. Я бы против этого возражать не стала. Папа уехал очень кстати, не придется объяснять, где меня носит по ночам.

Мы поужинали в ресторане, за столом болтали о пустяках, потом отправились бродить по улицам старого города. Глеб держал меня за руку, раза два обнял как бы невзначай, но далее этого не пошло. То ли он не решался сделать мне соответствующее предложение, то ли вовсе был далек от такой мысли.

Я почувствовала себя обманутой и уже хотела задать вопрос: какого черта он ведет себя эдаким праведником? Но вовремя притормозила, сообразив, что у него на это может быть причина. Прыти во мне заметно поубавилось, и я подумала с беспокойством: вдруг он не торопится что-то менять в наших отношениях, потому что вовсе не уверен в своем выборе? Обида крепчала, и, когда она стала проявляться легкой язвительностью, я решила: пора домой.

— Уже поздно, — сказала я, Глеб одновременно со мной произнес:

— Я подумал...

Мы уставились друг на друга и замолчали. Он заговорил первым:

— Почему бы выходные нам не провести вместе?

— Здорово, — сказала я, решив, что выходных можно бы и не дожидаться, тем более что наступят они через сорок пять минут. Но у него, видно, было свое мнение на этот счет. Так ничего более не услышав, я попросила: — Проводи меня до машины.

Мы побрели в сторону площади, он сильнее сжал мою руку, и я подумала: вот сейчас... Ничего подобного. Я уже достала ключи от машины, открыла дверцу, когда Глеб обнял меня и поцеловал. Поцелуй длился долго и возродил во мне надежду.

— Значит, до завтра, — шепнул он, и надежда лопнула как мыльный пузырь.

Парни из охраны наверняка решили, что у Глеба не все дома. Если честно, я была с ними солидарна. Тронулась с места, помахала ему рукой и привычно набрала номер Соньки. На сей раз она соизволила ответить.

— Как ты думаешь, если парень не спешит уложить девушку в постель, это хорошо или плохо?

— Если ты о своем секонд-хенде, так, может, он просто не в форме? Боится, что не произведет достойного впечатления и его акции здорово упадут в цене.

— Спасибо, что утешила.

— Если хочешь, приезжай ко мне, буду слушать твое нытье и отпаивать тебя чаем.

— Перебьюсь.

Послушайся я в тот момент Соньку, могла бы избавить себя от многих неприятностей. Но я не послушалась и поехала домой, злясь на себя, на Глеба, на подругу и на весь мир в придачу. Моя охрана проводила меня до дома, дождалась, когда я въеду в гараж, и отбыла с чувством выполненного долга.

Я вошла в холл, бросила сумку на тумбочку и уставилась в зеркало. Увиденное, с моей точки зрения, было выше всяких похвал. Может, Сонька права и Глеб человек другой эпохи, с его точки зрения, неприлично предлагать девушке секс через несколько дней после знакомства. Я досадливо покачала головой и поднялась на второй этаж. На ходу сбрасывая одежду, прошла в ванную, не включив свет в своей спальне. Открыла кран с горячей водой и, пока она заполняла ванну, приблизилась к умывальнику, собрала волосы в пучок, вновь разглядывая себя в зеркале. Потянулась за зубной щеткой и тут услышала:

— В костюме Евы ты выглядишь восхитительно.

Я оторопело повернула голову и в дверях увидела Мигеля. Привалившись к косяку, он насмешливо улыбался, сунув руки в карманы брюк. Говорят, если зверя загнать в угол, он бросается в атаку, даже если по натуре это весьма миролюбивый зверек. По поводу своего миролюбия ничего сказать не могу, но в тот момент я точно чувствовала себя загнанной в угол. За моей спиной находятся душевая кабина и ванна, а этот тип загораживает единственный выход. Правда, есть еще окно, можно повторить его подвиг и сигануть вниз, тем более что здесь второй этаж, а не третий. Зато стеклопакеты. Окно еще открыть надо, а уж потом прыгать.

Все эти мысли вихрем пронеслись в голове, и тут же включились инстинкты. В общем, я не стала охать, пятиться и бормотать всякие глупости, а рванула вперед с громким воплем, отшвырнула Мигеля в сторону, ударив его обеими руками в грудь, и выскочила из ванной. Должно быть, такой прыти он от меня не ожидал, отлетел в сторону, и на мгновение я решила, что мне удастся выбежать из комнаты, но тут и его инстинкты включились, он толкнул меня, я на ногах не удержалась, и мы вместе рухнули на пол. Отчаянно взвизгнув, я попыталась отшвырнуть Мигеля, колотила его руками и ногами, иногда мои удары достигали цели, но силы все же оказались неравные.

Он схватил меня за волосы, приподнял мою голову, больно дернув на себя, а потом с силой ударил о пол. Я вскрикнула, решив, что голова моя треснула, как арбуз, а Мигель сказал:

— Уймись, кошка дикая.

Мне ничего другого не оставалось. Я лежала на полу с раздвинутыми ногами, руки сведены над головой, этот гад навалился сверху, одной рукой стиснув мои руки, другой ухватив меня за подбородок. Можно было лишь вяло сучить ногами и орать, и то негромко, его рука на моем лице этому сильно мешала.

— Ну, все? — спросил он сердито, поморщился и добавил: — Черт, как ребра-то болят. Если я тебя отпущу, обещаешь вести себя прилично?

— Обещаю, — пискнула я, ни секунды не думая это обещание выполнять. Только бы отпустил.

— Смотри у меня, — погрозил он пальцем и откатился в сторону с легким стоном.

Я тут же вскочила на четвереньки и рванула к двери, он успел схватить меня за лодыжку, дернул на себя, и я вновь оказалась на полу, больно ударившись подбородком.

— Ты уймешься, в конце концов? — Мигель заломил мне руки за спину и потянул вверх, я взвыла от боли, а он добавил весело: — Если ты будешь и дальше выступать с акробатическими номерами, дело закончится изнасилованием.

Он перевернул меня на спину, ухватил зубами за сосок и насмешливо посмотрел исподлобья.

— Отпусти, — тяжело дыша, произнесла я, он поднял голову и засмеялся.

— Когда твои прелести прямо у меня перед носом, сдержаться трудно. Спрашиваю второй раз и последний: обещаешь вести себя прилично? — Я кивнула, ведь выхода нет. — Не слышу, — посуровел он.

— Обещаю, — сказала я.

Он приподнялся, вновь застонав и поморщившись. Я встала, оглядываясь в поисках халата.

— До чего ж хороша, твою мать, — сказал он сквозь зубы.

— Идиот, — буркнула я, наконец-то обнаружив халат и поспешно его надевая.

— Идиот и есть. Надо бы тебя трахнуть, а не в благородство играть. Хоть бы удовольствие получил...

— Кто это тут говорит о благородстве, — фыркнула я.

— Смотри, додразнишься, — покачал головой Мигель.

Я включила свет, и теперь мы разглядывали друг друга, стоя напротив. На его физиономии остались следы недавнего подвига: ссадины, царапины и разбитая губа. Надеюсь, есть еще увечья. Просто обязаны быть, если он свалился с третьего этажа. Не зря он морщится.

Я покосилась на дверь. Допустим, из комнаты я выскочить успею, а дальше что? Чтобы позвонить по телефону, нужно время. На то, чтобы открыть входную дверь, тем более и до нее еще надо добежать. Этот гад, изувеченный или нет, куда сильнее меня, да и реакция у него лучше. Значит, надо вести себя смирно и, выждав удобный момент, либо позвонить, либо сбежать. А чтобы удобный момент наконец настал, усыпим бдительность мерзавца.

— Как ты здесь оказался? — спросила я, устраиваясь в кресле.

Мигель прошел и сел в соседнее кресло, между нами был кофейный столик. «Огреть бы его чем по голове», — помечтала я, зная, что мечта неосуществима.

— В доме? — уточнил он.

— Конечно.

— Глупый вопрос.

— Как для кого. — Тут я вспомнила, что дом на охрану сегодня не ставила, а замки для этого типа, должно быть, не проблема. — Значит, ты сбежал, — сказала я. — Очень жаль, я надеялась, ты уже в тюрьме.

— Туда я всегда успею, — пожал Мигель плечами. Он продолжал поглядывать на меня с насмешкой, но, подозреваю, не без удовольствия. Это меня все-таки беспокоило. Человек, которого разыскивает милиция, должен вести себя иначе, тревожно прислушиваться, бояться, в конце концов.

— Что тебе надо?

— От тебя? Учитывая твой темперамент, от ночи любви я бы не отказался. Но, если честно, я пришел не за этим. Хотя мы могли бы счастливо совместить приятное с полезным. Как считаешь?

— Зачем ты пришел? — нахмурилась я.

— Я не стремился попасть именно сюда, — хохотнул он. — То есть у меня не было особых предпочтений, нужно место, чтобы отлежаться пару дней. Вышло так, что ничего, кроме твоего дома, на ум не пришло.

— Мой отец...

— Я уже позвонил в его офис, и мне ответили: уехал в Москву и будет только во вторник. Ну а если он вдруг объявится, посидит немного в гардеробной.

— Мой папа в гардеробной? — хмыкнула я. — Ты его совсем не знаешь.

— Его настоящее имя Терминатор? Ладно, появится папа, тогда я и буду решать, что с ним делать. Пока мне одной тебя за глаза хватает.

— Ты намерен отсиживаться в моем доме несколько дней?

— Ага. Не могу я с такой рожей по улицам болтаться, первый же мент непременно прицепится. Не волнуйся, в понедельник рано поутру мы простимся. Я улечу и даже вернуться не обещаю. Мобильный давай сюда. Телефон есть в кабинете отца, внизу в холле и здесь в прихожей. Отключать телефон не стоит, это может вызвать подозрения. Значит, кабинет отца запрешь, ключ отдашь мне. Телефон внизу уберем с глаз долой, а к тому, что здесь, без моего ведома ты не подходишь. Будешь хорошей девочкой, расстанемся друзьями.

— Так я тебе и поверила. Я знаю, кто ты.

— А кто я? — удивился он.

— Психопат и мерзавец.

Он присвистнул.

— Солнышко, психопат на моем месте давно бы лишился терпения, а я взываю к твоему разуму. Так что глупости не болтай. На самом деле я хороший парень. Если меня не трогать. А лестные характеристики держи при себе. Уяснила?

— Более или менее.

— Вот и хорошо.

Мигель поднялся, снял пиджак и задрал рубаху. Вся левая сторона груди представляла собой сплошной кровоподтек, выглядело это ужасно, я невольно отвела взгляд.

— Аптечка в доме есть? — спросил он.

— Внизу, в ванной.

— Тащи сюда. И помни, что я сказал.

Я пожала плечами и вышла из спальни. Спускаясь по лестнице, прислушивалась. Кажется, он остался наверху. Недалеко от ванной была дверь в сад, в саду сейчас так темно, что он вряд ли отыщет калитку в заборе, по крайней мере потратит на это время. Рискнуть?

Боясь повернуть голову, я ускорила шаги и направилась к заветной двери. Неужели удастся? Я уже протянула руку к замку, как вдруг рядом что-то просвистело, и в стену воткнулся нож всего в нескольких сантиметрах от моего уха. Я с трудом удержалась на ногах, таращилась на нож и пыталась перевести дух. Мигель подошел не спеша и нож выдернул.

— Деточка, я хороший парень, но не очень, — сказал он серьезно. — И ты меня уже достала.

— А чего ты хочешь? — с трудом сдерживаясь, сказала я. — Чтобы я тебе поверила? Ты в любом случае меня убьешь.

— Да с какой стати? — удивился он. — Приди мне такое в голову, убил бы сразу. Лишний труп, как ты понимаешь, для меня мало что значит. Но в твоей кончине, милая, я не вижу никакого смысла. А бессмысленных поступков я совершать не привык, хоть ты и считаешь меня психом. Еще раз попробуешь сбежать, привяжу к стулу. Вряд ли тебе это покажется приятным.

Я разглядывала его физиономию, силясь понять, что у него на уме. Неужто я ему верю? Выходит, с головой проблемы у меня, а вовсе не у него.

Он ждал чего-то, наблюдая за мной разноцветными глазами, и, похоже, тоже пытался что-то решить.

— За свою девичью честь можешь не переживать, — добавил он насмешливо. — При других обстоятельствах я бы тобой с удовольствием занялся, но сейчас мне шевельнуться больно. Так что извини.

— Черт с тобой, — буркнула я. — Возможно, я дура и очень потом пожалею, но я верю тебе. Телефон не прячь и не таскайся за мной по дому. Я не сбегу и звонить не буду. Честно. О своем обещании тоже не забывай.

— Заметано, — кивнул он. — Давай аптечку.

Мы отправились в ванную. Пока я доставала лекарства, Мигель стянул рубашку и стоял перед зеркалом, разглядывая свой бок. Он все еще кровоточил.

— Как ты умудрился не свернуть шею, прыгнув с третьего этажа?

— Я везучий. Тебя это расстроило?

— Пять минут назад я ответила бы утвердительно. Теперь не знаю.

— Это почему?

— Я же сказала, не знаю.

Я подошла к нему, взглянула на рану и дрожащей рукой попробовала коснуться ее ватным тампоном, но руку отдернула и пробормотала:

— Мамочка...

— Хреновый из тебя лекарь, — хмыкнул Мигель. — Дай сюда... зато дерешься ты здорово. — Он стал обрабатывать рану, поглядывая в зеркало, я бестолково топталась рядом.

— Эти люди, там, в больнице, милицейские?

— Визитками мы не обменялись.

— Когда ты сбежал из ресторана, — через минуту заговорила я, — за нами увязались какие-то типы, а потом пришли ко мне на работу.

— Чего они хотели?

— Узнать, где ты.

— Узнали?

— Не хочешь отвечать, не надо, — обиделась я. Взяла марлевую повязку и начала его бинтовать.

— Стягивай крепче, не бойся.

— Чего мне бояться, ребра-то твои... тебе к врачу надо, — вздохнула я.

— Надо. Как раз сейчас мои друзья шерстят всех возможных врачей и двух ветеринаров.

— А если будет заражение?

— Умру в расцвете лет... Не будет. На мне все заживает как на собаке.

Тут взгляд мой переместился с его груди на спину, и я решила, что говорит он такое неспроста. Жуткого вида шрам под левой лопаткой — раз, еще один сбоку, ближе к талии — два, и на плече — три. Пока я разглядывала все это, разинув рот, Мигель подмигнул и сказал:

— Шрамы украшают мужчину, вот сегодня опять украсился. Ты руками-то шевели, сестра милосердия. — Высунув язык от усердия, я его забинтовала, а он полез в аптечку и вздохнул: — Ничего особо ценного нет.

— Ты наркоту ищешь?

— А есть?

— Дурак.

— Добрая девочка. Анальгин давай, хоть от него

толку на грош. Ты мне сегодня дважды по ребрам звезданула, а они и без того переломаны.

— А что бы ты делал на моем месте? — усмехнулась я.

— То же самое, — кивнул он. — Идем. Есть что-нибудь пожрать в этом доме?

— Найдется, — ответила я. Он сделал шаг, а я заехала ему кулаком в живот и пошла дальше, буркнув: — Это тебе за ножичек.

Мигель сложился пополам, но, выпрямившись, не кинулся на меня с кулаками, а засмеялся.

— Влюбиться, что ли...

— Не спеши.

Я занавесила шторы в столовой, включила свет и стала кормить Мигеля ужином. Несмотря на увечье, ел он с аппетитом, из чего я заключила, что он далек от мысли скончаться в ближайшее время. В этот момент зазвонил телефон, я прошла в холл, предупредив:

— Не дергайся. — Впрочем, о его любви к холодному оружию я, конечно, помнила. И, взяв трубку, развернулась лицом к Мигелю, чтобы избавить его от ненужных мыслей. Звонил папа.

— Не разбудил? — спросил он.

— Нет. Я недавно вернулась. У тебя все в порядке?

— Да. Ты одна?

— У Соньки свидание.

— Поставь дом на охрану. Ребята, конечно, наблюдают за домом, но все равно...

«Много толку от твоих ребят», — с грустью подумала я и, пожелав папе спокойной ночи, вернулась к столу.

— Отец? — спросил Мигель.

— Ты же слышал. Поставлю дом на охрану. Если твои друзья умнее, чем ты думаешь, узнаем об этом прежде, чем они свернут тебе шею.

Через пять минут я, налив себе чаю, устроилась за столом. Мигель спросил, есть ли в доме коньяк, выпил рюмку и стал весело на меня поглядывать. Несмотря на его недавние заверения, это меня беспокоило. Я взглянула на часы и сказала:

— Не возражаешь, если я пойду спать?

— Пожалуй, мне тоже пора.

— Можешь лечь в моей спальне, я устроюсь в папиной.

— Извини, но тебе придется ночевать в гардеробной. Мне надо выспаться, и сторожить тебя всю ночь я не в состоянии.

Я посмотрела на него и презрительно фыркнула:

— Знаешь, почему ты мне не веришь? Потому что твои собственные слова ничего не значат. Я должна сделать выводы?

— Береженого бог бережет.

— Запрешь меня в гардеробной, и наше соглашение аннулируется.

— Придется тебя все-таки связать, чтоб не очень наглела. Потопали.

Мы поднялись в спальню. Не обращая внимания на Мигеля, я соорудила себе ложе в гардеробной и закрыла дверь перед его носом. Ключ повернулся в замке, я легла, укрылась пледом и честно попробовала уснуть. Как бы не так. Ворочаясь с боку на бок, я думала в основном о том, какая я идиотка. В моем доме преступник, которого разыскивает милиция, а я вместо того, чтобы попытаться сообщить им об этом, ему раны перевязываю. Все-таки на психа он не похож. Садисты тем более так себя не ведут. Конечно, запереть меня в гардеробной большое свинство, но садистским такой поступок все-таки не назовешь. Убивать ему меня вроде бы и вправду нет никакого смысла. Может, все обойдется? Посидит два дня в моем доме и уберется восвояси. А я буду вспоминать об этом как о забавном приключении. Ничего себе забава... он ведь в самом деле убийца. Что же делать? Можно ему верить или нет? Так ничего и не решив, я уснула. Проснувшись утром, увидела, что дверь в гардеробную открыта. Осторожно выглянула и убедилась, что кровать пуста. Я быстро оделась и на цыпочках вышла из комнаты. В доме было подозрительно тихо. Неужто он ушел? Как он мог уйти, если дом на охране? Тогда куда делся?

Гадать пришлось недолго. Спускаясь по лестнице, я увидела Мигеля. Он был в кухне. Натянув на себя мой купальный халат, стоял возле плиты и жарил яичницу. Рукава халата едва прикрывали локти, выглядело это так забавно, что я невольно хихикнула. Мигель повернулся и сказал:

— Доброе утро, Нюсечка.

— Привет, Мишутка.

Он засмеялся, а я устроилась за столом.

— Ты вызываешь у меня противоречивые чувства, — заметил он, ставя передо мной тарелку с яичницей. — Очень хочется свернуть тебе шею за наглость...

— Это с одной стороны, — кивнула я. — А с другой?

— С другой... — он наклонился и на миг прижался губами к моим губам.

— Я заткнусь и больше слова не скажу, — отпрянув, пообещала я.

— Болтай на здоровье, — он махнул рукой, взял тарелку и устроился рядом. — Все-таки забавная штука жизнь, — через некоторое время заявил он.

— Ты о чем?

— О нашей встрече.

— И что в ней такого забавного?

— Примерно год назад я видел тебя в ресторане. Ты была с отцом. Я решил, что ты его подружка, оказалось, дочка. Ты произвела на меня впечатление.

— Неужели?

— Произвела, произвела. Хотя на блондинок я никогда не западал, предпочитаю брюнеток. Но ты чудо как хороша. Если память не подводит, на тебе было зеленое платье, глазищи вполлица. В общем, я дал себе слово непременно тобой заняться. Но обстоятельства вынудили меня спешно покинуть родину, и знакомство пришлось отложить.

— Печально.

— Ага. Но так как данное слово я никогда не нарушаю, я думал о тебе с грустью и нежностью, что скрашивало мне жизнь на чужбине.

— Я поняла: это была любовь с первого взгляда. И по большой любви ты мне труп в багажник засунул.

Мигель засмеялся.

— Я же сказал, жизнь — забавная штука. Думаешь, я знал, что это твоя машина?

Я отложила вилку в сторону и на него уставилась.

— Можно поподробнее?

— Пожалуйста. В моей машине был труп этого придурка, не мог же я с ним болтаться по городу. А твоя тачка стояла в таком удобном месте, вот я и решил: ее мне сам бог послал. И запихнул труп в багажник. Потом мне пришлось уносить ноги, бросив свою машину. Я останавливаю тачку на дороге и вижу тебя. А через минуту до меня доходит, что это та самая «Ауди», куда я недавно запихнул труп. Ну, как тут не лопнуть от смеха?

— Я тоже чуть от смеха не лопнула, когда его нашла.

— Ты можешь не верить, но я намеревался освободить тебя от этого груза, и... вновь помешали обстоятельства.

— Я помню твои остроты по поводу подарка...

— Мне и в голову не могло прийти, что ты будешь сутки раскатывать с ним по городу. Однако, вспомнив, что имею дело с блондинкой, я на всякий случай тебе позвонил. Ты меня снова удивила, когда сказала, что кто-то свистнул твою тачку. Значит, твой папочка вмешался и отправил нашего общего друга в лесочек, где его вскоре и нашли?

— Если уж тебе пришла охота откровенничать, может, скажешь, как труп оказался в твоей машине?

— Приблудился.

— Вот как.

— Ага. Кстати, вчерашний твой наряд мне нравился значительно больше. Тебе никто не говорил, что ты похожа на Венеру Боттичелли? Только здорово сердитую.

— Боттичелли, — скривилась я. — Это кто такой?

— Намекаешь на мою беспросветную дремучесть или на свою собственную? Между прочим, я бывал в лучших музеях мира.

— Ну и что? — хмыкнула я. — Помогло это тебе?

— Ох, допрыгаешься, — покачал он головой.

— Мне даже шевелиться лень, не то что прыгать, — отмахнулась я.

— Ладно, продолжай щеголять своей независимостью, два дня я как-нибудь это выдержу.

Он с усмешкой разглядывал меня, а я подумала, что в самом деле обороты стоит сбавить. Проблема в том, что он меня ужасно раздражал, так и тянуло наговорить ему гадостей, хоть это и было неразумно.

— В моем халате ты выглядишь на редкость милым, — заметила я, желая укрепить нашу сомнительную дружбу. Против воли это вышло язвительно.

— Я не рискнул взять папашин халат, не то заподозрит, что в его отсутствие ты таскаешь в дом мужиков пачками. Значит, тебе нравится, как я выгляжу. Слава богу, я боялся не угодить. Тебе пора обнаружить во мне положительные качества.

— Они есть?

— И ты еще спрашиваешь? Уверен, ты на пути к большой любви, просто пока не желаешь в этом признаться.

— Еще чего. Может, и забавно водить опасную зверюгу на поводке, но при условии, что поводок крепкий. В твоем случае и цепь толщиной в мою руку не поможет.

Он засмеялся и стал пить кофе. Его взгляд смущал, точнее, даже не сам взгляд (к подобным взглядам я давно успела привыкнуть), а разноцветные глаза. Возникало чувство, что на тебя смотрят два разных человека. Один был покладистым парнем с чувством юмора, другой против воли вызывал страх.

Я встала из-за стола, собрала посуду и спросила:

— Как себя чувствуешь? — Страх к тому моменту стал прогрессировать, вот я и решила проявить заботу в надежде, что Мигель это оценит.

— Отлично выспался. Правда, меня мучила совесть оттого, что ты лежишь в гардеробной, я даже хотел перенести тебя на кровать, но со сломанными ребрами не особо разбежишься, и я пристроился рядом в знак солидарности. Ты меня обнимала, а я исходил слюной и сожалениями о том, что дал слово, хорошенько не подумав.

Я хмуро слушала все это, пытаясь понять, врет он или нет? Врет. Не могла я спать так крепко. Я отправилась в гостиную, и в этот момент зазвонил домашний телефон. Мигель кивнул, я сняла трубку. И едва не застонала от досады. Звонил Глеб.

— У тебя мобильный отключен, — сообщил он. — Ничего, что звоню на домашний?

— Без проблем.

— Мы собрались провести выходные вместе...

— Ничего не получится, — чуть не плача, ответила я, косясь на Мигеля, который стоял рядом, прислушиваясь к разговору.

— Да? Какие-нибудь проблемы?

— Нет, но... непредвиденные дела.

— Жаль, — судя по голосу, ему было в самом деле жаль, и это еще мягко сказано.

— Мне тоже. Я позвоню в понедельник.

— Хорошо. Буду ждать.

— Твой парень? — кивнул на телефон Мигель.

— Тебе что за дело?

— Не злись, подумаешь, выходные. У тебя вся жизнь впереди.

Он прошел в гостиную и устроился на диване. Находиться с ним в одной комнате, когда я раздражена сверх меры из-за невозможности увидеться с Глебом, все-таки не стоило, я и без того едва сдерживалась. И я, достав с полки поваренную книгу, стала готовить обед, избрав замысловатое блюдо с еще более замысловатым названием.

— Торишь дорожку к моему сердцу? — заглянув в кухню, поинтересовался Мигель.

— Нервы успокаиваю.

— А что с ними такое? Небольшая разлука только подогревает чувства. Значит, его зовут Глеб? Парню можно позавидовать, отхватил такую цыпочку...

Сообразив, что отвечать я не собираюсь, Мигель убрался восвояси, а я продолжила возню в кухне. Только к двум часам я закончила и позвала его обедать. Блюдо, на которое ушло так много времени, получилось малосъедобным, чему я только порадовалась, нечего кормить деликатесами этого типа, правда, и самой пришлось пострадать.

— Милая, по-моему, это ужасная гадость, — сообщил Мигель, продолжая уныло жевать.

— Другого не будет. Глупо рассчитывать, что тебя здесь будут кормить как в лучших ресторанах мира, в которых тебе, безусловно, довелось побывать.

— Ты ведь не собираешься меня отравить?

— Я бы с радостью, да навыков нет.

— Ужин за мной. Покажу, как надо готовить.

— Вот счастье привалило.

Он отправился в гостиную, где улегся на диване, прихватив книжку в библиотеке. Подумав немного, я тоже вошла в гостиную в тайной надежде, что раз он все-таки сыт, а значит, почти доволен, может ответить на интересующие меня вопросы. Увидела, что читает он Хэмингуэя, причем на английском. Когда книгу читала я, приходилось пользоваться словарем. От досады я собралась съязвить, но тут вспомнила: по словам Вадима, этот хлыщ жил в Англии, и извинила ему излишнюю грамотность.

— Как тебе книга? — миролюбиво спросила я.

— Так... — он пожал плечами. — Читать книжки вообще бесполезное занятие.

— Это почему?

— Какой от них толк?

— Ну... лучше узнаешь мир, людей, себя, в конце концов.

— Про этот мир я и так все знаю, про людей тем более, а про меня тут нет ничего.

Я забралась в кресло с ногами и тоже стала читать. Где-то через час Мигель поднял голову и с усмешкой заметил:

— Выходной в благородном семействе. Кто ж

меня вчера за язык-то тянул? Наобещал с три короба, теперь мучаюсь... — он вздохнул и вновь уткнулся в книгу.

Позвонила Сонька. Отделаться от нее, в отличие от Глеба, было не так легко, пришлось придумывать головную боль, хандру и прочее в том же духе, при этом надо было внушить ей мысль, что срываться с места и лететь ко мне нет никакой необходимости. В общем, я намучилась.

Прошел еще час, и я полезла с разговорами.

— Так и знал, что ты долго не выдержишь, — усмехнулся Мигель, отбросил книгу и посмотрел на меня с интересом. Я заметила, что, хоть он и бахвалился, движения давались ему с трудом, он то и дело непроизвольно морщился.

— Этот тип в багажнике, — начала я. — Он ведь бывший мент? И говорят, у него были какие-то сведения, очень интересные для тех, кто не в ладах с законом.

— Так-так... — протянул Мигель. — Сколько ненужных сведений скопилось в твоей хорошенькой головке.

Я в досаде прикусила язык, Мигель засмеялся:

— Глупо оберегать секреты, которые и не секреты вовсе. Ну да, у ментов были свои люди среди наших, мы от них тоже не отставали, и кое-кто из их братии работал на нас. Это нормально. А вот то, что парочка-тройка парней, считавших себя крутыми, делились с ментами информацией и заодно своих сдавали, совсем другое дело.

— Тебя кто-то конкретный интересовал? Тот, благодаря кому ты в бега пустился?

— Милая, я начинаю подозревать, что к встрече со мной ты основательно подготовилась.

— Я хотела знать, что за гад сунул мне труп в багажник. Ты бы на моем месте тоже заинтересовался.

— Еще как. Не отец же тебя этими сведениями снабдил?

— Ты знаешь моего отца?

— Нет, откуда? Но на месте твоего папаши я бы запер тебя в доме, приставив надежную охрану, и даже думать запретил бы об этом самом трупе. А обо мне тем более.

— У меня есть друзья в милиции, — соврала я. — А ты выглядишь настолько колоритно, что спутать тебя с кем-то попросту невозможно.

— Обожаю комплименты. Учти на будущее.

— Ты и в самом деле психопат, я ведь видела труп.

— Должен же был я убедиться, что он рассказал мне все, — весело ответил Мигель.

— А потом ты его убил.

— Это был акт милосердия.

— Тебе доставляет удовольствие убивать? — не удержалась я.

— Ни малейшего. Но в моем бизнесе щепетильные долго не держатся. Скушают. Приходится иногда демонстрировать не лучшие черты характера. Кстати, окажись я в руках своих врагов, мало мне тоже не показалось бы. Так что все честно.

— Бизнесом ты называешь торговлю наркотиками?

— Деньги не пахнут. Как говорится, один дилер, другой киллер, все вроде делом заняты.

— Ты просто мерзавец, — не удержалась я.

— Только наполовину. Вторая половина выше всяких похвал. Я трогательно романтичен, в чем ты сама имела возможность убедиться. Красивых девушек не обижаю и даже готов терпеть их глупые выходки. Вот я какой, — засмеялся он. — Матушка, когда в детстве я доставал ее шалостями, любила повторять: «В моего ангелочка сам черт вселился». Мама верила всяким глупостям, вроде того, что глаза — зеркало души. Так как с зеркалом вышла незадача, мама временами пребывала в недоумении, кто перед ней. То ли в самом деле ангел, то ли бес.

— А им внутри тебя не тесно?

— Они прекрасно уживаются, должно быть, привыкли. А у тебя что, по-другому? Сдается мне, ты способна удивить, хоть вид у тебя, конечно, ангельский.

— По крайней мере, я никого не убила, — запальчиво ответила я и вдруг сникла. Убила. Хотя за такое убийство в тюрьму не сажают. Это что же выходит: Мигель прав?

— С трупиком в милицию ты не кинулась. Значит, дура не безнадежная, с соображением у тебя все в порядке.

Я нахмурилась, не зная, что ответить. Правда, молчала недолго и опять полезла с вопросами:

— Ты слышал об убийстве Павликова?

— Слышал, слышал... Собаке собачья смерть. Не твой папа его грохнул, нет?

— Не смей говорить о моем отце такое!.. — рявкнула я.

— Да ладно, я пошутил. Твой папа самый лучший в мире, это тупому ясно. Он дяденек не мочит. Хотя, если для дела надо, на принципы и забить не грех. Но он, конечно, не такой.

— Прекрати, — попросила я.

Мигель усмехнулся.

— Твой отец вряд ли к этому руку приложил. То есть я бы решил, что это он, если б не было в деле еще одного человечка.

— Кого ты имеешь в виду?

— Может, и расскажу... как-нибудь в другой раз.

Я с большим трудом справилась с разочарованием, даже хотела уйти из гостиной, чтоб не видеть самодовольной физиономии Мигеля с его совершенно невозможными глазами. Но желание хоть что-нибудь узнать пересилило.

— Когда по телефону я сказала, что мою машину угнали, ты ответил, что так даже лучше. Почему?

— Не помню, — отмахнулся он.

— Не хочешь говорить? Ну, и не надо. Все-таки глупость получается. Ты зачем в больницу пошел?

— Здоровье поправить.

— Здоровья ты там лишился. Я думаю, как раз в этой больнице лежит твой друг. У него фамилия смешная... Рыжак, точно. — Мигель при этих словах приподнялся, сунул подушку за спину и стал поглядывать на меня с интересом.

— Ну-ну... тебе это тоже знакомый из ментовки рассказал?

— Это что, страшная тайна? — насторожилась я.

— Какая... все кому не лень знают.

— Он сказал, что этот человек тебе дорог и ты придешь с ним проститься. Так оно и вышло. Но... зачем тебе понадобилось делать так, чтобы труп менты нашли? Мог бы запрятать его получше, не совать в первую попавшуюся машину. Да еще потом самому в нее садиться. Но тебе этого показалось мало, и ты мне еще позвонил, как будто боялся, что труп не обнаружат, а если обнаружат, то с тобой не свяжут.

— И что я должен понять во всей этой галиматье? — удивился Мигель.

— Это я пытаюсь понять. Ты как будто нарочно все делал так, чтобы милиция узнала: ты в городе. Разве нет?

— Слушай, может, ты крашеная? Уж больно умна для блондинки.

— Ну и подавись своими тайнами, — отрезала я.

— Да уж какие теперь тайны. На самом деле все просто, — добродушно начал он. — Мои многочисленные недоброжелатели и так знали, что я в городе. А вот менты вряд ли. Дожидаться, когда узнают, времени у меня не было. Не по телефону же им звонить, в самом деле? О том, что я узнал от мента, упокой господь его душу, своему другу я сообщил сразу. Списывать со счетов его явно поторопились, старикан еще поживет. И успеет тем, кто крысятничал, существенно осложнить жизнь, то есть, скорее всего, лишить их оной, что будет совершенно справедливо. Эти граждане тоже не дураки и попробуют от старика избавиться. Конечно, его охраняют. Но я подумал, что не будет лишним, если и менты глаз с его палаты не спустят в ожидании, когда я там появлюсь. Так и вышло.

— Зачем ты в таком случае пошел в больницу, если был уверен, что там засада?

— Не мог я с ним не проститься, — Мигель пожал плечами. — Мне отсюда сматываться надо. И надолго. Кто знает, доведется ли еще встретиться.

— Ты рисковал, чтобы... — я замолчала, призадумавшись. В моем привычном мире все было более-менее ясно: мерзавец — значит, мерзавец. И вдруг... Эти мысли завели меня довольно далеко от темы нашего разговора, я разглядывала ковер под ногами, потом невпопад спросила: — Как тебя занесло?

— Куда?

— Во всю эту дрянь. Наркотики, убийства...

Мигель посмотрел внимательно своими разноцветными глазами и сказал насмешливо:

— Не увлекайся. Я хороший парень только наполовину, вторая половина — полное дерьмо.

Ближе к вечеру Мигель готовил ужин в кухне. Я паслась рядышком, делая вид, что помогаю. Странно, от моих страхов и следа не осталось. Зато любопытство зашкаливало. И я бы, наверное, замучила его вопросами, если бы Мигель этому не препятствовал.

— Отстань, — сказал он в досаде. — Иди телевизор смотреть. Позову, когда все будет готово.

Я сочла за благо его послушать.

Ужинали мы при свечах, Мигель облачился в рубашку отца, выбрал самую дорогую, темно-бордового цвета. Брюки оставил свои. Папина рубашка шла ему необыкновенно, в свете свечей оба его глаза казались темными, только один мерцал как бриллиант, а другой был как ночное небо без звезд, вызывая смутную тревогу.

Я подумала, что веду себя совершенно нелепо, ужинаю с убийцей и вроде бы получаю удовольствие... Все дело в любопытстве. Просто таких, как он, мне раньше встречать не доводилось.

— Как мясо? — спросил он, наливая мне вина.

— Изумительно. У тебя талант.

— Не один.

— Я помню.

Вина я выпила немного, решив, что расслабляться не стоит.

— Надо получать удовольствие от жизни, — нравоучительно изрек Мигель. — Никогда не знаешь, что она выкинет. — Поужинав, он опять завалился на диван, попросив: — Растопи камин. Что-то меня знобит.

Камин я растопила и принесла ему плед. Коснулась ладонью его лба и убедилась, что у него жар. Меня это здорово напугало, но вовсе не из-за человеколюбия. Что делать, если он свалится с температурой. Врача вызывать? И как я объясню папе присутствие Мигеля в доме?

Эти мысли погнали меня в ванную искать в шкафу таблетки, хотя Мигель рылся здесь вчера и не нашел ничего подходящего.

— Я схожу в аптеку, — предложила я.

— Глупости.

— Я не сбегу и не донесу на тебя, если ты об этом. Пока ты держишь слово, я тоже его держу.

— Я в тебе и не сомневаюсь, — заявил он, правда, не очень-то я ему поверила. — Знать бы еще наверняка, что возле дома не пасутся мои дружки. Вдруг они и в самом деле умнее, чем я думаю.

Я вспомнила про визит очкарика и невольно поежилась.

— Надо сделать перевязку и выпить на ночь аспирина.

С этим он согласился. Я помогла ему раздеться, принесла папин халат взамен рубашки и приступила к врачеванию. На мой взгляд, рана Мигеля выглядела даже хуже, чем вчера. Он постанывал, когда я касалась его ребер, на щеках у него появился нездоровый румянец. Я перепугалась по-настоящему. После перевязки он как будто задремал, а я, включив торшер, сидела рядом и даже дышать боялась. Часов в двенадцать и меня потянуло в сон, я пыталась решить, что разумнее — остаться здесь или идти в спальню. Мигель вдруг открыл глаза.

— Воды принеси. — Я сбегала за водой. Он выпил жадно, вернул стакан и сказал: — Ложись рядом.

— Еще чего, — возмутилась я.

— Мне сейчас не до секса. Нуждаюсь исключительно в человеческом тепле. И о тебе забочусь. Ты ведь не уйдешь, значит, будешь сидеть всю ночь в кресле. К чему такие страдания.

— Я лучше пострадаю.

— Лишь бы тебе это было в радость, — усмехнулся он и вскоре уснул.

К двум часам ночи я поняла, что спать в кресле нет никакой возможности, и осторожно легла рядом с Мигелем, стараясь его не касаться. Не из соображений собственной безопасности, боялась ненароком задеть его рану. Странное дело, уснула я почти мгновенно, а когда открыла глаза, гостиную заливал солнечный свет. Мигель лежал рядом, приподнявшись на локте, смотрел на меня и улыбался.

— Ты в меня уже влюбилась или просто твое гостеприимство границ не знает?

— Только одна моя половина грешит излишней добротой, вторая надеется, что ты вскоре уберешься отсюда на своих двоих и проблем у меня не будет. По-моему, ты прекрасно себя чувствуешь, — заметила я, поспешив подняться.

— Еще бы, проснуться и увидеть рядом самую красивую девушку на свете.

Показав ему язык, раз достойного ответа так и не нашла, я отправилась в ванную. Заперла дверь и даже подергала ее, хоть и сомневалась, что дверь для Мигеля является серьезным препятствием. Беспокойство не позволило принять душ с удовольствием, я то и дело косилась на дверь и поспешила одеться. Расчесалась, собрала волосы в хвост и осторожно выглянула. Мигеля поблизости не оказалось. Не было его и в гостиной. Поплутав по дому, я обнаружила его в папиной ванной. Он разглядывал в зеркало свою физиономию.

— Хотел побриться, но, пожалуй, не стоит.

Двухдневная щетина делала его физиономию откровенно разбойничьей.

— Можно вопрос? — спросила я.

— Валяй. С утра я добрый.

— Кто такая Ольга Леонидовна?

Мигель разглядывал мое отражение в зеркале и вроде бы пребывал в недоумении.

— Ольга Леонидовна? А-а... сука.

— Что? — растерялась я.

— Старая сука. — Он сделал шаг, собираясь покинуть ванную.

— Старая?

— Да она вся резаная, так что ее неземная красота результат выдающейся работы пластических хирургов.

Из ванной Мигель успел выйти, я припустилась за ним.

— Ты давно с ней знаком?

— Лет шесть назад она была моей любовницей. Недолго. Я быстро понял, что в трогательной овечке, которой она тогда прикидывалась, сидит зубастый крокодил. И поспешил от нее избавиться. Она вышла замуж за богатого папика и укатила с ним за границу. Вернулась одна, сказала, что муженек скончался от инфаркта, должно быть, притравила страдальца, но ничего от этого не выгадала. Все свои бабки он оставил детям, а ей какие-то копейки. Красотка пребывала в сильном гневе. И стала намекать на большую любовь. Ко мне, естественно. Пришлось ей дать денег взаймы, чтобы отстала. Она наверняка надеется, что меня пристрелят и отдавать их не придется. Кстати, я пару раз видел ее с убиенным Павликовым. Не удивлюсь, если она и с ним любовь крутила. Ей, в принципе, по барабану, лишь бы бабки срубить.

Характеристика, данная Ольге Леонидовне, заставила меня задуматься. О бывших возлюбленных говорят или хорошо, или плохо, в зависимости от того, как расстались, и особо доверять подобным высказываниям не приходится. Правдин назвал Ольгу Леонидовну милейшей женщиной, но, впервые увидев ее, я бы так не сказала. А вот то, что она знакома с Павликовым, очень интересно, ведь его застрелили вскоре после того, как я встретила Ольгу в «Клеопатре» и подслушала разговор, показавшийся мне подозрительным.

— Почему ты о ней спросила? — проявил интерес Мигель.

— Не знаю, — ответила я. — В последнее время она то и дело попадается мне на глаза.

— Хочешь совет? — усмехнулся он. — Держись от этой дамочки подальше.

День прошел спокойно. Позвонил папа, потом дважды звонила Сонька. Я отговаривалась головной болью и нежеланием кого-либо видеть. Глеб не звонил, меня это беспокоило. То, что я неожиданно отказалась провести с ним выходные, могло его обидеть. По этой причине Мигель меня здорово раздражал, хотя и без того поводов было достаточно. Мысль о том, что я провела ночь в объятиях мафиози, хоть и были они вполне невинны, смущала. Искушать судьбу и дальше не хотелось, вот я весь день и старалась держаться от моего гостя на расстоянии, чему он, надо сказать, не препятствовал. Большую часть времени он провел в гостиной, а я в кабинете отца. Судя по всему, чувствовал себя Мигель неплохо, что меня порадовало.

Вечером мы поужинали, я решила, что сейчас самое подходящее время задать ему вопрос, и задала:

— Когда ты собираешься уходить?

— Под утро. Будешь ложиться спать, сними дом с охраны.

Я не смогла скрыть вздоха облегчения, что не осталось незамеченным.

— Не терпится от меня избавиться? — усмехнулся он.

— Эти два дня стоили мне нервов.

— Серьезно? Лично я буду вспоминать их как два счастливейших дня в своей жизни.

— Тогда тебе не позавидуешь.

— Может, все-таки познакомимся поближе? — насмешливо поинтересовался он. Я внимательно посмотрела на него, собралась ответить колкостью, но вместо этого сказала:

— Знал бы ты, каково это — сидеть рядом с тобой и делать вид, что мне совсем не страшно.

— Не меня же ты боишься.

— А кого, по-твоему? До сих пор я имела дело только с одной твоей половиной и совсем не хочу познакомиться с другой.

— Тебе и ни к чему, — он опять усмехнулся.

Мы сидели рядом перед работающим телевизором, мало обращая на него внимание. Я хотела встать и уйти, но Мигель удержал меня за руку, положил мою ладонь на свое колено и провел пальцем по едва заметным шрамам на запястье.

— Это откуда?

— Не помню, — ответила я, постаравшись высвободить руку.

— Не хочешь говорить? Я и так знаю. Проявил любопытство, когда собирался приударить за тобой. Твой парень погиб, а ты, вообразив себя Джульеттой, надумала отправиться следом за ним. И оказалась в психушке. Где тебе самое место.

— Мой парень заслуживал того, чтобы отправиться за ним, и даже того, чтобы оказаться в психушке. Будь на его месте такой, как ты, мне бы это и в голову не пришло.

Он долго смотрел на меня и вдруг улыбнулся. Улыбка вышла неожиданно грустной и мало соответствовала моему представлению об этом типе.

— Любовь такая штука, деточка, двинет по башке и по сердцу, тут уж не до разборок, кто чего заслуживает.

— С трудом верится, что ты знаток в таких вопросах, — усмехнулась я, теряясь в догадках, зачем он болтает всякую чушь.

— Хочешь, расскажу свою историю? — засмеялся он, но смех тоже вышел невеселым.

— Не уверена.

— Я все-таки расскажу. Это было довольно давно, я тогда отчаянно рвал свою долю из зубастых пастей и оказался в передряге. Пришлось залечь на дно. Где я прятался, знала моя подружка. Она чем-то похожа на тебя. Тоже ершистая. Была. Я велел ей убираться из города, но она не послушалась. И угодила в лапы к тем, кто очень хотел со мной увидеться.

— И что? — помедлив, спросила я, чувствуя себя крайне неуютно, потому что догадывалась, что он скажет.

— Они спрашивали, она молчала. Не буду тебя пугать рассказами, до чего могут додуматься четверо озверевших мужиков... Я узнал об этом слишком поздно, если честно, когда узнал, не особо думал о ней, был уверен, что она сразу все выложит и они придут за мной. А они все не шли. Так вот, когда я узнал... ну, передушил я их, как котят, предварительно яйца отрезав. И что? Помогло ей это? Самое скверное, я ведь даже не любил ее по-настоящему, так... самую малость. А она...

— Эта девушка жива? — испуганно спросила я.

— Она в Англии, в психушке, из дорогих. Меня не узнает, вообще никого не узнает.

Он замолчал, я смотрела на него. Потом покачала головой, не зная, как еще могу выразить свои чувства, и ушла в кухню. Включила кофеварку и замерла, разглядывая стену напротив. Звука шагов я не услышала, но поняла, что Мигель стоит сзади. Я чувствовала его присутствие. Дыхание вдруг перехватило, и казалось немыслимым повернуться и встретиться с ним взглядом. Я схватила чашку с горячим кофе, она выскользнула из пальцев, и кофе залил мраморную столешницу. Чашка упала на пол и разбилась, а я заревела.

Мигель коснулся моей руки, его пальцы сплелись с моими, а я жалко всхлипнула.

— Все хорошо, — шепнул он, касаясь губами моего виска.

— Чашку жалко, — пробормотала я.

— Понимаю, — кивнул он и серьезно продолжил: — Я тоже обычно реву, когда разбиваю чашку. Она была любимой? — Он обнял меня за плечи, развернул к себе и вновь сжал мою руку, а я опять не решилась поднять глаза.

Сердце билось в горле, еще мгновение, и оно, казалось, взорвется, и в ту минуту это воспринималось избавлением. А потом Мигель меня поцеловал, и я, зажмурившись, откинула голову назад, застонав от наслаждения и ужаса. «Я спятила», — успела подумать я, понимая, что это ничего не изменит.

Уже позже, лежа в темноте спальни, я изводила себя вопросом, как такое могло случиться со мной? Я люблю одного человека и оказываюсь в постели с другим. И этот другой ничего, кроме ужаса и отвращения, вызывать не может. Однако ужас и отвращение вовсе не мешали страсти, которую я вполне обоснованно считала постыдной. Подозреваю, что в какой-то степени они ей даже способствовали, и я поспешила записать себя в извращенки.

Самобичевание ближе к утру достигло критической точки, и я в самый неподходящий момент вскочила с постели со словами:

— Все это ужасно глупо.

— Что все? — обалдел Мигель.

— Это не имеет никакого значения, — повысила я голос. — Просто минутная слабость.

— Минутная? — усмехнулся Мигель, выразительно взглянув на часы.

— Ты!.. — рявкнула я.

— Я понял, понял, — кивнул он. — Я для тебя ничего не значу. И то, что было между нами, тоже.

— Вот именно, и не делай вид, что это что-то значит для тебя.

— Хорошо, не буду, — вновь усмехнулся он.

— Вот и отлично, — направилась я к двери. — Надеюсь, мы больше никогда не увидимся.

— Это вряд ли. Тут наши желания не совпадают, а я привык потакать своим.

— Прощай, — отрезала я и поспешила удалиться.

Лежа в постели в спальне отца, я пыталась уснуть, изводя себя все теми же мыслями. «Лучшее, что я могу для себя сделать, — в конце концов решила я, — это поскорее забыть о том, что произошло».

Против воли я прислушивалась, ожидая, когда Мигель покинет дом. Я надеялась, ему не придет в голову зайти проститься. Нам нечего сказать друг другу.

Под утро я все-таки уснула, разбудил меня трезвон будильника. Я вышла из комнаты и первым делом заглянула в свою спальню, она была пуста. Вздохнув с облегчением, я спустилась на первый этаж. Под магнитом на дверце холодильника висела записка. «Взял рубашку и ветровку твоего отца, мой пиджак ни на что не годен. При случае верну».

Скомкав записку, я выбросила ее в мусорное ведро. Еще раз прошлась по дому. Чувство было такое, что прошедшие два дня мне попросту приснились. И теперь, стремительно шагнув из сна в реальность, я потерянно брожу по дому.

С Сонькой мы встретились на работе. Рассказывать о своем приключении я не стала. Как ей объяснить мой поступок? Я сама не находила ему объяснения. Допустим, я промолчу о своем грехопадении, но все равно останется вопрос: почему, имея возможность позвонить в милицию, я этого не сделала?

Подруга затаила обиду за то, что два дня я не желала ее видеть, и даже обедать со мной не пошла, сославшись на срочную работу. После обеда позвонил Глеб, голос его звучал как-то неуверенно, и я поспешно заговорила о том, как счастлива его звонку и скорой возможности увидеться, заливаясь краской стыда и радуясь, что он не может видеть меня в эту минуту.

После работы мы встретились.

— Не возражаешь, если мы заедем к Максиму? — спросил Глеб. — Он звонил полчаса назад, это ненадолго.

— Не возражаю, — улыбнулась я. — Лишь бы он был не против.

И мы поехали к Максиму. Жил он в новом коттеджном поселке. Остановившись возле двухэтажного дома с низкой изгородью и зеленой лужайкой, Глеб помог мне выйти из машины, и мы поднялись на крыльцо. Дверь открылась раньше, чем Глеб успел позвонить. Максим Петрович предстал перед нами в полосатой пижаме, волосы всклочены, глаза красные, словно он не спал трое суток. Глеб взглянул на него с удивлением.

Увидев меня, Максим Петрович смешался, но, буркнув: «Проходите», — пошире открыл дверь, пропуская нас в просторный холл. Мне стало ясно, что мое присутствие здесь нежелательно. Однако Глеб вел себя так, словно в поведении друга не видел ничего необычного.

— Подождите пару минут в гостиной, я переоденусь.

Максим ушел, оставив нас.

— По-моему, он ожидал увидеть только тебя.

Глеб пожал плечами.

— Сейчас узнаем, что у него стряслось.

— Может, мне лучше немного прогуляться?

— Глупости. Уверен, это какие-нибудь проблемы на сердечном фронте. Я в таких делах не советчик, так что долго мы здесь не задержимся.

Максим вернулся, пижаму он сменил на джинсы и рубашку в клетку, причесался, но лучше выглядеть не стал.

— Хотите выпить? — спросил он, направляясь к бару.

— Нет, спасибо, — ответил Глеб.

— А я, пожалуй, выпью. — Руки его дрожали, когда он наливал коньяк. — Анечка, не желаете взглянуть на зимний сад? — повернулся он ко мне.

— Я поняла, у вас мужской разговор. Могу подождать в кухне.

Максим усмехнулся и с бокалом в руке направился к Глебу. А я прошла в кухню, очень просторную, со стеклянной дверью, ведущей в небольшой сад. Максим, уходя, тщательно закрыл за собой дверь. Неужто он думал, что я собираюсь подслушивать? Я села в плетеное кресло возле окна и от безделья разглядывала кусты роз и альпийскую горку.

Беседа мужчин длилась уже более получаса, и я начала томиться. Выдержала еще минут пятнадцать и направилась к гостиной, чтобы предупредить Глеба, что я буду ждать его на улице, и в этот момент услышала:

— Ты с ума сошел! — крикнул Максим, Глеб

что-то ему тихо ответил. На цыпочках я подошла к двери и стала беззастенчиво подслушивать.

— Чего ты ждешь от меня? — спросил Глеб. — Совета? Я тебе сказал, что думаю по этому поводу. Если тебя шантажируют, следует обратиться в милицию.

— Да что они могут? Если бы ты мне помог...

— Хорошо, я попробую. — Пауза. — Извини, Максим, но у меня такое впечатление, что самого главного ты мне не сказал.

— Что ты имеешь в виду?

— Почему этот человек шантажирует тебя?

— О господи. Я же объяснил. Он каким-то образом узнал, что я нанял детектива, и черт знает что вообразил.

— Но если ты ни в чем не виноват, тем более следует обратиться в милицию.

— Я думал, ты мне друг.

— Друзьям обычно говорят правду.

— Нет, ты в самом деле сошел с ума?! Какую еще правду?

Со стороны улицы послышались шаги, я испугалась быть застуканной у двери и поторопилась вернуться в кухню. В этот момент входная дверь хлопнула, и нежный женский голос позвал:

— Макс, ты дома?

В холл вошла Ольга Леонидовна. Она посмотрела в сторону кухни, взгляды наши встретились. Женщина улыбнулась и кивнула мне:

— Добрый вечер. Мужчины секретничают, а вас оставили скучать в одиночестве?

— Вряд ли их беседа особенно интересна. Для меня, по крайней мере.

Она распахнула дверь в гостиную и сказала весело:

— Не стыдно вам испытывать терпение девушки? Аня, идите сюда.

Максим ее появлению отнюдь не обрадовался, но старался это скрыть.

— Здравствуй, дорогая, — пробормотал он, целуя ее.

— Рада видеть вас, Глеб Сергеевич, и вашу очаровательную спутницу, — произнесла Ольга с улыбкой. Я внимательно наблюдала за ней, характеристика, данная Мигелем, все-таки произвела на меня впечатление, но сейчас ее слова и улыбка казались искренними. — Что же мы стоим? Идемте пить чай.

— Оля, мы с Глебом Сергеевичем... — начал Максим.

— Знаю, знаю, вы обсуждаете серьезные вещи. А что делать нам, бедняжкам? Так и быть, болтайте на здоровье, мы тоже немного посекретничаем.

Она вернулась в кухню.

— Чай, кофе? Может быть, мартини?

— Нет-нет, спасибо, ничего не надо.

— Боюсь, они еще долго будут обсуждать мировые проблемы. Вы давно знакомы с Глебом Сергеевичем?

— Нет. Всего несколько дней.

— По-моему, он прекрасный человек. Максим говорит о нем с большой теплотой. Они ведь давно дружат. Одно время даже породнились. Вы знаете?

— Да. Глеб рассказывал.

— Вот как... А я собиралась посплетничать. Чем вы занимаетесь, Аня? Работаете, учитесь?

— Работаю.

— У Глеба Сергеевича?

— Нет. Почему вы так решили?

— Не знаю. Просто подумала, где еще он мог подцепить такую красотку. Кто ваши родители?

Ясное дело, она пытается меня развлечь, считая необходимым проявить гостеприимство, но отвечать на ее вопросы желания не было. И все-таки я ответила:

— Я живу с отцом.

— Вот как, а ваша мама?

— Умерла. Очень давно.

— Как жаль.

— Мой отец — компаньон Правдина, с Николаем Ивановичем вы, кажется, хорошо знакомы.

— Да-да, конечно. Значит, вы дочь его друга? Кажется, его фамилия Ильин. Борис...

— Викторович, — подсказала я.

— Скажите, а с Глебом Сергеевичем ваш отец тоже знаком?

— По-моему, нет.

— Не спешите их знакомить. Для отцов взрослая дочка всегда проблема. В каждом мужчине они видят соперников.

Тут из гостиной показался Глеб и позвал меня:

— Аня, мы уезжаем.

Мы направились к выходу, Максим догнал нас и спросил, обращаясь к Глебу:

— Ты поможешь мне?

— Попытаюсь, — кивнул тот и распахнул передо мной дверь.

Уже в машине я спросила:

— Чего он от тебя хотел?

— Так, ерунда.

— Не похоже. Ты выглядишь недовольным, к тому же говорили вы довольно громко.

— Ты подслушивала?

— Конечно. — Глеб усмехнулся и покачал головой. — Так ты расскажешь, в чем дело?

— Это не моя тайна, а моего друга.

— Его кто-то шантажирует?

— Аня, я не буду отвечать на твои вопросы. Ты же понимаешь.

— Скажи, это как-то связано с Ольгой Леонидовной? — не отставала я.

— С Ольгой Леонидовной? С чего ты взяла? — вроде бы удивился он, и вместе с тем в голосе его появилось беспокойство.

— Я просто предположила.

— Эта женщина не выходит у меня из головы, — вдруг заявил он и досадливо усмехнулся.

— Звучит не очень-то приятно.

— Перестань. Дело вовсе не в ее прелестях.

— А в чем тогда?

— У меня такое чувство... странное, одним словом. Как будто пытаюсь что-то вспомнить и не могу.

— Один мой знакомый обозвал ее старой сукой. Намекал на то, что эту женщину ничего, кроме денег, не интересует.

— Знакомый?

— Да. У меня много знакомых в нашем городе, тебя это удивляет?

— Старая — все-таки явное преувеличение. Ей лет тридцать пять, не больше.

— Возможно, но он считает, что над ней очень хорошо поработал пластический хирург.

Глеб смотрел на меня с таким видом, словно никогда не слышал о том, что женщины прибегают к помощи медицины, желая продлить свою молодость.

— Черт, — пробормотал он и добавил: — Невероятно.

— Чего ж невероятного, — пожала я плечами. — Впрочем, я не уверена, что он говорил правду. Кажется, она с моим знакомым не особенно ладит. — Я помолчала немного, прикидывая, стоит ли продолжать, и удивляясь переменам в настроении Глеба. Он был задумчив и как будто вовсе забыл о моем присутствии. — В тот вечер, когда мы были с тобой в ресторане и один тип запер меня в туалете... так вот, она встречалась с ним.

— С кем?

— С тем самым типом. Я заметила его еще в зале. Он наблюдал за Ольгой, а она, увидев его, испугалась. И поспешила уйти. Я пошла за ней. Они разговаривали на улице. А я подслушивала. Не очень достойное занятие, но что поделать, если я любопытна. Он напомнил ей о долге, она заверила, что скоро его вернет. Парень вроде бы усомнился в этом. Я поспешила убраться от них подальше, чтобы вызвать милицию, и оказалась запертой в туалете.

— Почему ты мне сразу не рассказала?

— О том, что подслушивала? Я бы и сейчас предпочла промолчать, если бы у твоего друга не возникли неприятности.

— Ты думаешь, они как-то связаны с Ольгой?

— Что я могу думать, если ты мне ничего не рассказываешь?

— Вот что, я отвезу тебя домой, — сказал Глеб. Меня это совсем не обрадовало, но я согласно кивнула, сообразив, что наше свидание вряд ли будет приятным для обоих, если в мыслях Глеб весьма далек от меня.

В окнах первого этажа горел свет, должно быть, папа уже вернулся.

— Ты дома? — громко спросила я. И не дождалась ответа. Потом услышала шаги наверху, вслед за этим появился папа в купальном халате и с полотенцем на плечах.

— Сегодня ты рано, — спускаясь по лестнице, с улыбкой заметил он, поцеловал меня и спросил: — Как прошли выходные?

— Прекрасно. Два дня абсолютного безделья. А что у тебя?

— Усталый, но довольный. Хочешь кофе?

Он обнял меня за плечи, и мы направились в кухню. Я разглядывала своего отца, как будто пыталась обнаружить в его облике нечто, до сей поры от меня ускользавшее. Отец был не просто симпатичным мужчиной, еще не старым и полным сил, умным, обаятельным. У него твердый характер, сила воли, которой можно позавидовать. Отец и сейчас выглядел уверенным в себе, я бы сказала, значительным, даже в халате и тапочках. Я только головой покачала, посмеиваясь над собой. Папа стал рассказывать о своей поездке в Москву, а я продолжала его разглядывать.

— Что ты так смотришь? — вдруг спросил он и нахмурился. — Случилось что-нибудь?

«Я должна с ним поговорить, — подумала я. — Вот только как начать».

— Я была у Кати, — не придумав ничего лучшего, ляпнула я. Отец удивился.

— У какой Кати?

— Сергеевой. Она еще в больнице.

Удивление на лице отца сменила растерянность.

— Ты была у нее в больнице? Зачем? Как ты вообще узнала о ней? Это что, ее мать тебе позвонила? Какого черта...

— Папа, мне никто не звонил, — перебила я. — Я узнала случайно. Интересовалась твоими девушками.

— С какой стати, не объяснишь? — буркнул он, я видела, что этот разговор ему неприятен, более того, подозревала, что он прекратит его решительно и быстро.

— Была причина. За последний год девушек было три. Или я кого-то пропустила?

— Достойное занятие для дочери — копаться в моем грязном белье, — заметил он с досадой.

— Почему же в грязном? — вздохнула я. — Можно вопрос? Кто-нибудь из них тебе нравился по-настоящему? Или это просто стиль жизни: менять любовниц трижды в год? Я не просто так спрашиваю, мне как женщине очень интересно.

— Интересно? А у тебя самой сколько было парней за последние два года? Могу напомнить: пятеро. И сколько каждый в среднем продержался? Я думал, ты знаешь, что любовь не является по заказу. Она либо есть, либо ее нет. И тогда приходится жить без нее. Мне нравилась Катя, хорошая девушка, добрая, милая. Но ничего похожего на любовь я к ней не испытывал. Я знал, что прекрасно обойдусь без нее. Ты думаешь, она этого ждала от меня? Уверяю тебя, уйти было куда честнее.

— Это из-за мамы, да? — спросила я тихо. — Ты очень любил ее?

Некоторое время он молчал, и я испугалась, что он вообще не ответит, но тут он заговорил:

— Твоя мать была для меня всем. Смыслом жизни. Потом смыслом моей жизни стала ты. И меня это вполне устраивает. А теперь объясни, с чего это ты решила читать мне нотации и совать нос куда не просят.

— Я тебя очень люблю, — вздохнула я.

— Надеюсь, — хмыкнул он, но заметно смягчился. — Так в чем дело?

Через пять минут стало ясно: папа ничего не знал о том, как я провожу время. Выходит, Вадим ему об этом не докладывал, а он не спрашивал, довольствуясь тем, что охрана рядом со мной. Свой рассказ я начала с Эсмеральды, а закончила посещением Кати в больнице, умолчав о новой встрече с Мигелем.

Причин молчания были две: отец начнет проявлять беспокойство, а, с моей точки зрения, сейчас ему следовало думать о себе, а уж никак не о моей безопасности, — это первое. Второе: мое теперешнее отношение к Мигелю было далеко не однозначным, и объяснить все это папе я затруднялась. Он слушал мой рассказ со все возрастающим недоумением.

— Действительно, странные совпадения, — когда я замолчала, произнес он. — Поневоле поверишь в злой рок.

— Ты знал о том, что произошло с Юлей?

— Нет. Мы расстались, и ее дальнейшая жизнь мало меня интересовала. Я сожалею, что так получилось, но скажи на милость: чем бы я мог ей помочь?

— Речь сейчас не об этом, папа. Ты действительно думаешь, что это просто совпадения?

— А что еще я должен думать?

— Мне происходящее кажется подозрительным. У тебя есть враги...

— И они убивают брошенных мною девчонок? Должно быть, они психи. Я понимаю, ты моя дочь и все это здорово тебя напугало. На твоем месте я бы тоже, наверное, решил, что совпадений слишком много. Но смысла в этих убийствах я не вижу, если это убийства, конечно. Допустим, кто-то решил меня подставить. Ведь ты об этом подумала? Тогда они выбрали чересчур извилистый путь. Если бы девушки погибли, когда мы встречались, еще куда ни шло. Но обвинять меня в том, что я причастен к их гибели, после того как мы давно расстались... нет, чепуха.

— Не так уж и давно. Убийство и два несчастных случая на протяжении четырех месяцев. И каждый раз всплывает твое имя. Приди кому-нибудь в голову покопаться в этой истории...

— Пусть копаются. Мне нечего скрывать.

По тому, как он это произнес, стало ясно: дальнейший разговор бессмыслен. Отец по-прежнему был уверен, что происходящее не более чем случайность, и мне поколебать его уверенность не удалось. Как ему не удалось убедить меня в том, что беспокоиться не о чем. Напротив, мое беспокойство только возросло.

— Я могу задать тебе еще вопрос? — вздохнула я.

— Только не очень глупый.

— Труп в моем багажнике... тебе что-нибудь об этом известно?

— Вадим сообщил, что у милиции только один подозреваемый: Мигель. Похожего на него типа видели соседи убитого, он вроде бы поджидал кого-то во дворе. Крайнов по дороге домой оставил машину на стоянке, которая находится неподалеку от его дома, но домой не вернулся. Жена ждала его часов до десяти, потом начала беспокоиться. Он исчез. А объявился сама знаешь где. То, в каком состоянии обнаружили труп, лишь подтверждает: убийца, скорее всего, Мигель. В пятницу его едва не поймали, когда он отправился к своему благодетелю. Менты его упустили, и недруги, которые паслись поблизости, тоже. Но теперь, когда они уверены, что он в городе, я надеюсь, он очень быстро окажется в тюрьме. Если не поспешит убраться отсюда.

— Если он окажется в милиции, то, скорее всего, расскажет, куда дел труп.

— Пусть тебя это не беспокоит. В багажник ты

не заглядывала, а твою машину на следующий день угнали. Логично предположить, что угонщики не ожидали такого подарка и поспешили избавиться от трупа, а потом и от твоей машины. В любом случае доказать, что тебе о нем было известно, проблематично. А теперь, если не возражаешь, я пойду прилягу.

— Думаю, в охране я больше не нуждаюсь, — торопливо произнесла я. — В конце концов, это смешно, мой парень боится меня поцеловать под их пристальными взглядами. Я не хочу, чтобы мою личную жизнь обсуждали твои подчиненные. — Отец нахмурился, собираясь возразить, я взглянула умоляюще: — Папа... Со своей стороны обещаю проявлять благоразумие и не брать сомнительных попутчиков.

— Хорошо, — неохотно ответил он, и я вздохнула с облегчением.

Отец ушел, а я еще долго сидела в кухне. Вроде бы он прав, глупо обвинять его в том, что произошло с девушками уже после того, как он их бросил. И все же... из головы не шел парень, который вертелся возле «Карусели» и приставал к девчонкам с вопросами. Кто он? То, что его интересовали «несчастные случаи», несомненно. А вот почему интересовали? Придется это выяснить мне, раз папа категорически отказывается. Вот только где искать парня? Он мог быть знакомым кого-то из девушек. Вряд ли Юли. Остаются Катя и Эсмеральда. А Эсмеральда интересовалась делами отца. Надо непременно поговорить с Ильей.

Вид у Соньки был совершенно несчастный.

— Знаешь, Нюсечка, ради хорошего парня стоит помучиться, но все эти бесконечные прогулки меня утомляют.

— Он тебе успел надоесть? — спросила я, сообразив, что речь идет о Павле.

— Вовсе нет. Он милый. Но... у него даже машины нет. Всю субботу мы проторчали в парке. Есть мороженое, сидя на скамейке, ужас как забавно.

— А чего бы ты хотела?

Ответа на этот вопрос Сонька не знала и скуксилась.

— Вы в детский дом когда собираетесь? — спросила я.

— Паша сказал, на следующей неделе.

— Слушай, а чего он продукты тащил с другого конца города, в Кирееве есть супермаркет. Даже два.

— Не знаю, может, там они дороже? Нюсечка, ты не злись, но я ему все рассказала.

— Что «все»? — не поняла я.

— То есть не все, конечно. Про твоего папу я ни слова.

— Так, — грозно молвила я, устраиваясь напротив подруги. — Говори, что успела наболтать.

— Я только про Эсмеральду... И про Ольгу эту... Ну, про то, что она была в «Клеопатре», и еще кое-что... Нюся, нам совершенно не о чем разговаривать. Я не могу лежать рядом с парнем и потолок разглядывать.

— Вы с ним в парке лежали?

Сонька все-таки смутилась.

— Конечно, нет. Я просто была не в состоянии таскаться по улицам. Сколько можно? Вот и пригласила его к себе. Ну а потом... сама знаешь, как это бывает. Мы совершенно неожиданно оказались в постели. Он выглядел таким несчастным... в общем, очень хотелось сделать ему приятное. И я пошла навстречу его желаниям. Не так много их и оказалось... Нюся, я чувствую, что совершила ужасную ошибку.

— Не переживай, — нахмурилась я. — Рассказала и рассказала. В конце концов, что ему за дело до этой истории.

— Я не об этом. Как я теперь его брошу?

— А ты не бросай, ты за него замуж иди, — разозлилась я.

— Я не хочу замуж. За него в особенности. В постели он тихий, точно пришибленный. Да и так не слишком боек. Мне кажется, не очень-то я ему нравлюсь, влюбленные мужчины так себя не ведут. А если нравлюсь, еще хуже. Как его бросить, не причинив душевного увечья?

— Об этом стоило подумать до того, как ты легла с ним в постель, — сказала я и досадливо поморщилась, подумав: «Кому бы говорить», и поспешила сменить тему: — А чем твой Пашка занимается, где работает?

— Учится на вечернем, работает на заводе, кажется, электриком. Он не любит о себе рассказывать, говорит, что у него жизнь неинтересная. Можно подумать, у меня она приключенческий роман. Но я не хотела его разочаровывать, вот и рассказала...

— И как он отнесся к твоему рассказу?

— Расспрашивал. Потом сказал, что этим менты должны заниматься.

— Умный парень. Вот что, позвони-ка Илье. Вдруг сегодня у него найдется для тебя время.

Сонька усмехнулась, но взяла телефон. С минуту мы слушали гудки.

— Не судьба, — сказала подруга, теперь пришла моя очередь усмехаться.

После работы меня, как обычно, встречал Глеб. Увидев его машину, Сонька побрела к стоянке такси, презрительно вздернув нос. Чем ей так упорно не нравился Глеб, объяснить она так и не потрудилась, продолжая болтать всякую чушь о разнице в возрасте, я же в ответ начинала злиться. Чтобы не подвергать дружбу испытаниям, мы решили данной темы не касаться. Я поспешила к Глебу, оставив свою машину на парковке рядом с офисом и попросив парня из охраны перегнать ее к дому. Открыв мне дверцу, он сказал:

— Подруга не одобряет твоего поведения?

— Что ты имеешь в виду?

— По-моему, я ей не нравлюсь.

— Зато ты очень нравишься мне.

— Ты говоришь серьезно?

— Абсолютно.

— Попробую поверить.

— А что мешает?

Вместо ответа он меня поцеловал. Я обняла его, потом мы некоторое время смотрели друг на друга и улыбались.

— Удивляюсь, как я столько времени жил без тебя, — шепнул он и вновь меня поцеловал. Потом завел мотор и не спеша выехал со стоянки.

Я ожидала, что обычный распорядок не изменится и мы отправимся куда-нибудь ужинать, устроила голову на его плече и закрыла глаза, воображая себя в его объятиях и прикидывая, как без урона для своей девичьей чести втолковать ему, что ужин в ресторане вовсе не предел моих мечтаний.

Машина остановилась, я, открыв глаза и оглядевшись, не обнаружила ничего похожего на ресторан.

— Куда ты меня привез? — спросила с улыбкой.

— Вот здесь я живу, — он кивнул на трехэтажный дом, возле которого мы остановились. — Мы могли бы...

— Ты меня к себе приглашаешь? — пришла я ему на помощь, заподозрив, что он на это так и не решится.

— А ты согласишься?

— Еще бы. Я начала всерьез опасаться, что этого никогда не произойдет. Что ты смотришь? Тебя смущает моя откровенность?

— Нисколько. Просто я... идем.

Он вышел из машины, помог выйти мне и стремительно направился к подъезду. Я едва за ним успевала на высоких каблуках.

— Эй, что за спешка? — возмутилась я.

Мы вошли в подъезд и бегом поднялись на второй этаж. Ключи он достал заранее, открыл дверь, и я наконец-то оказалась в его объятиях. Правда, длилось это недолго. Глеб отступил на шаг, посмотрел на меня и спросил с улыбкой:

— Ты ведь, наверное, голодная? Кое-что в холодильнике найдется.

— В холодильнике? — засмеялась я. — Ну уж нет. Показывай, где твоя спальня.

В холодильник мы все-таки заглянули, но гораздо позднее. Я забралась на стул с ногами, Глеб накрывал на стол, суетливо снуя по кухне, и, каждый раз проходя мимо, успевал меня поцеловать. Я пила шампанское и смеялась без всякого повода. Глеб, напротив, выглядел чрезвычайно серьезным, словно накормить меня ужином считал главным делом своей жизни.

— Ты меня любишь? — спросила я, он в это время выкладывал салат в мою тарелку. Посмотрел, кивнул и серьезно ответил:

— Да, люблю.

В этот момент он показался мне очень похожим на отца, у того тоже была манера отвечать серьезно в самый неподходящий момент.

— Тогда сейчас ты должен быть счастлив, — не унималась я.

— Так и есть.

— Улыбнись, ради бога, не то я невесть что подумаю.

Он вздохнул и, наклоняясь ко мне, произнес:

— Я не уверен, что поступил правильно.

— Что? — опешила я.

— Я взрослый человек и обязан думать не только о себе. О тебе тоже.

— Я сама о себе прекрасно подумаю. Прекрати меня пугать, не то я решу, что ты жалеешь, что лег со мной в постель. В самом деле жалеешь?

— Нет, — вновь очень серьезно ответил он. — Я тебя люблю, глупо требовать от человека, который по уши влюблен, сохранять здравый смысл. —

Он взял меня за подбородок и спросил: — Аня, твой отец знает, что мы встречаемся?

— При чем здесь мой отец? — насторожилась я.

— Я задал вопрос.

— Нет. Не знает. По крайней мере, я ему о тебе не рассказывала.

Он кивнул и сел напротив. Некоторое время мы ели молча, но его вопрос очень меня беспокоил.

— Что у тебя с моим отцом? — не выдержала я. — Какие-то проблемы?

— Никаких.

— Тогда к чему все эти разговоры?

Он пожал плечами.

— Боюсь тебя потерять. Очень боюсь.

— Да с какой стати? Я тебя люблю и...

— В твоем возрасте слово «люблю» произносят с легкостью, — пожал он плечами. Я вскочила и топнула ногой со злости.

— Прекрати. Чего ты хочешь? Чтобы я прыгнула со второго этажа, доказывая свою любовь?

— Пожалуй, ты и вправду прыгнешь, — засмеялся он. Подошел и подхватил меня на руки. — Не слушай всю эту чушь. Я люблю тебя и никому не отдам.

Я хотела узнать, кто, собственно, на меня претендует, но с этим вышла незадача, Глеб стал целовать меня, и через пару минут мы вновь оказались в спальне. Устроившись на груди Глеба, я потянулась за телефоном и ахнула:

— Половина первого, папа, наверное, беспокоится. Так и есть, четыре пропущенных вызова. Надо же, не услышать звонки...

— Хочешь, чтобы я отвез тебя домой? — спросил Глеб.

— А ты чего хочешь?

— Чтобы ты осталась. Навсегда.

— Навсегда, если только замуж. Папа ярый противник гражданских браков. Я, кстати, тоже. Если люди любят друг друга, чего же тогда загса бояться? А до утра останусь. Только папе позвоню.

Голос отца звучал недовольно:

— Где ты?

— Папа, не сердись. Я в абсолютной безопасности. Ночевать не приду. Завтра позвоню тебе с работы.

— Анна, — начал он.

— Папочка, я тебя целую. До завтра.

Я потеснее прижалась к Глебу, а он сказал:

— С утра потащу тебя в загс.

— Зачем?

— Ты же сама сказала: если двое любят друг друга, чего ж загса бояться?

— Ты делаешь мне предложение?

— Точно.

— Вот сейчас возьму и соглашусь.

— Правда согласишься?

— Ты опять?

— Хорошо, договоримся так. Даю тебе месяц на размышление. Если ты и через месяц ответишь «да», значит, я буду счастливейшим человеком во вселенной.

— А если отвечу нет? Это я так спрашиваю, для общего развития.

— Только попробуй ответить «нет», — хмыкнул он. — У тебя месяц, чтобы понять, что тебе нужен только я и никто больше.

Утром я опоздала на работу. Звонок будильника ни я, ни Глеб не услышали и проснулись только в девять, потом я вылила кофе на юбку, ее пришлось застирывать и сушить феном. Телефон Глеба звонил непрерывно, он его отключил и, несмотря на мои протесты и заверения, что я способна добраться на такси, отвез меня в офис. Въезжая на стоянку, я увидела Соньку. Она из окна наблюдала за нами.

— Подруга беспокоится, — заметив ее, сказал Глеб.

— До вечера, — шепнула я, собираясь выйти из машины. Глеб обнял меня и привлек к себе.

— До вечера долго ждать. Пообедаем вместе.

Наконец мы простились, и я бегом припустила на работу. Не успела войти в кабинет, как там появилась Сонька.

— Ты с ним трахнулась, — сказала она с тяжким вздохом. — Ну и как, впечатлил?

— Сонечка, ты не представляешь...

— Должно быть, виагры нажрался. В его-то возрасте надо бы себя беречь.

— По башке тебе дать, что ли? — разозлилась я.

— Да ладно... угодил, и слава богу. Дядя Боря мне вчера звонил, беспокоился. Я так сразу и решила, что этот тип тебя соблазнил.

— Как твой Пашка?

Сонька поморщилась:

— Гуляли по набережной. Знаешь, Нюся, он меня ужасно раздражает.

— Почему?

— Сама толком не знаю. Наверное, хорошие парни не для меня. — Она махнула рукой и вышла из кабинета.

Вместо того чтобы заняться работой, я позвонила Глебу и болтала с ним минут пятнадцать. Потом, устроившись за столом, мечтала о предстоящей встрече и ждала его звонка. Около двух он позвонил, сказал, что ждет меня в кафе напротив, и я бросилась туда. Глеб сидел за столиком, когда я вошла в зал, поднялся навстречу и заключил меня в объятия. Стало ясно, что первую половину дня он был занят тем же, чем и я: ждал нашей встречи. Многочисленные посетители кафе обращали на нас внимание, но мне это было безразлично, и Глебу тоже. Он держал меня за руку, забыв о том, что сюда мы пришли пообедать, потом сказал:

— У меня в четыре совещание, но полтора часа у нас есть.

— Тогда не стоит тратить время на ерунду, — сказала я, он расплатился, и мы направились к выходу.

Вышли на улицу, он обнял меня за плечи и поцеловал, я счастливо смеялась, повиснув на его локте. В общем, картинка вышла идиллической, но длилась недолго. То, что я ничего не замечала вокруг, было вполне извинительно, раз счастью моему не было границ. Из эйфории меня вывел скрип тормозов, я машинально повернула голову и увидела папину машину. Она остановилась как раз перед машиной Глеба, к которой мы направлялись. Задняя дверца распахнулась, и появился отец, а за ним и Николай Иванович. Выражение папиного лица должно было меня насторожить, но не насторожило. Я даже подумала: вот прекрасная возможность их познакомить. Посмотрела на отца, на Глеба и расплылась в довольной улыбке.

Глеб при виде моего отца улыбаться перестал, лицо его точно окаменело, но и это меня не насторожило.

— Папа, знакомьтесь, это... — договорить я не успела. Отец решительно направился к нам и, с трудом сдерживаясь, выпалил:

— Оставь в покое мою дочь, подонок.

Челюсть у меня непроизвольно отвисла. В таком бешенстве отца я никогда не видела. Я перевела растерянный взгляд с него на Глеба, он молча смотрел на отца, а тот сказал, обращаясь уже ко мне:

— Садись в машину.

— Папа...

— Садись! — почти крикнул он. Я вздрогнула от неожиданности. Глеб убрал руку с моего плеча и вроде бы ждал, что я сделаю.

— Извини, — пробормотала я, не зная, как выйти из дурацкого положения.

Отец схватил меня за руку и повел к машине, буквально запихнул на заднее сиденье и сел рядом. Правдин, пребывавший приблизительно в таком же ступоре, как и я, сел впереди рядом с водителем. Машина тронулась с места, я обернулась и увидела, что Глеб стоит на тротуаре, провожая нас взглядом.

— Папа, что на тебя нашло? — спросила я через пару минут.

— Не смей даже думать о...

— Папа, — перебила я, получилось излишне громко. Николай Иванович откашлялся и сказал:

— Боря, в самом деле...

— Не смей с ним встречаться, — едва ли не по слогам произнес отец.

Я сочла за благо замолчать, устраивать перепалку при посторонних просто глупо. Я успокоюсь, отец тоже успокоится, и мы сможем поговорить.

— Толя, отвези нас домой, — сказал отец водителю. Тот кивнул, развернулся на ближайшем светофоре и направился к дому.

Как только машина остановилась возле ворот, отец вышел и направился к крыльцу, ни на кого не обращая внимания. Николай Иванович пробовал с ним заговорить, но только рукой махнул. Я догнала отца уже в холле.

— Ты мне объяснишь, в чем дело? — запальчиво начала я, хоть и собиралась за пять минут до этого поговорить с ним спокойно.

— Я сказал достаточно. Этот человек мерзавец. Я ничего не желаю о нем слышать.

— Папа, если ты не объяснишь...

— Что я должен объяснять? Эта наглая сволочь ухлестывает за моей дочерью... черт, почему я все узнаю последним? Ты давно с ним встречаешься? Как далеко у вас с ним зашло?

— Я не буду отвечать на твои вопросы, пока ты не ответишь на мой. Что между вами произошло?

Отец прошел в кухню, достал коньяк, выпил рюмку и замер у окна спиной ко мне.

— Папа... — испуганно пробормотала я, подходя к нему. — Почему ты молчишь? Вы... у вас какие-то проблемы? Я имею в виду бизнес.

— Какой, к черту, бизнес. — Отец ослабил узел галстука, движения его были нервными, дышал он с трудом, и я перепугалась по-настоящему. Он всегда отличался завидным спокойствием, и теперь оставалось лишь гадать, что могло привести его в такую ярость. — Мы когда-то работали вместе, — сказал отец, должно быть, выглядела я настолько перепуганной, что он почувствовал угрызения совести. Прижал меня к груди и поцеловал в макушку. — Он негодяй. И никогда не получит мою дочь.

— Папа, — выждав время, заговорила я. — Ты не хочешь рассказать, что случилось между вами... допустим, Глеб совершил какой-то проступок. Но... но ведь...

— Ты что, не поняла? Тебя он никогда не получит. Никогда и ни за что. Ты сейчас же позвонишь ему и скажешь, что между вами все кончено.

— Я не стану этого делать, — собрав всю свою волю, ответила я.

— Что? — отец вроде бы растерялся.

— Я его люблю, папа.

— Любишь. Очень хорошо. Но имей в виду, тебе придется выбирать между мной и этим типом.

Такого я, конечно, не ожидала. Смотрела на отца и думала: он что, спятил? Мой рассудительный, любящий папочка говорит мне такое?

— По-моему, ты просто не понимаешь, что говоришь.

Я повернулась чтобы уйти, решив, что сейчас ему лучше побыть одному.

— Куда ты? — спросил он испуганно.

— К Глебу.

— Что?

— Если ты ничего объяснить не хочешь, придется ему объясниться.

— Нет, Анна, нет... Ради бога... — он подошел и обнял меня. — Забудь все, что я тебе наговорил. Ты права, я просто... просто спятил. Я твой отец, и ты должна понять, твое счастье для меня превыше всего. Дело даже не в том, что он сделал когда-то... он недостоин тебя, ты сама это поймешь, но будет поздно. Вот что меня пугает.

— Я тебя люблю, — сказала я и заревела, так мне было жалко его в ту минуту. Он вроде бы немного успокоился, даже нашел в себе силы улыбнуться.

— Ты... ты сделаешь то, о чем я прошу?

— Мне надо с ним поговорить, папа.

— Зачем? Чего ты ждешь от мерзавца? Что он расскажет тебе правду? — отец покачал головой. — Мне и в страшном сне не могло такое привидеться.

— Папа, я тебе обещаю, я во всем разберусь и...

— Что ж, — он развел руками, — поговори с ним, если хочешь. Только знай, что я... иди, — он вновь покачал головой и отвернулся.

— Я не могу уйти, когда ты в таком состоянии. И не могу не поговорить с ним. Скажи на милость, что мне делать?

— Забыть о нем, — пожал отец плечами. — Но ты ведь меня не послушаешь.

Легко сказать «забыть». Чувствовала я себя хуже некуда. Оставить отца в такой момент и бежать к любовнику? Но ведь я имею право все знать, в конце концов. Если отец не желает ничего объяснять, пусть это сделает Глеб. У меня хватит ума разобраться, кто тут прав, кто виноват. По крайней мере, в ту минуту я была в этом уверена. И все-таки я осталась дома, изнывая от беспокойства, борясь с искушением немедленно позвонить Глебу и вместе с тем прекрасно понимая, что разговор по телефону ничего не даст. Я должна видеть его лицо, глаза, должна понять...

Я сидела в гостиной, делая вид, что смотрю телевизор. Отец вошел, постоял молча у двери и сказал:

— Поезжай. Сегодня, завтра, какая разница.

Он отправился к себе, а я, схватив сумку, бросилась к своей машине. Выезжая из гаража, набрала номер Глеба.

— Ты на работе?

— Какая, к черту, работа, — ответил он.

— Я сейчас приеду.

Глеб открыл мне дверь, сказал:

— Проходи, — и отвел взгляд. Я поняла, разговор предстоит не из легких.

Глеб выглядел человеком, перенесшим тяжелую болезнь. Эти несколько часов точно состарили его, и я испуганно подумала: «Что мне предстоит узнать?» Наверное, поэтому и не спешила с вопросами. Прошла в гостиную и устроилась в кресле. Глеб будто нарочно держался подальше от меня. Закурил и теперь бродил по гостиной, сурово хмурясь. Он заговорил первым:

— Отец знает, что ты здесь?

— Да.

— Пришла сказать, что между нами все кончено? Могла бы позвонить по телефону.

— Я не собираюсь этого говорить, по крайней мере, пока.

Он повернулся ко мне, посмотрел внимательно, как будто сомневался в моих словах.

— Что он сказал? — наконец произнес Глеб, не выдержав молчания.

— Сказал, что ты мерзавец.

Глеб кивнул:

— У него есть на это право.

— Это все, что ты мне можешь сказать? — возмутилась я.

— А чего ты хочешь?

— Я хочу знать, что между вами произошло.

Глеб задумался, сделал три круга по комнате, пока не остановился рядом с креслом, в котором я сидела.

— Если он ничего тебе не рассказал, я тоже не стану этого делать.

Такого я не ожидала и, признаться, растерялась.

— Ты не станешь? А мне что делать прикажешь?

Он потер лицо ладонью и вздохнул.

— Поверь, у меня есть на это причины. И дело вовсе не во мне. А что тебе делать... это можешь решить только ты. Я знал, что так будет, твой отец никогда не согласится... Если бы у меня хватило выдержки не звонить тебе тогда. Я ведь знал, чья ты дочь, понял в тот момент, когда мы оказались возле твоего дома. Черт его знает, почему я позвонил... Твой отец наверняка считает, что я сделал это нарочно. Ничего подобного. Я честно уговаривал себя не делать глупостей и не мог не думать о тебе. Это как наваждение, ты гонишь его прочь, а оно возвращается. И ты понимаешь, что бороться бесполезно. Мне кажется, я влюбился в тебя сразу, едва увидел. Так что бессмысленно было ожидать от меня разумных поступков.

— Вы вместе работали?

— Да. Очень давно. В другом городе и в другой жизни. Я сделал глупость, за которую теперь приходится расплачиваться.

— Глупость?

— Тогда я считал именно так. Твой отец считал иначе. И у него, как я уже сказал, были для этого все основания.

— Папа хороший человек. Он... он любит меня. Просто надо дать ему время успокоиться.

Глеб наклонился ко мне и, глядя в глаза, ответил:

— Я бы очень хотел в это поверить.

Через час я была дома. Папа, услышав, как подъехала машина, вышел в холл встречать меня. Он стоял передо мной, и в глазах его был страх. Самый настоящий. Я растерянно смотрела на него, потом бросилась к нему на шею.

— Папа...

— Что он тебе сказал? — спросил отец. Слова дались ему с трудом, он словно выталкивал их из себя.

— Ничего, — покачала я головой, отступив на шаг. — Сказал, если ты ничего не объяснил, он тоже не будет этого делать.

Странное дело, отец вздохнул с облегчением.

— И как я все это должна понимать? — усмехнулась я.

— Ты знаешь мое мнение об этом человеке. И для тебя этого должно быть достаточно, чтобы прекратить встречи с ним.

— Допустим, Глеб когда-то вел себя не лучшим образом. Но это было так давно, папа. И я уверена, он очень сожалеет.

— Ты понятия не имеешь, о чем говоришь, — покачал он головой.

— Так объясни мне...

— Я сам с ним поговорю, — решительно сказал отец, теперь ни страха, ни сомнений в нем не чувствовалось, он вновь стал тем самым человеком, которого я привыкла видеть с детства. — Если хоть капля совести у него еще осталась, он от тебя откажется.

— Я люблю его...

— Не повторяй при мне эту чушь. Я не желаю слушать ничего подобного. Пройдет время, и ты его забудешь, — добавил он, теперь голос его звучал мягко, как бывало в детстве, когда он терпеливо объяснял мне, почему следует поступить так, а не иначе. — В твоем возрасте раны быстро затягиваются.

— Ты кого сейчас уговариваешь, меня или себя?

— Аня, я твой отец и, поверь мне, никогда бы не

стал... все. Будем считать, мы обо всем договорились. — Он повернулся и быстрым шагом направился в кабинет.

Я вовсе не считала, что разговор окончен, и собиралась последовать за ним, но в последний момент передумала. Сейчас все разговоры бесполезны. Надо дать ему время свыкнуться с мыслью, что наши отношения с Глебом — это серьезно. Я побрела в свою комнату, посмотрела на телефон и решила позвонить Соньке. Если я не могу поговорить с отцом, так хоть подруге на жизнь пожалуюсь. Я сняла трубку и услышала голос Глеба.

— Я люблю ее, — произнес он.

— Сомневаюсь, — презрительно ответил отец. — Но если действительно любишь, немедленно прекратишь все это. Ты не получишь мою дочь. Я просто убью тебя. Ты понял? Свой долг я тебе заплатил, так что не рассчитывай на мою доброту.

— Я не смогу, — после паузы сказал Глеб.

— Сможешь, — усмехнулся отец и повесил трубку, а я сказала:

— Только попробуй меня бросить.

— Подслушиваешь, — вздохнул Глеб.

— А что мне еще остается? Ведь вы не хотите ничего мне объяснять.

— Твой отец прав, Аня, я не должен был...

Я повесила трубку, не желая слушать всю эту чушь. Однако задумалась. О каком долге говорил отец? Что, черт возьми, произошло между ними? Что такого мог сделать Глеб, если отец не может простить его даже через многие годы?

Я позвонила Соньке, и через полчаса она приехала. Мы уединились в моей комнате, и я, перескакивая с одного на другое, довольно путано рассказала ей о сегодняшних событиях. Сонька выслушала и, немного подумав, заявила:

— Правильно говорит твой папа, Глеб тебе не пара. Мне его физиономия сразу не понравилась.

— Тоже мне, великий физиономист, — усмехнулась я, вопреки желанию вспомнив Мигеля. И тут же привычно погнала мысли о нем прочь.

— На что это ты намекаешь? — вздохнула Сонька. — Ладно, иногда я ошибаюсь. Я думаю, Глеб деньги у дяди Бори стырил. Или еще какую пакость сотворил. Продал секреты конкурентам.

— Какие секреты?

— Откуда мне знать? Но у твоего папы есть повод считать его мерзавцем, с этим даже Глеб согласился.

Вскоре я уже жалела, что так опрометчиво попросила Соньку приехать. Вместо поддержки сплошная критика и упреки. Чтобы прекратить все это, я сказала:

— Позвони Илье. Бывает твой друг детства хоть когда-нибудь свободен?

— Он, между прочим, и твой друг, — скривилась Сонька, но позвонила. Мобильный Ильи был отключен.

— Звони на домашний, — упрямилась я.

Против ожидания, Илья снял трубку.

— Привет, Соня. Рад тебя слышать. — Особой радости в голосе я не уловила. Только Сонька собралась спросить, не могли бы они встретиться, как он сказал: — Я сейчас очень занят. Давай я позвоню тебе завтра, и мы поговорим.

— У меня всего несколько вопросов.

— Завтра, Сонечка, завтра... — далее пошли гудки.

— Н-да, — промямлила Сонька.

— Вот что, поехали к нему, — сказала я. — Он дома, авось не выгонит.

— Одна я к нему не пойду. Дура я, что ли? Он не хочет со мной встречаться, это же ясно.

— Со мной ему встретиться придется.

Я заглянула в кабинет отца, он лежал на тахте и разглядывал потолок. Увидев меня, улыбнулся. Но улыбка не смогла скрыть тревоги.

— Папа, мы с Соней немножко прогуляемся. Вернусь через пару часов.

Он вроде бы собрался что-то спросить, но вместо этого кивнул.

— Идем, — сказала я Соньке.

По дороге я с удивлением узнала, что Илья все еще живет в отцовской квартире. Отец его умер лет пять назад, о матери ничего известно не было, по крайней мере, так считала моя подруга. Я-то думала, Илья успел обзавестись жильем получше, выходит, либо дела его не так уж хороши, либо он человек привычки, и двухкомнатная «хрущевка» его вполне устраивает.

Сворачивая во двор, я почувствовала нечто вроде сожаления, дом навевал воспоминания о тех временах, когда я была по-детски счастлива, то есть считала, что жизнь впереди долгая и ничего скверного в ней не предвидится.

В подъезде пахло кошками и еще какой-то дрянью, мы поднялись на четвертый этаж, любуясь многочисленными надписями на стенах. Все-таки Илья мог найти жилище поприличнее. Тут выяснилось, что он занимает две квартиры на лестничной клетке. Вместо соседней двери оштукатуренная стена. Дверь квартиры выглядела солидно — добротная, обшитая красным деревом. Я позвонила и стала ждать. Прошло не меньше пяти минут, я вновь надавила кнопку звонка и теперь ее не отпускала. Машину Ильи мы видели во дворе, выходит, он все-таки дома. Наконец дверь соизволили открыть.

Друг детства стоял на пороге, второпях запахивая халат, физиономия недовольная, ясно, что оторвали от важных дел. Сначала он увидел Соньку и нахмурился, но тут и меня разглядел и в первую минуту растерялся. Я решила этим воспользоваться. Сказала: «Надо поговорить» — и шагнула в квартиру. Сонька юркнула за мной, Илья закрыл дверь, я огляделась.

От той квартиры, которую я хорошо помнила, и следа не осталось. Прихожая перетекала в гостиную-столовую, соединенную с кухней. Дизайнер поработал на славу: невозможно было поверить, что перед тобой типовая «хрущевка».

Тут в гостиной появилась рыжая, в мужской рубашке на голое тело. Илья едва заметно поморщился, но сказал спокойно:

— Извини, милая, я скоро освобожусь.

Милая оценивающе оглядела нас с ног до головы и удалилась крайне недовольная.

— Куда пройти? — спросила я.

— Вот сюда. — Он несколько суетливо прошел

вперед, указал нам на кресла. — Я переоденусь, — и скрылся в той же комнате, что и рыжая. Мне его халат не мешал, но возражать я не стала.

— Неплохо устроился, — заметила Сонька. — Давненько я здесь не была.

Илья вернулся, сел на диван и посмотрел на меня, как видно, ожидая объяснений.

— У меня к тебе несколько вопросов, — начала я. — Они касаются Иры Емельяновой.

— Иры? — удивился Илья, явно не ожидая такого поворота событий.

— Вы ведь были хорошо знакомы?

— Ну, да... учились в одном классе. Почему она тебя интересует?

— Нетрудно догадаться.

— Может, кому и не трудно, но я теряюсь в догадках, — резко ответил он и тут же пожалел об этом. Покачал головой и произнес: — Аня, нам действительно надо поговорить.

— А я что делаю? Ты устроил ее в клуб. Вроде бы даже сам придумал номер... — Я собралась с силами и спросила: — Ты знал, что Ира была любовницей... — я все-таки не смогла произнести фразу до конца. Илья усмехнулся и закончил:

— Твоего отца? Знал, конечно. Она мне рассказала. Ей в тот момент было очень тяжело, а тут я подвернулся, вот она и открыла мне душу.

— А ты ей? — не удержалась я от язвительности.

— А я ей, — сказал он сквозь зубы. — Если ты о том, что произошло в тот вечер. Да, она знала, кто ты, и знала, как я к тебе отношусь.

— Значит, вы просто договорились, — вмешалась Сонька, в голосе ее было разочарование.

— Мы не договаривались. Она увидела в зале Аню и решила мне помочь. Ты не хотела меня слушать, — продолжил он. — Но выслушать ее тебе пришлось.

— Сейчас меня интересует Ирина. После того как они расстались с отцом, она пыталась как-то... вернуть его?

— Не думаю, что она всерьез надеялась. Дело в том, что она... как бы это сказать... слегка на нем помешалась. А в таком состоянии люди порой совершают странные поступки.

— И какой странный поступок совершила она?

— Видишь ли, ей очень хотелось быть нужной. Показать ему, кто его настоящий друг. Я не знаю деталей, но она искренне верила, что спасает твоего отца. Постоянно твердила, что он доверяет людям, которые вовсе не являются его друзьями. Более того, плетут интриги. В общем, открыла что-то вроде заговора, во главе которого стоит какая-то баба. Чушь, конечно. Просто Ира тешила себя иллюзией. Она спасет твоего отца, он это оценит, и они вновь будут вместе.

Признаться, мне стало очень неуютно, потому что не так давно о чем-то подобном и я думала, потому и спросила поспешно:

— Что за женщина? Ира назвала ее имя?

— Нет, никаких имен. Но с завидным упорством твердила, что твоему отцу грозит опасность. Борис Викторович помогал мне, и я не мог равнодушно отнестись к ее словам. И позвонил ему, просил его встретиться с ней и поговорить. Но он был уверен, что все это выдумки истеричной особы. Так, наверное, и было.

— После того как ее убили, ты продолжаешь так думать?

Илья с удивлением посмотрел на меня.

— Ты что, хочешь сказать... это вовсе не ограбление?

— Не знаю. Но если ее слова что-то да значат, поневоле задумаешься.

— Ты... тебе что-то известно. Поэтому ты...

— Илья, я разговаривала с ее подругой. Теперь разговариваю с тобой. Хочу понять, что могла узнать Ирина.

— Я же сказал: ничего конкретного не знаю. То ли она кого-то встретила, то ли услышала чей-то разговор... Я не знаю, Аня. Когда я ее расспрашивал, она отмалчивалась. Но настроена была очень решительно, даже наняла детектива.

Мы с Сонькой переглянулись. Час от часу не легче. Впрочем, чего-то подобного следовало ожидать. Какой-то тип вертелся возле «Карусели» и выспрашивал девчонок о Юле и Кате. Почему не детектив?

— О нем ты что-нибудь знаешь?

— Я его видел однажды, случайно. Зашел в кафе, там сидела Ира, а с ней парнишка. Я еще порадовался, что она нашла себе приятеля. Но когда спросил Иру о нем через несколько дней, она сказала, что это детектив.

— Откуда он взялся? Она обращалась в агентство или нашла его по объявлению?

— По-моему, они познакомились случайно. Он сказал ей, чем занимается, и она решила ему довериться. Парень совершенно не похож на сыщика. По виду студент, хотя я понятия не имею, как выглядят сыщики.

— Он должен был явиться в милицию, когда узнал, что с ней произошло.

— Возможно, и явился. Откуда мне знать?

— Тебя следователь вызывал?

— Нет. А если бы и вызвал, я бы не стал все это рассказывать.

— Почему?

— Потому что в этом случае твой отец их непременно бы заинтересовал. Как бы я выглядел в его глазах?

— Значит, ты ничего толком не знаешь, — вздохнула я. Зря я сюда пришла. Впрочем, нет. Теперь я знаю почти наверняка: вокруг отца что-то происходит. Надо попытаться найти этого детектива, ему должно быть известно куда больше, чем Илье. — Спасибо, что, несмотря на важные дела, ты уделил нам время, — сказала я, поднимаясь.

— Прекрати! — воскликнул Илья и покачал головой, после чего стал мямлить: — Аня, я давно... все это время... я должен объяснить... Соня, оставь нас, пожалуйста.

Сонька поднялась, но я сказала:

— Нам пора.

— Соня! — он почти кричал.

— Да куда идти-то? — всплеснула она руками.

— В кабинет, — он кивнул на дверь за своей спиной.

С трудом дождавшись момента, когда Сонька закроет за собой дверь, я заговорила:

— Не трудись. Я знаю, что ты хочешь сказать. Я тебя ни в чем не обвиняю. Сергей погиб, потому что я его предала. Я. А вовсе не ты.

— Ты ни в чем не виновата, — покачал он головой. — Ты... если бы ты знала, как я себя ненавижу. Все эти годы я только и думал: если бы можно было все вернуть. Никакие деньги не спасут, когда ты...

На мой взгляд, он начал заговариваться. Что за деньги он имеет в виду? При чем здесь вообще деньги? Илья сидел, закрыв лицо ладонями, плечи опущены, головой чуть ли не в колени уткнулся. В общем, классическая поза страдальца. Мне было жаль его, но в этой жалости было больше презрения. И вместе с тем что-то вроде беспокойства шевельнулось в душе.

— При чем здесь деньги? — произнесла я, вместо того чтобы уйти.

— Деньги? — переспросил он и отчаянно затряс головой. — Я не то хотел сказать...

«Врет, — как будто кто-то шепнул мне в ухо. — Он врет».

— Что за деньги ты имел в виду? Какие деньги, Илья?

— Прости, я... тебе пора уходить.

— Ты что, плохо меня знаешь? Я не уйду, пока ты не объяснишь. Так что тебя мучило все эти годы? Скажи мне. Скажи мне, черт тебя дери!.. — заорала я.

— Я сделал это нарочно, — пробормотал Илья. —

Я сказал ему... конечно, я не думал, что он... убьет себя. Мне надо было вырваться, понимаешь. Я больше не мог так жить. Это был мой единственный шанс. Выбраться из всей этой грязи, жить, наконец, как нормальный человек. Поэтому я сделал то, что сделал. Я прекрасно понимал, что, поступая так, бесповоротно причисляю себя к сволочам. Но не видел другого выхода. Это был мой шанс.

— Ты что, решил на мне жениться? — сообразила я. А почему бы и нет? Папа к Илье прекрасно относился. И в тот момент, безусловно, предпочел бы видеть зятем здорового умного парня, пусть и без гроша за душой, которому стоит лишь немного помочь. Это лучше, чем безногий инвалид. И вдруг... так бывает, когда складываешь пазл, вертишь его туда-сюда и он ложится на свое место, все остальные идеально подходят к нему, и вот перед тобой уже готовая картинка. — Мой отец пообещал тебе деньги? — словно со стороны услышала я свой голос.

— Нет, — чересчур поспешно ответил Илья, и я вновь поняла: он врет. Вот и причина отцовского беспокойства, сколько раз он настойчиво просил меня помириться с Ильей. Боялся, что он не выдержит и все мне расскажет? Он и не выдержал.

— Хотя бы сейчас не ври, — сказала я.

— Это я... я любил тебя и сейчас тебя люблю. Даже больше, чем тогда. И я верил, что ты... тоже меня полюбишь, я бы мог сделать так, чтобы ты полюбила меня. Если бы Сергей остался жив, все было бы иначе.

— Но он погиб, — сказала я. — Мне без разницы, почему ты это сделал. Я не винила тебя тогда, не виню и сейчас, так что получай от жизни удовольствие.

— Ты так ничего и не поняла, — сказал он с горечью.

— Ну, извини. Соня! — позвала я. По тому, как поспешно появилась подруга, стало ясно: она стояла возле двери и подслушивала. Но в тот момент меня это мало заботило.

Илья так и остался сидеть в кресле.

Мы с Сонькой вышли из квартиры, подружка подхватила меня под руку, будто сомневаясь, что на ногах я стою крепко. Мы сели в машину, Сонька не произнесла ни слова, но, когда мы выехали на проспект, все-таки спросила:

— Мне у тебя переночевать?

— Чего это ты тихая какая? — усмехнулась я.

— Боюсь что-нибудь брякнуть не по делу. Нюсечка, если ты сама об этом заговорила, объясни, что я теперь должна думать?

— А то ты не поняла.

— Ничегошеньки. Какие деньги? Что он сделал нарочно? Почему Сережа погиб?

— Потому что твоя подруга — дрянь распоследняя, распустила нюни и бросилась искать утешение в объятиях его друга.

Сонька с приоткрытым ртом таращилась на меня, потом отчаянно замотала головой:

— Ты не дрянь. Женщины слабые существа, нам нужна поддержка в трудную минуту, а мужики — стервецы — этим пользуются.

Я только усмехнулась, некстати вспомнив о Мигеле.

— А отец твой здесь при чем?

— Заткнись, — прикрикнула я.

Я отвезла Соньку домой и вернулась к себе. Папа пил чай в кухне. Посмотрел на меня с сомнением и ни о чем не спросил. Я тоже предпочла промолчать, наверное, очень боясь услышать правду.

Утро мы с Сонькой потратили на бесплодные размышления, как найти детектива, нанятого Эсмеральдой. Сонька предложила обзвонить все частные сыскные агентства (их оказалось всего три), а потом заняться объявлениями в газетах. Так как я ничего предложить не могла, пришлось с ней согласиться. Подружка засела за телефон, но уже через десять минут кривилась от жесточайшего разочарования. На вопрос «Не обращалась ли к вам Ирина Емельянова», ответ получила короткий: «Таких справок не даем». Сонька пробовала настаивать, на что ей резонно ответили: конфиденциальность — один из принципов работы детективных агентств. С объявлениями тоже вышла незадача. Заглянув в Интернет, мы убедились: за последние месяцы не было ни одного объявления, которое нас могло бы заинтересовать. Ирина сказала Илье, что познакомилась с детективом случайно. И как теперь искать этого типа? А найти его необходимо, ведь это единственный шанс узнать о некоем заговоре против моего отца, на который намекала Ирина. Работу мы, конечно, забросили, пили чай уже по пятой чашке и ломали головы.

— Если он профессионал, а не жулик, — наконец сказала Сонька, — должен был немедленно обратиться в милицию, после того как Ирину убили. Он просто обязан помочь следствию.

— Допустим, он обратился. Как мы об этом узнаем?

— У Вадима в ментовке полно знакомых, — пожала Сонька плечами, я покачала головой.

— Вадим не годится, придется опять обращаться к Глебу.

Подружка поморщилась:

— Я бы доверять ему поостереглась. С твоим отцом они не дружат.

Но эти соображения меня не остановили. В конце концов, необязательно все объяснять Глебу, ему надо просто узнать, обращался детектив к следователю или нет.

Я набрала номер Глеба и коротко изложила свою просьбу. По-моему, мой звонок его обрадовал, видно, после того как я вчера бросила трубку, он много всего успел напридумывать. Разговаривала я с ним так, будто вчерашних событий попросту не было, и он не рискнул к ним возвращаться. В общем, тоже делал вид, что ничего особенного вчера не произошло. Зато пообещал сделать все возможное, чтобы мне помочь, и даже лишних вопросов не задавал. Теперь оставалось только ждать.

Терпением я никогда похвастать не могла, ближайшие часы явились для меня серьезным испытанием. Глеб не звонил, я томилась, Сонька металась из одного кабинета в другой, каждый раз возвращаясь с очередной идеей, глупее предыдущей. Около шести Глеб наконец позвонил.

— Насколько я понял, они рассматривают только одну версию — ограбление. Никакой частный детектив к ним не обращался.

— То есть они попросту не знают, что Ира его нанимала?

— Выходит, так, — ответил Глеб.

Что ж, удивляться не приходится. Илью следователь не вызывал, а о детективе, похоже, знал только он. Идти в милицию — значит привлечь внимание к отцу, а если промолчать, они так ничего и не узнают. Если в ближайшее время убийца не будет найден (а я очень сомневаюсь, что его найдут), следствие, потоптавшись на месте, само собой сойдет на нет, убийство окажется в категории нераскрытых.

— Где ж тебя искать-то? — бормотала я, тут Сонька высказала очередную гениальную мысль:

— Нюся, он — жулик.

— Кто?

— Детектив, это же очевидно. Почему молчит до сих пор?

— Не хочет связываться с милицией. Они с Ириной познакомились случайно, возможно, он сам по себе работает и даже лицензии не имеет. Зачем ему неприятности?

— Допустим. Но в частные сыщики идут бывшие менты, так? А мент просто обязан помочь следствию.

— Ага. Про то, кто кому и чем обязан, поговорим позднее.

— А если у него был повод молчать? — не унималась подружка. Ее замечание заставило меня задуматься.

— Он узнал нечто такое, что решил использовать с выгодой для себя?

— У меня есть идейка позабористей. Только не надо сразу критиковать мой образ мыслей. Может, тебе это покажется глупостью, но... так ли уж случайно они встретились? Ты вообще когда-нибудь встречала частного детектива? Не в книжках, а на улице?

— Их мог кто-то познакомить.

— Мог. Но как-то все это... подозрительно. — Сонька, вздохнув, посмотрела в окно и сообщила недовольно: — Твой Глеб приехал.

— Мы отвезем тебя домой, — предложила я.

— Нет уж, я останусь, должен же хоть кто-то из нас иногда работать.

Ожидая меня, Глеб прохаживался рядом с машиной. На парковке у офиса места не нашлось, и он проехал чуть дальше, оставив машину в переулке. Заметив меня, помахал рукой и пошел навстречу. Я ускорила шаг, оказалась возле светофора и ждала, когда загорится зеленый свет. Глеб поджидал на другой стороне улицы. Желтый сигнал сменил зеленый, поток машин замер, пешеходы толпой ринулись вперед. И тут Глеб повел себя весьма странно. Шарахнулся в сторону, а потом и вовсе повалился на асфальт. Вслед за удивлением пришло беспокойство, потому что граждане вокруг меня вслед за Глебом точно с ума посходили, одни орали, другие бросились бежать сломя голову, третьи, как я, бестолково озирались.

Когда я оказалась рядом с Глебом, он стоял на коленях, сжимая рукой предплечье. Я не сразу заметила, что ладонь у него в крови. Он поспешно поднялся.

— Что это? — ошарашенно спросила я, испугавшись, что рухну в обморок, и, чтобы удержаться на ногах, уцепилась за Глеба. Это было плохой идеей, он с трудом держался на ногах, обнял меня, прижав к себе, и на моем безупречно белом костюме появились кровавые пятна. Вот тогда я испугалась по-настоящему, не за костюм, разумеется. До меня наконец-то стало доходить, что произошло. — Ты ранен? — завопила я, хотя Глеб стоял рядом и прекрасно меня слышал.

— Пустяки. Не волнуйся.

— Как я могу не волноваться? Что произошло?

— Какой-то парень... Я смотрел, как ты идешь навстречу, а он шел по улице. Я повернулся и увидел, как он сунул руку за пазуху. Сам не знаю почему, но я... в общем, успел среагировать. Пуля зацепила руку, ей-богу, ерунда.

— А где парень? — испуганно оглянулась я.

— Рванул в подворотню.

— Он же мог тебя убить... — ценное замечание, но в моем состоянии это было извинительно. Покушения я видела только в кино, а тут не просто стреляли в человека, стреляли в Глеба, которого я люблю.

В этот момент до меня дошло, что мы стоим посреди улицы, вокруг толпится народ, пялясь на нас со смешанным чувством беспокойства и сомнения. Кто-то даже высказал мысль, что кино снимают, его обозвали идиотом, но только после того, как другой мужчина заметил, что камер вокруг нет. Глеб между тем истекал кровью. Я опять едва не лишилась сознания и начала рыться в сумке в поисках телефона, чтобы вызвать «Скорую». Телефон я так и не нашла, «Скорая» и без того подъехала, кто-то успел позвонить раньше. Вслед за «неотложкой» появилась милиция, и я с удивлением обнаружила рядом с собой Соньку.

— Нюсечка, что же это делается? — пролепетала она.

Ответить я не успела, Глеба повезли в больницу, и я настояла, что поеду с ним. Сонька припустилась за «Скорой» и с видом законченной идиотки махала нам вслед.

Через два часа я окончательно пришла в себя. Этому очень способствовал тот факт, что Глеб лежал в палате под присмотром врачей, один из которых заверил меня: ранение пустяковое. Кость не задета, значит, Глеб недолго пробудет в больнице. Я вздохнула с облегчением, но длилось оно не долго. Вряд ли человек, стрелявший в Глеба, рассчитывал на пустяковое ранение. Глеба пытались убить. Просто чудо, что он вовремя повернулся и заметил убийцу.

Глеб беседовал со следователем, мне тоже задавали вопросы, правда, толку от разговора со мной было мало, ведь я парня не видела. На вопрос следователя, есть ли у Глеба соображения насчет того, кто мог желать ему гибели, он ответил:

— Могу предположить только одно: меня с кем-то спутали.

Следователь усмехнулся и отбыл. Я заняла место возле кровати Глеба.

— Испугалась? — улыбнулся он и провел пальцами по моему лицу.

— Сейчас даже больше, чем на перекрестке, — нахмурилась я. — Почему ты не сказал следователю...

— Что? — вроде бы удивился Глеб.

— Я ни за что не поверю, будто ты не догадываешься, кто мог в тебя стрелять. То есть я хочу сказать, кто нанял этого типа.

— Милая, мой бизнес не предполагает таких крутых конкурентов. Я фигура слишком незначительная, — засмеялся он.

— Но сегодня в тебя стреляли. То, что тебя могли с кем-то перепутать, в моей голове не укладывается. Значит, нужно хорошо подумать, кому ты перешел дорогу.

— Аня, давай оставим этот разговор. Лучше скажи, ты меня любишь?

— Разумеется, я люблю тебя. Поэтому и боюсь. Сегодня ты чудом остался жив, а что будет завтра?

— Завтра ты опять придешь ко мне, и я буду счастлив.

— Меня просто бесит твоя несерьезность.

— Аня, все нормально. — Он потрепал меня по руке. — Я не знаю человека, который бы желал моей смерти. Это просто смешно.

«Желал моей смерти», — эхом отдалось в голове, а вслед за этим я испугалась, что упаду в обморок. Стены палаты вдруг пустились в пляс. Я тряхнула головой, пытаясь избавиться от наваждения. Но, раз появившись, засевшая в мозгу мысль уж не покидала меня.

— Глеб, ты ведь не думаешь... ты не думаешь, что это мой отец? — решительно закончила я.

— Что за чушь? Конечно, нет.

— Вчера он сказал, что убьет тебя...

— Мало ли что говорят в гневе. Твой отец на такое не способен. Выбрось это из головы. В конце концов, за такой короткий срок найти исполнителя попросту невозможно.

Его слова меня не успокоили. Я держала Глеба за руку и думала о своем отце, о его словах, сказанных в запальчивости. И страх обволакивал меня, мешал дышать, хотелось вскочить и орать в голос. Вместо этого я сидела, сжимая руку Глеба в своей ладони. Его желание меня успокоить вполне понятно. А что делать мне? Теперь, когда я вовсе ни в чем не уверена?

Вскоре мне пришлось оставить Глеба, в палату заглянула медсестра и напомнила, что уже поздно. До офиса, где осталась моя машина, я шла пешком и думала об отце. Как я могу его подозревать? Своего отца, который все это время был самым близким мне человеком? Разве это не предательство? Впрочем, предательство мне не в диковинку, достаточно вспомнить Сергея. Я вспомнила о разговоре с Ильей, и страх вновь накатил тяжелой волной. Мне захотелось поскорее увидеть отца, чтобы эти подлые мысли меня оставили.

Папа был в своем кабинете, просматривал какие-то бумаги.

— Я звонил тебе несколько раз, — подняв голову, произнес он. — Где ты была?

— В больнице, — ответила я. — Сегодня какой-то тип стрелял в Глеба.

— Стрелял в Глеба? — переспросил отец, ничего, кроме удивления, в его голосе не звучало. — Да с какой стати?

— Следователь тоже хотел бы это знать.

— Он что, серьезно ранен?

— Говорят, кость не задета. Убийца попал в плечо.

— Убийца? — усмехнулся отец. — Хорош киллер.

— Что ты хочешь этим сказать? — растерялась я.

— По-моему, твой Глеб желает выглядеть в твоих глазах страдальцем. Вот и придумал...

— Папа, ты с ума сошел?

— Я тебя предупреждал, что он мерзавец. Он прекрасно знает, что я никогда не позволю своей дочери... Ну, вот, теперь ты чувствуешь себя обязанной быть возле постели умирающего. Хорошо хоть не додумался обвинить меня. А что? Неплохая идея.

— Папа, у Глеба и в мыслях не было ничего подобного. В него стреляли, он лежит в больнице, а ты... Как ты можешь?

— Я не допущу, чтобы какой-то мерзавец морочил голову моей дочери, — повысил он голос.

Я долго смотрела на него, потом сказала:

— Уверена, ты действуешь из лучших побуждений. Точно так же, как несколько лет назад.

— Что ты имеешь в виду? — нахмурился отец.

— Илья мне все рассказал, папа.

— Дурак, — в сердцах буркнул он. — Ну и чего он этим добился?

— Значит, это правда? Ты дал ему денег, чтобы он переспал со мной, а потом рассказал об этом Сергею?

— По-твоему, я должен был смотреть, как моя дочь идет на заклание, точно овца? Я должен был позволить искалечить тебе жизнь? И потом, моя милая, когда любят одного, не спят с другим. Так что нравится тебе это или нет, но я поступил правильно.

— Сергей погиб.

— Замолчи. Никто не ожидал от него такой глупости. И рассказывать ему о том, что произошло, я Илью не просил. Илья тебя любил, я это видел. И надеялся, что при благоприятном стечении обстоятельств он сможет отговорить тебя от безумной затеи. Ты засомневаешься и не станешь спешить со свадьбой. Но у него не хватило ни ума, ни терпения. Если бы он слушал меня, все были бы живы и счастливы.

— Надеюсь, ты в это веришь, — сказала я.

— Когда у тебя будут собственные дети, ты меня поймешь. И тебе станет стыдно за то, что сейчас происходит.

Я вышла из кабинета, слыша, как он досадливо чертыхается.

Несколько дней я пребывала в апатии, мир выглядел безрадостно, и как-то с трудом верилось, что он изменится к лучшему. Спасала меня только работа, привычная рутина не позволяла окончательно съехать с катушек. «Надо взять себя в руки», — каждое утро говорила я себе и морщилась от отвращения.

После работы я ехала к Глебу и сидела у него до тех пор, пока мне не указывали на дверь. С отцом мы практически не разговаривали. Я видела: он страдает, но что-либо изменить была попросту не в состоянии. Глеб о моем отце тоже предпочитал не говорить. Он вообще по большей части болтал о пустяках.

В пятницу, ближе к вечеру, он сбежал из больницы, заявив, что делать ему там нечего, ведь больным он себя не чувствует. В ответ на мои увещевания смеялся, но обещал, что ближайшие дни проведет дома, если я составлю ему компанию. Но еще раньше в моем кабинете появилась Сонька и заявила с порога:

— Нюся, я в совершенном расстройстве. Пашка пропал. В тот день, когда стреляли в Глеба, мы должны были встретиться. Но я была в таком состоянии, что даже не вспомнила о нем. И только на следующий день удивилась: чего это он не явился и даже не позвонил? А сегодня подумала: куда он делся?

— Найдется твой Пашка. В конце концов, позвони ему сама.

— Я звонила. Телефон выключен.

— Ну и радуйся. Не придется болтаться по улицам и сидеть в дешевых кафешках.

— А если с ним что-нибудь случилось?

— Что с ним могло случиться?

— Не знаю. Вдруг под машину попал. Он же экономит и пешком по городу носится.

— Типун тебе на язык. Соня, может, его хилый бюджет дал основательную трещину и он решил, что роскошные женщины не для него?

— Хочешь сказать, что он меня бросил? — хмыкнула подруга. — После того как я давилась гамбургерами? Нет, я совершенно не в состоянии поверить в такое. Приличные люди хотя бы врут по телефону, что отправляются в кругосветное плавание. Или покоряют Эверест. Нюся, он лежит где-нибудь без сознания, сам себя не помня. Уж поверь мне, я кое-что понимаю в людях, просто сбежать он не мог.

— Хорошо, давай поедем в общагу и убедимся, что Пашка твой жив и здоров.

В общежитии мы были через сорок минут и битый час потратили на общение с вахтером и прочими гражданами. Вахтер, заглянув в журнал, заявила, что Павел Кальянов в списках не значится. Бабка выглядела сущей мегерой, но Сонька смогла растопить лед ее сердца, рассказав душещипательную историю любви, на ходу сочиненную. Та сменила гнев на милость и доверительно сообщила:

— У нас тут кто только не обретается. Прописан один, живут двое, а то и пятеро. Ваш хоть как выглядит?

Сонька выдала словесный портрет любимого, бабка задумалась.

— У нас в основном грузины да молдаване. По этажам пройдите, может, кто и знает вашего Павла.

По этажам мы прошлись, но толку от этого не было. Большинство обитателей общаги отсутствовало: время рабочее. Те, что оказались дома, Павла

Кальянова не знали. Один бойкий парень, которому Сонька зазывно улыбалась, развел бурную деятельность, еще раз пробежался по этажам и даже кому-то звонил по телефону. Но и он нас не порадовал. Пришлось покинуть общагу, так ничего не выяснив.

— Но ведь он здесь живет, ты сама его сюда привозила, Нюся. Как может быть, что его никто не знает?

— Ты же видела, что здесь творится, — пожала я плечами.

— Поехали в институт, — решительно сказала подруга.

На вечернем отделении студента Кальянова не оказалось. Так же как и на дневном. Сонька была мрачнее тучи, я пыталась ее утешить:

— Может, ты институт перепутала?

— Я точно помню, он говорил, что учится на строительном. Значит, здесь. Где еще есть строительный факультет?

— Узнать это не проблема. А что, если учится он в техникуме, а не в институте?

— Зачем тогда врал?

— Хотел произвести впечатление.

К обеду мы уже знали, что ни в одном учебном заведении от училища до университета Павла Кальянова нет. Правда, один Павел Кальянов все-таки нашелся, не студент, преподаватель, но Сонькина радость тут же была омрачена, Павел Сергеевич оказался преклонного возраста, следовательно, Сонькиным возлюбленным быть не мог.

— Нюся, я ничего не понимаю, — начала злиться Сонька. — Это что же получается, он все врал? А как же детский дом?

— Давай проверим детские дома, — сказала я и, взяв телефонный справочник, начала звонить. Человека по фамилии Кальянов там тоже не знали. Хотя к ним действительно приезжают молодые люди с подарками для детей, возможно, это один из них.

— Скажи на милость, ну зачем было врать? — вопила Сонька.

— Ты почему на него внимание в магазине обратила? — хмуро спросила я, начав кое-что соображать.

— Как почему? Он стянул твою тележку.

— Ничего подобного. Он произвел впечатление, когда сказал, что продукты для детского дома.

— Ну?

— Соня, он хороший психолог. У тебя ценные вещи из квартиры не пропали?

Мы помчались к Соньке, по дороге она здорово нервничала, то и дело набирала номер Пашки, но его мобильный по-прежнему был отключен. К тому моменту, когда мы оказались возле ее дома, Сонька готова была к чему угодно, например, увидеть в родной квартире лишь голые стены. Влетела в жилище, как фурия, тревожно осмотрелась. На первый взгляд в квартире изменений не произошло, все вещи были на своих местах. Сонька полезла в шкаф, где хранила золото и наличность, и вздохнула с облегчением. И деньги, и любимые побрякушки остались в неприкосновенности. Меня, признаться, это удивило.

— Так какого черта он врал? — возмущенно спросила Сонька. Я пожала плечами.

— Надеюсь, твой Пашка все объяснит, когда найдется. А ты уверена, что его фамилия Кальянов?

— Конечно, уверена.

— Но документов ты не видела?

— Нюся, какие документы? Я же не могу у человека паспорт спрашивать.

Оставив Соньку ломать голову, с какой стати Пашке понадобилось врать и куда он вообще делся, я поехала к Глебу, потому что в разгар наших поисков он позвонил и сообщил, что сбежал из больницы. Его поступок казался мне абсолютно безответственным, вот я и спешила к нему, чтобы высказать все, что думаю по этому поводу.

Занятая составлением пламенной речи, я едва не проскочила на красный сигнал светофора, но успела-таки затормозить. Впереди маячил сотрудник ГИБДД, и я только головой покачала, злясь на себя за невнимательность. Рядом остановилась машина, я повернула голову и увидела Ольгу Леонидовну. На меня она внимания не обратила, сидела с хмурым видом, глядя вперед, и постукивала ладонью по рулю, словно в нетерпении. Когда загорелся зеленый свет, она рванула с места, обогнав меня, я пристроилась за ней. Дамочка уже давно очень меня занимала, и ее неожиданное появление возымело неожиданный эффект: я последовала за ней, без особой цели и не строя никаких планов, но держалась на некотором расстоянии, боясь упустить ее из вида. Ехать за ней оказалось не так легко. Водителем она была рисковым, отчаянно нарушала правила и явно куда-то спешила.

Мы выехали на проспект, потом на улицу Кирова и покатили в спальный район. На Красной горке

Ольга свернула и вскоре затормозила возле двухэтажного дома, чудом сохранившегося среди огромных многоэтажек. Чтобы не привлекать к себе внимание, я проехала чуть дальше, бросила машину в переулке и пешком вернулась к дому, возле которого все еще стоял «Лексус» Ольги. Я видела, как она вошла в подъезд, и теперь, стоя на углу дома, пыталась понять, зачем я затеяла слежку.

От нечего делать я разглядывала дом. Был он старым, обшарпанным, дверь в единственный подъезд распахнута настежь. Не спеша я прошла мимо, убедилась, что подъезд соответствует общему виду дома: деревянные ступени давно не красили, штукатурка обваливается. Маловероятно, что Ольга здесь живет. Жилище для такой женщины совершенно неподходящее. Значит, она к кому-то приехала. Кто из ее друзей мог жить в таком доме?

Пока я гадала, Ольга вышла из подъезда, набирая номер на мобильном. Это меня и спасло, женщина не обратила на меня внимания, я успела юркнуть за угол дома, откуда и вела наблюдение.

— Где тебя носит? — спросила она сердито. — Я возле твоего дома. Ты забыл, что мне обещал? Нет, не завтра, а сегодня...

Дальше я уже ничего услышать не могла, потому что Ольга села в машину. Через минуту она уехала, а я пыталась решить, что делать. Попробовать ее догнать? Или попытаться выяснить, к кому она приезжала? Потоптавшись на месте, я пошла к подъезду. Судя по словам Ольги, хозяина квартиры она не застала.

Войдя в подъезд, я огляделась. Восемь квартир. Четыре на первом и столько же на втором этаже.

Я подошла к двери, что была ближайшей к лестнице, и надавила на кнопку звонка. Тишина. Пожав плечами, я переместилась к следующей двери. На этот раз открыли быстро. На пороге стояла женщина лет сорока, в брючках в обтяжку и короткой футболке, дама оперлась о дверной косяк, я, взглянув на нее, поняла: сохранять равновесие ей довольно трудно из-за обильных возлияний. В общем, если она и не пьяна в стельку, то близка к этому.

— Чего надо? — спросила она.

— Вы не обращали внимание на женщину в вашем подъезде, красивая, длинные темные волосы, приезжает на «Лексусе».

— Красивая? — хмыкнула дама. — Змея подколодная.

— Так вы ее знаете? — обрадовалась я.

— Нужна она мне больно. Таскается сюда. Вон, в соседнюю квартиру, — кивком она указала как раз на ту, в которую за минуту до этого я звонила. — Парень здесь живет, к нему она и ездит.

— А как зовут парня?

— Не знакомились. Он снимает квартиру. Раньше тут Сайкины жили, этих я знала. Но Лешка помер, а Надька другого нашла. И тю-тю... уехала к хахалю. Квартиру сдает. У нее спроси. Хочешь, телефон дам?

— Буду вам очень благодарна, — промямлила я, радуясь, что женщина пребывает в таком состоянии, что ей даже в голову не пришло поинтересоваться, с какой стати я задаю все эти вопросы. Через минуту я получила клочок газеты, на котором был записан номер мобильного, под ним имя «Надька». — Спасибо, — кивнула я.

— Пожалуйста. Выпить хочешь?

— Что? — растерялась я.

— Водки, говорю, хочешь?

— Нет, спасибо.

— Ну и ладно. А я вот пью. Любовь у меня, знаешь... была и того... нет. Все мужики сволочи, поняла?

— Конечно.

— Вот. Никому нельзя верить, а так хочется... может, все-таки выпьешь?

— Я бы с удовольствием, но мне на работу, — попятилась я.

— Ну, что ж, давай. — Она махнула рукой и дверь закрыла. А я чуть задержалась у соседней квартиры. Звонить хозяйке или нет? Как я ей объясню, почему меня интересует, кому она сдает квартиру? Кстати, а почему? Почему меня это так заинтересовало? Молодой человек, к которому наведывается Ольга, может быть просто ее знакомым.

Я вышла из подъезда и направилась к машине, прошла всего несколько метров, и тут кто-то взял меня за локоть. Вздрогнув от неожиданности, я повернула голову и рядом с собой увидела Мигеля. Если бы не его роскошная улыбка, вряд ли бы я его узнала. Против обыкновения на нем были линялые джинсы и свитер под горло, кепка с длинным козырьком, закрывавшим половину лица, и темные очки.

— Это ты? — довольно глупо поинтересовалась я.

— Я, радость моя, конечно, я.

— Что ты здесь делаешь?

— То же самое, что и ты.

— В каком смысле?

— Иду по улице.

— Что, вот так просто идешь?

— А как еще? Ладно, ты узнала, в какой квартире она была?

— Ты следишь за Ольгой? — сообразила я.

— Это ты за ней следишь.

— Ничего подобного. Я просто... слушай, почему ты до сих пор в городе? Тебя же ищут?

— Как я мог уехать, не вернув тебе вещи? — удивился он. — К тому же я влюблен, а за границей скука смертная, вот я туда и не спешу. Так ты узнала, в какой квартире она была?

— В первой.

— Хозяин отсутствует? Может, заглянем в квартирку, вдруг найдем что-нибудь интересное?

— Заглянем? — не поняла я.

— Ну, да, — пожал Мигель плечами.

— Ты что, спятил, — начала я с возмущением, но тут же нахмурилась и спросила о другом: — А если он вернется?

— Дадим ему по башке.

— Идиот.

— Так заглянем или нет?

— Я боюсь.

— Тогда жди здесь, я один схожу.

— Нет уж, лучше вместе пойдем. Но если он и вправду вернется...

— Я что-нибудь придумаю, — засмеялся Мигель.

Поражаясь своей глупости, я вместе с ним вошла в подъезд.

— На улицу поглядывай, — шепнул он.

Я замерла на верхней ступеньке и уставилась на

улицу, Мигель за моей спиной возился с дверью. Она с легким скрипом открылась, Мигель сказал:

— Заходи. — Я жалобно вздохнула и поспешно вошла в прихожую. Он закрыл дверь и запер ее на щеколду. — Видишь, как все просто. Пока он возится с замком, мы вылезем в окно.

— А если он сразу позвонит в милицию?

— Не трать времени на разговоры, — подмигнул Мигель.

Квартира оказалась однокомнатной, бумажные обои в сальных пятнах, в кухне, кроме плиты, стола, двух табуреток и навесного шкафчика, ничего нет. В шкафу посуда, на столе банка кофе и коробка с сахаром. В комнате на первый взгляд тоже ничего интересного. Старенькая мебель, постельное белье, свернутое рулоном.

Я заглянула в шифоньер, на двух полках белье, свитер и две футболки. Открыла вторую створку, там вообще было пусто. Такое впечатление, что здесь никто не живет. По крайней мере, мало что указывает на присутствие квартиранта. Ни телевизора, ни холодильника, ни прочих полезных вещей.

Мигель оглядывался с усмешкой, как будто находил во всем этом нечто забавное. Мне очень захотелось бежать отсюда сломя голову.

— Идем, — зашептала я. Он продолжал внимательно осматриваться.

— Ну и берлога, — сказал со смешком, с этим я охотно согласилась. Его чем-то заинтересовал плинтус, а я обратила внимание на фотографию в рамке, она стояла на тумбочке возле дивана. На фотографии был изображен худой подросток, которого обнимала за плечи женщина лет тридцати. Мальчик без улыбки смотрел в объектив, а женщина широко улыбалась. И у нее, и у мальчика были светлые волосы, я решила, что это мать с сыном, хотя на этом сходство и заканчивалось. Женщина была красива, а мальчик — лопоухий, длинношеий, больше напоминал гадкого утенка. Мигель подошел сзади и взглянул на фотографию.

— Кого-нибудь напоминает? — спросил он.

— Не знаю. А тебе?

— Нет.

Если бы он не задал этот вопрос, вряд ли я стала бы разглядывать мальчишку столь пристально. И чем дольше я на него смотрела, тем больше крепла уверенность: он в самом деле кого-то мне напоминает. Но стоять и гадать кого было неосмотрительно, ведь мы вломились в чужую квартиру. Я достала мобильный и пересняла фотографию, решив, что с подростком разберусь позднее.

Мигель ушел в ванную и разглядывал там плитку на полу и стенах, даже руками ее пощупал. Более глупого занятия я и вообразить не могла. Желание покинуть квартиру с каждой секундой крепло, и я зашипела:

— Уходим.

— Не нервничай, — улыбнулся Мигель. — Парень здесь вряд ли станет хранить что-то важное, — пожал он плечами. — А жаль.

Он направился к двери, я припустилась за ним. «Вот сейчас столкнемся с хозяином нос к носу», — некстати подумала я. Мигель открыл дверь, и я не помню, как оказалась в подъезде, сбежала по трем ступенькам и едва не рухнула в обморок. Прямо напротив подъезда стояла милицейская машина. Мигель подхватил меня под руку и довольно громко сказал:

— Идем, а то опоздаем.

«Куда?» — мысленно удивилась я, но вслух спрашивать не стала.

Мы вышли из подъезда и направились к переулку, двое милиционеров, сидевших в машине, на это никак не отреагировали. Боясь поверить в свое счастье, я прошептала:

— Они не за нами?

— Надеюсь, что нет. Но все равно лучше оказаться от них подальше.

Рядом с моей машиной стоял видавший виды «Форд». Я очень удивилась, поняв, что Мигель приехал на нем. Впрочем, чему удивляться, его ведь милиция ищет, так что щеголять в дорогих костюмах и раскатывать на шикарных тачках, пожалуй, неразумно.

— Держи, — сказал Мигель, сунув мне в руки пакет.

— Что это?

— Вещи твоего отца. Ты что, забыла? У меня вопрос, детка. Где твоя охрана?

— Зачем мне охрана?

— А зачем она была нужна тебе раньше?

— Отстань от меня.

— Знаешь, ты меня расстроила. Теперь ломай голову, что ты затеяла, а главное, во что успела вляпаться. Не расскажешь по-дружески?

— Нечего мне рассказывать, особенно тебе.

— Может, мне твоему отцу позвонить? Он посадит тебя под замок, а у меня одной головной болью будет меньше.

— Только попробуй.

— Ладно, садись в машину, — вздохнул он.

Я и сама собиралась, но Мигель удержал меня, обнял за плечи и поцеловал.

— Не смей, — зашипела я. Он удивился.

— Извини, не смог удержаться.

— Когда ты наконец уберешься из города? — буркнула я, устраиваясь в машине.

— Как же я тебя без присмотра оставлю, — усмехнулся он.

Я поспешно тронулась с места, Мигель помахал мне рукой и дурашливо поклонился.

Глеб открыл дверь и сразу же заключил меня в объятия, шепнув:

— Я соскучился.

Я только головой покачала:

— Взрослый человек, а ведешь себя как мальчишка.

— Потому что хочу тебя?

— Потому что из больницы сбежал.

— Я совершенно здоров, ты сама в этом сможешь убедиться.

Он взял меня за руку и потащил в спальню. На смертельно больного он и впрямь не походил, и я решила получать удовольствие, а не читать ему нотации.

До двенадцати я пробыла у него, а в полночь, несмотря на его протесты, засобиралась домой.

— Завтра суббота, я приеду к тебе с самого утра.

— Я бы предпочел, чтобы ты не уезжала, — вздохнул он. — Я провожу тебя.

— До машины?

— Лучше до дома. Назад вернусь на такси.

— Плохая идея. Уверяю тебя, я способна добраться сама. Спокойной ночи, — я поцеловала его и вышла из квартиры.

Моя машина стояла неподалеку от дома Глеба, я уже подошла к ней и достала ключи из сумочки, когда рядом материализовался какой-то тип и сказал нараспев:

— А вот и наша красавица.

Только я собралась посоветовать ему убираться к черту, как к нему присоединился еще один. Этого я узнала сразу и затосковала.

— Ну что, детка, прокатимся? — спросил Витя.

Я огляделась и с прискорбием констатировала: улица пуста и на помощь надеяться не приходится. В памятный вечер гибели Эсмеральды Витя уже пытался увезти нас с Сонькой и вел себя очень нервно. Он и сегодня церемониться не стал. Сгреб меня за плечи и впихнул в подъехавший джип. Впереди рядом с водителем сидел очкарик.

«Ну вот, вся компания в сборе», — невесело подумала я и попыталась собрать остатки мужества, которых было совсем немного.

— В чем дело? — спросила я как можно спокойнее.

— Заткнись, — ответил очкарик, не поворачивая головы, и я сочла за благо замолчать.

Ситуация хуже не придумаешь. Четверо мужиков, я на заднем сиденье, с двух сторон головорезы с жуткими физиономиями, один из которых явный псих. Зачем я им понадобилась? Пока я гадала, что меня ожидает, машина петляла в лабиринтах старого города. То, что город мы не покинули, слегка меня воодушевило.

— Вас как зовут? — повернулась я к тому, что сидел справа.

Он вроде бы удивился:

— Чего?

— Как вас зовут? Должна же я как-то к вам обращаться.

— Попозже познакомимся, — заверил он. А я попыталась вспомнить имя очкарика. Безрезультатно. Я-то думала, мы больше не увидимся, и не пыталась хранить его в памяти, оказалось, напрасно.

Между тем, изрядно попетляв по переулкам, машина остановилась возле ничем не примечательного одноэтажного дома с довольно высоким забором, и мы въехали в узкий дворик. Здоровенный джип с трудом в нем разместился. Все четыре дверцы разом распахнулись, Витя вышел из машины первым и выволок меня.

Мы вошли в дом, двое парней остались в первой комнате, где, кроме нескольких стульев, ничего не было, а мы отправились дальше. Судя по всему, это был офис, либо недавно оставленный за ненадобностью, либо еще не обжитой. Вокруг какие-то ящики, сдвинутые к стенам столы и прочий хлам. В конце концов мы оказались в небольшой комнате без окон, где тоже, кроме стульев, ничего не было. Очкарик придвинул стул и устроился на нем. Мне присесть никто не предложил. Витя нависал надо мной, поглядывая с вожделением, в том смысле, что у него просто кулаки чесались, так не терпелось пустить их в ход. Мое беспокойство набирало обороты и переходило в тихий ужас.

— Может быть, вы все-таки объясните, — отчаянно начала я.

— Я тебе что говорил? — произнес очкарик. — Появится Мигель, позвони. Ты позвонила?

— Так ведь он не появился, — удивилась я.

— Витя, врежь-ка ей для начала.

Витя радостно хмыкнул, а я завопила:

— Не надо!

— Ты думаешь, я пошутил? — спросил очкарик.

Если честно, я так не думала. И поспешно покачала головой. Витя поглядывал на очкарика с сомнением, видно, ждал повторной команды врезать. Я очень надеялась, что ее не будет, но прекрасно понимала, что это вопрос времени. Следовательно, надо придумать план своего спасения, причем в рекордно короткий срок. В голове от страха образовалась пустота, оттого я и заревела.

— Ты со слезами подожди, — еще больше разозлился очкарик. — Где Мигель?

— Я не знаю, — заревела я еще отчаянней. — Я правда не знаю. Сами подумайте, откуда мне знать?

— Вы ведь успели подружиться, верно?

— Подружиться? Да с чего вы взяли?

— С того, сучка, — рявкнул Витя, — что ты с ним сегодня обнималась у меня на глазах!

«Это я зря», — чуть не брякнула я. Выходит, он видел нас сегодня возле дома на Луганской. Почему бы ему тогда и не прихватить Мигеля, если он им так нужен? Само собой, задавать этот вопрос я не стала, сосредоточившись на собственной безопасности. Ответ пришел сам, потому что я вспомнила про милицейскую машину, которая стояла по соседству. На глазах стражей порядка затевать военные действия они не рискнули, Мигель благополучно ушел, и эти олухи его потеряли. А теперь виноватых ищут и нашли меня. Большое им за это спасибо. Конечно, здорово, что сейчас мне все более-менее понятно, но проблемы это не решает. Как мне избавиться от этих типов, сохранив жизнь и здоровье?

— Я не ожидала его там увидеть, — убедительно начала я. — И очень испугалась.

— Не похоже.

— Я просто вида не показывала, но испугалась. А тут еще вы.

— У меня нет времени болтать с тобой, — заявил очкарик. — Ты знаешь, где он, или знаешь, как с ним связаться.

— Честное слово... — залепетала я, косясь на Витю, очкарик ему кивнул, и тот злобно зашипел:

— Говори, где он, иначе возьму тебя за крашеные патлы и размажу по стенке.

Пока я испуганно пятилась, он схватил меня за волосы и так дернул, что я взвыла, а этот гад отвесил мне пощечину.

— Послушайте, он ведь не дурак рассказывать мне, где прячется. Ведь ясно, что я сразу же все расскажу, как только спрашивать начнете.

— Пока ничего толкового ты не сказала, — злился очкарик. — В последний раз спрашиваю: где Мигель?

— Да здесь я, здесь, — услышала я знакомый голос и замерла от неожиданности.

Надо сказать, очень занятые, я — мыслями о своем спасении, очкарик с Витей — угрозами, мы совершенно не обратили внимания на то, что дверь в комнату уже некоторое время открыта. Мигель стоял на пороге и ухмылялся, причем я бы на месте парней при виде его ухмылки забеспокоилась. Впрочем, кроме ухмылки, было еще кое-что: в руках он держал пистолет, направленный на очкарика. Судя по всему, тот не сомневался, что Мигель пустит его в ход, и здоровяк тоже. Очкарик заметно побледнел, Витя сделал шаг ко мне, видно лелея надежду, что я стану живым щитом. Сообразив, в чем дело, я резко отпрыгнула, а Мигель сказал:

— Держись от девушки подальше, не то пристрелю.

— Ты и так пристрелишь, — с трудом произнес очкарик.

— Может, и нет. Там посмотрим. — И тут грохнул выстрел. Очкарик заорал, потому что Мигель ранил его в ногу. — Это я нечаянно, — заявил он. — Вдвоем вы мне без надобности, так что определяйтесь побыстрей, кто из вас желает ответить на мои вопросы.

— Чего ты хочешь? — завопил очкарик, а Витю слегка шатнуло, он, похоже, сообразил, кто здесь будет лишним.

И тут я сделала то, о чем страстно мечтала все это время. Подхватила стул и огрела им Витю. Тот этого не ожидал и рухнул, а Мигель сказал укоризненно:

— Не надо падать передо мной на колени. — Потом повернулся ко мне и поинтересовался: — Стул не очень тяжелый? Не хочется, чтобы ты надорвалась, милая.

— Он обозвал меня сукой. Это еще куда ни шло, но он назвал мои волосы крашеными патлами.

— Он что, спятил? — ужаснулся Мигель. — Да за такое убивать надо. А теперь, когда твой гнев немного остыл, будь добра, подожди в соседней комнате. Если будет шумно, прикрой ушки ручками, сюда не заглядывай. Мне надо поговорить с ребятами. Много времени это не займет.

Я вышла из комнаты, но в соседней задерживаться не собиралась. Естественным моим желанием было убраться подальше отсюда. Путаясь в лабиринте комнат, я неслась к выходу, пока не вспомнила, что где-то здесь обретаются еще двое типов, и стала продвигаться вперед с величайшей осторожностью. Вскоре достигла входной двери. Она оказалась запертой на ключ, ключ отсутствовал.

— Что же делать? — пробормотала я. На окнах решетки, дверь заперта. Я толкнула дверь в соседнюю комнату и увидела на полу что-то темное. Включила свет и едва не заорала. На полу ничком лежал парень, неловко подогнув под себя ногу. — Боже! — простонала я и поспешно выключила свет, а потом и из комнаты выскочила, сползла по стенке на пол, твердо решив лишиться сознания. И тут услышала крик, такой отчаянный, что у меня мороз пошел по коже. Крик перешел в поскуливание, я вновь заметалась по комнатам в поисках выхода. Но его не оказалось. Кончилось тем, что мне с самого начала советовал Мигель. Я заткнула уши. Когда я через какое-то время подняла голову с колен и убрала руки от ушей, в доме было тихо. Приоткрыв соседнюю дверь, я увидела Мигеля. Он стоял возле раковины и мыл руки. Я стиснула рот ладонью, боясь, что меня вырвет.

— Ты в самом деле псих, — пробормотала я.

— Периодически приходится соответствовать репутации, иначе совсем обнаглеют. Это мужские игры, деточка, не забивай себе голову.

— Да ты хоть понимаешь...

— Кто его стулом треснул? — засмеялся Мигель.

— Но я же стулом... и голова у него крепкая.

— На самом деле они меня здорово разозлили. Не стоило им тебя трогать. У нас возникли спорные вопросы, их и надо было решать, при чем здесь ты, скажи на милость?

— Я не хочу тебя видеть, — заявила я. — Немедленно выпусти меня отсюда.

— Идем, — кивнул Мигель, потряхивая руками, чтобы с них стекла вода.

Мы направились к входной двери.

— Не забудь свою сумку, — сказал Мигель, достав ключ из кармана брюк. — Вон она на подоконнике.

В самом деле, сумка стояла там, у меня ее отобрали еще в машине. Я схватила сумку, выскочила на улицу и едва не споткнулась. На ступеньках, раздвинув ноги, лежал еще один труп.

— Да что же это... — начала я.

— Осторожней, — наставительно изрек Мигель. — Куда ты так несешься? Дай-ка мне свой мобильный.

— Зачем?

— На всякий случай. Неизвестно, что тебе в голову придет. Мне здесь прибраться надо. — Выпустив меня через калитку, он протянул мне ключи. —

В переулке стоит светлая «Хонда», жди там. И без фокусов.

Я побрела в переулок, путаясь в ногах и мыслях. «Хонда» действительно стояла, я устроилась на заднем сиденье, удивляясь, зачем я это делаю. Тут что-то грохнуло, и небо возле дома, где я недавно была, осветила яркая вспышка, а через минуту появился Мигель.

— Что это было? — я перешла на шепот, Мигель тем временем успел занять водительское кресло.

— Машина взорвалась. А в доме пожар. Сейчас народ набежит.

— Ты хочешь сжечь дом? — опешила я.

— Конечно, хочу. Там же отпечатков, как грязи. Нужна мне морока с ментами.

Мы стремительно удалялись от дома, меня стало трясти.

— Испугалась? — заботливо спросил Мигель, поворачиваясь ко мне.

— Тебя гораздо больше, чем их.

— Я думал, мы друзья.

— С чего ты взял?

— Слушай, почему ты до сих пор в меня не влюбилась? Это даже обидно.

— Я вообще влюбляться не охотница.

— А как же парень, с которым ты спишь?

— Откуда тебе знать, что я с ним сплю?

— Если девушка гостит у мужчины до двух часов ночи, свет горит только в кухне да настольная лампа в спальне...

— Так ты окна разглядывал?

— Я исходил слюной, если тебе интересно.

— На такой случай держи при себе порнографический журнал.

— Дельный совет. Ладно, я никуда не спешу, посмотрим, что будет дальше. А что касается наших друзей в доме... Я ведь не учу тебя, как вести дела в твоей конторе. Вот и ты не лезь.

— Витю жалко, — чуть не плача, сказала я. — Он же просто идиот.

— Дурочка, — покачал головой Мигель. — Держи свой мобильный.

— Как ты здесь оказался? — немного успокаиваясь, спросила я.

— Не трудно догадаться. Когда мы с тобой простились, за мной увязались шустрые ребята. Я от них ушел и поспешил тебя найти. Увидел машину возле дома твоего любовника и очень обрадовался.

— Значит, ты все это время за мной следил?

— Приглядывал. Твоя охрана бока отлеживает, вот и приходится за них работать. Я был уверен, что ты останешься у своего парня до утра, и малость расслабился. Оттого чуть не прозевал момент, когда они тебя прихватили, и не успел вмешаться. Пришлось двигать следом и ждать удобного случая. Ну вот, твоя машина, — притормозив, обрадовал меня он. Я схватила сумку и поспешила выйти. — Я тебя провожу! — крикнул мне Мигель вдогонку.

— Чтоб ты провалился, — буркнула я себе под нос.

Я ехала домой, Мигель плелся сзади. Я достала мобильный из сумки и вертела его в руке. Надо звонить в милицию. Перевела взгляд на зеркало. Позвоню и назову номер «Хонды» или, еще проще, назову свой адрес, возле моего дома они и будут его ждать. Такому психопату, как он, место в тюрьме. Одна улица сменяла другую, а я так и не позвонила.

Впереди показался мой дом, и стало ясно: я не буду звонить. Мигель пришел меня выручать, хотя мог бы и не вмешиваться... И вовсе не за мной он пришел, он хотел что-то узнать. Скорее всего, так. Но если все-таки за мной? Если бы он не рассказал мне о той девушке, я бы позвонила в милицию. А теперь я думаю: он хотел меня спасти, сделать то, что должен был сделать много лет назад. Его мать права, в нем действительно уживаются два разных человека. Жаль, что их нельзя держать врозь, и если я отправлю в тюрьму одного, там неизбежно окажется и другой. Он спас меня, и я не стану сдавать его. Будем считать, что мы квиты. Очень хочется верить, что на этом все и закончится.

Поднимаясь на второй этаж, я услышала голос отца:

— Аня, это ты вернулась?

— Да, папа. Не беспокойся.

Прошла в свою комнату и первым делом наревелась досыта. Голова разболелась, зато на душе полегчало. О том, чтобы лечь спать, не могло быть и речи, я знала, что не усну. Достала из сумки мобильный и, соединив его с компьютером, распечатала фотографию, которую сделала в квартире. Потом долго ее разглядывала.

Очень захотелось сразу же отправиться к Соньке или хотя бы позвонить. Я с трудом отговорила себя от этой затеи. Зато в девять утра уже стояла на пороге Сонькиной квартиры. Подружка удивилась раннему визиту.

— Ты что в такую рань? — Я сунула ей под нос фотографию. Она несколько минут ее разглядывала, потом буркнула: — Так это же Пашка.

— Уверена?

— Конечно. Только здесь ему лет тринадцать. Где ты ее взяла?

— Вчера Ольга заезжала на одну квартиру. Квартира съемная. Живет там молодой парень. Его я не видела, зато нашла там эту фотографию.

— А как ты в квартиру попала? — растерялась Сонька.

— В форточку влезла, — соврала я, чтобы не рассказывать о Мигеле.

— Ты что, спятила? Почему меня не позвала?

— Соня, ты в своем уме?

— А ты? Она лазит в форточку, а я даже ничего не знаю. Хороша подруга. Подожди, это что получается? Пашка знаком с Ольгой Леонидовной?

— Выходит, так.

— Немедленно едем к этому мерзавцу. Я ему устрою...

— Что ты ему скажешь? — попыталась я умерить ее пыл.

— То и скажу: куда ж ты, любимый, подевался?

— Я серьезно.

— По дороге придумаю. Едем.

Что Сонька придумала по дороге, я так и не узнала. Дверь первой квартиры нам никто не открыл. Я достала клочок газеты с номером телефона хозяйки, решив, что другого способа узнать, куда делся Пашка, просто нет.

Женский голос звучал утомленно:

— Слушаю.

— Я по поводу вашего квартиранта, Павла. Вы ведь сдаете квартиру?

— Ну, сдавала. Вчера вечером жилец съехал, ключи привез. Только его Эдик зовут.

— Эдик? А фамилия?

— Сейчас посмотрю, у меня записано... Туров, Эдуард Матвеевич. А чего случилось-то?

— Он мне денег должен, — ответила я, не желая пускаться в объяснения.

— Ну, не знаю, где вы его теперь искать будете.

— А где он работает?

— Не говорил. Да я и не спрашивала. Он заплатил вперед за полгода, прожил только пять месяцев. — Женщина повесила трубку.

— Это что ж такое, — всплеснула Сонька руками. — Про учебу врал, про то, где живет, тоже, а теперь еще и имя не его. Нюся, может, с квартирой мы чего-то напутали? Надо с Ольгой поговорить.

— Сомневаюсь, что она будет с нами откровенничать. Сможешь на такси домой добраться?

— А ты куда?

— К Глебу. Без его помощи мы не обойдемся.

Глеб встретил меня улыбкой и букетом цветов, держа его в руке, он и открыл дверь. Правда, от букета поспешил избавиться и заключил меня в объятия. Но потом, взглянув на меня, нахмурился:

— Аня, что случилось?

— Я могу тебе доверять? — в свою очередь спросила я.

— Разумеется. Так что случилось?

Мы прошли в гостиную, и, устроившись на диване рядом с Глебом, я рассказала ему все, что узнала сама с момента убийства Эсмеральды. Он слушал и мрачнел на глазах. Потом взял телефон и минут пять разговаривал с каким-то Сергеем. Попросил его встретиться с Надеждой, у которой Павел снимал квартиру по известному адресу, и узнать по возможности все о ее недавнем жильце.

— Ему понадобится время, — возвращаясь ко мне, сказал Глеб, поразмышлял о чем-то и спросил: — Ты уверена, что все эти события имеют отношение к твоему отцу?

— А у тебя есть сомнения? — усмехнулась я.

— Допустим, ты права. И все же... это мало похоже на происки конкурентов. Скорее... скорее личная месть.

Я достала распечатанную фотографию и протянула ему. Глеб взглянул на снимок, выражение его лица вдруг изменилось, и, когда он перевел на меня взгляд, в нем было нечто большее, чем беспокойство.

— Это... — начал он, а я пояснила:

— Тот самый Павел, который вовсе не Павел, а Эдик.

— А женщина? — спросил Глеб хрипло.

— Женщина? — удивилась я. — Наверное, его мать. Кто же еще?

— То есть ты не знаешь эту женщину?

— Меня интересует Павел. Эсмеральда была уверена, что моему отцу угрожает опасность, она якобы случайно познакомилась с частным детективом и поручила ему в чем-то разобраться. Будь он настоящим детективом, сейчас, скорее всего, давал бы показания в милиции. Но он там не появился. Само знакомство с ним выглядит довольно подозрительно. После того что мы узнали о Павле, у меня нет сомнений в том, что и наша встреча отнюдь не случайна, а произошла она после того, как мы проявили интерес к Ольге Леонидовне. Павел обаял Соньку, она разболтала ему о нашем расследовании, а он, хотя вроде бы особого интереса не проявлял, вопросы все-таки задал. Потом оказалось, что они хорошо знакомы с Ольгой. У нас странные несчастные случаи и убийство девушки, которую эти случаи тоже интересовали. Я почти уверена: парень, что расспрашивал девчонок из «Карусели», Павел и есть. Жаль, что нет другой фотографии, на этой они могут его не узнать. Мне самой понадобилось время... Илья видел детектива, и, по его словам, он скорее напоминал студента, девушки из «Карусели» тоже описывают его как молодого, интеллигентного вида парня. Павел ловко водил Эсмеральду за нос, но она, должно быть, что-то заподозрила, или они решили, что она стала для них опасна, и девушка погибла. Эсмеральда намекала на заговор против моего отца, и речь шла о некой женщине.

— У которой с твоим отцом личные счеты? — закончил Глеб.

— Личные или нет, не знаю.

— Я уже сказал, на происки конкурентов это не похоже. Ты считаешь, что эта женщина — Ольга Леонидовна?

— Нам надо найти Пашку, — вздохнула я.

— Аня, — быстро начал Глеб, словно собравшись с силами, но его порыв вдруг сменила неуверенность. — Что ж, попробуем.

— Понятия не имею, что общего у Ольги Леонидовны с моим отцом, — продолжала я размышлять вслух. — Но что-то должно быть... или я ошибаюсь, и речь идет о другой женщине.

— Вряд ли ошибаешься, — пробормотал Глеб. Он был задумчив и как будто что-то пытался решить для себя. Решение по некой причине давалось ему с трудом. — Она знакома с компаньоном твоего отца?

— Он назвал ее милейшей женщиной.

Глеб нахмурился, закурил и стал чересчур пристально разглядывать стену напротив.

— Есть идеи? — проявила я интерес.

— Аня, — вновь начал он и опять смешался. — Идей сколько угодно и ни одной стоящей. Ты права, этого Павла необходимо найти.

— Можно попытаться поговорить с Ольгой Леонидовной.

— Если она замешана в этом деле, разговор ничего не даст. Мы только спугнем ее. Парень затаится, и найти его станет еще труднее.

— Тогда попробую поговорить с отцом. Если он знает эту женщину... — Я не успела закончить свою мысль: зазвонил мобильный.

— Чем занимаешься? — спросил папа, голос его звучал как-то неуверенно.

— Мы с Сонькой пытаемся разыскать ее парня.

— Что значит «разыскать»?

— Он не отвечает на звонки, и Сонька нервничает. Скажи, пожалуйста, ты знаком с некой Ольгой Леонидовной, красивой женщиной лет тридцати пяти?

— Нет, — подумав, ответил отец.

— Кажется, она хозяйка ресторана «Лебедь».

— А-а... Николай Иванович что-то мне говорил.

— Правдин ее хорошо знает?

— Мне трудно ответить на твой вопрос. Если хочешь, я ему позвоню. Что, собственно, тебя интересует?

«Меня интересует, есть ли у нее повод делать тебе пакости», — очень хотелось ответить мне, но я, конечно, промолчала.

— Нет-нет, папа. Звонить не нужно.

— Отец с ней даже незнаком, — пожала я плечами. Глеб вроде бы не обратил внимания на мои слова, по-прежнему погруженный в свои мысли.

Наконец позвонил Сергей. За те несколько часов, в течение которых мы с Глебом строили предположения, он многое успел. Например, встретился с хозяйкой. Та рассказала ему то же, что и нам. Паспорт жильца она видела и списала данные, которыми охотно поделилась. Туров Эдуард Матвеевич был зарегистрирован по адресу: Мещерская, д. 8а. Сергей отправился туда и застал хозяина дома. Сильно пьющий мужчина лет тридцати очень удивился его приходу и не мог взять в толк, чего от него хотят. То, что он якобы снимал квартиру, вызвало у него еще большее недоумение и даже гнев. Дом на Мещерской принадлежит ему, он получил его в наследство от матери. Так что снимать квартиру ему бы и в голову не пришло. Тогда Сергей поинтересовался, не давал ли он кому-то из знакомых свой паспорт. Эдуард это категорически отрицал, но паспорт найти не смог. Сергей сделал фотографию на мобильный телефон и переслал ее нам. Взглянув на опухшую физиономию Турова, я убедилась: он вовсе не тот, кого мы ищем. Хотя отдаленное сходство есть. Как раз такое, чтобы не вызвать вопросов у хозяйки квартиры, которая, получив деньги за полгода вперед, на радостях фотографию в паспорте не особо разглядывала.

— Все ясно, — кивнул Глеб. — Он снял квартиру по чужому паспорту, украв его у случайного пьянчуги.

— Черт, как же его найти?

— По-моему, у нас только один выход: поговорить с Ольгой.

— Ты сам сказал, что это ничего не даст.

— Тогда устроим за ней слежку, может, выведет нас на этого Павла. Пожалуй, ничего другого не остается.

— А если он не только оставил квартиру, но и город? Следя за Ольгой, мы можем узнать, какова ее роль во всех этих событиях. Но если я ошибаюсь и она совсем не та женщина, мы лишь напрасно потеряем время. Я вот что подумала, — произнесла я. — Он рассказал нам о детском доме, скорее всего, только для того, чтобы вызвать доверие... но...

— Но? — переспросил Глеб.

— Привлечь к себе внимание можно разными способами. Например, спасти девушку от хулиганов, — улыбнулась я, Глеб тоже улыбнулся, но както невесело.

— Ты хочешь сказать, что его действительно может что-то связывать с детскими домами?

— Почему бы и нет?

— Моя фирма уже два года оказывает спонсорскую помощь детским домам в нашем городе, заведующую одного из них я знаю очень хорошо. Она не откажется помочь. Хочешь, чтобы я ей позвонил?

— Конечно. Позвони и договорись о встрече.

Конечно, я могу заблуждаться, и с детскими домами Павла вовсе ничего не связывало. А если и связывало, то это мог быть детский дом в любом другом городе. Но попробовать стоило. Глеб позвонил своей знакомой, и та заверила его, что не только с удовольствием встретится с ним сама, но и обзвонит своих коллег с просьбой оказать нам всяческое содействие.

Встретили нас исключительно приветливо. Я перегнула фотографию, позаимствованную из квартиры, пополам, чтобы не отвлекать внимание на женщину, и показала ее заведующей. Никого похожего она припомнить не смогла ни из бывших воспитанников, ни из тех ребят, что приезжали в детский дом с подарками. Я не слишком рассчитывала, что нам повезет, но и надежды не теряла, и, поблагодарив женщину, мы отправились к ее коллеге, в детский дом № 1. Он находился в центре города, большое старое здание из красного кирпича. Заведующей было лет шестьдесят, невысокая, полная и очень подвижная, несмотря на возраст и дородность. Седые волосы она не красила, собирала в пучок на затылке. Карие глаза лучились добротой и весельем. Раз взглянув на нее, становилось ясно: человек она хороший, и работа для нее, пожалуй, главное в жизни. В общем, я не сомневалась: воспитанникам с заведующей повезло.

— Марина Сергеевна мне звонила, — сказала она, направляясь вместе с нами в свой кабинет. — Очень хорошо, что вы сегодня приехали. Я с понедельника в отпуске. Проходите. — Она распахнула дверь, пропуская нас вперед. Комната мало походила на кабинет. Правда, был здесь письменный стол и стеллажи с бумагами, но в целом выглядела она по-домашнему уютно. — Решила к дочке съездить в Красноярск, она там с семьей живет, — продолжала Мария Федоровна. — Давно собиралась, да все никак. Самолетом лететь боюсь, а на поезде уж очень долго. Дочка обижается, говорит, внуков вижу редко, чужим детям куда больше времени уделяю. Так и есть. Я ведь в этом детском доме сорок лет работаю. Начинала нянечкой, потом воспитателем и двадцать один год заведующей. На пенсию бы надо, молодым дорогу дать, но куда ж я без работы? Да и не работа это для меня вовсе, вся жизнь здесь. — Она устроилась за столом, надела очки и спросила: — Кого ищете?

— Вот этого молодого человека, — ответила я, выложив сложенную фотографию на стол.

Она посмотрела внимательно и кивнула:

— Как же, помню. Валька Жидков. Наш воспитанник. — От такой удачи я, признаться, растерялась и не сразу задала следующий вопрос. — Мы с ним здорово намучились. Характер у парня был не приведи господи. Да и понятно. Родители алкоголики, мальчишка, бывало, в собачьей конуре спал. В общем, определили его к нам. Он сначала все убегал. Родителям не до него было, но ведь ребенок... мать он все равно любил. Я уж и собаку его сюда взяла, думала, ему все полегче будет. Потом мать его умерла, отравилась какой-то гадостью. А вскоре и отец сгинул, это когда Валька уже в армии был. После смерти матери он замкнулся, мог неделями ни с кем не разговаривать. Хотели его в специнтернат переводить, вроде как с отклонениями он. Еле отбила парня.

— Вы сказали, он был в армии?

— Да. Был. Оказался в горячей точке. Награду получил. Нам из военкомата сообщили. Он с виду тщедушный, но с характером. За себя всегда мог постоять. Дрался отчаянно, за это ему часто от воспитателей попадало. Набычится, молчит, не то что прощения попросить, просто слова не скажет. Он немного странный был, трудно к такому подход найти. Только к одной воспитательнице он привязался по-настоящему, но она у нас недолго проработала. Так вот, он к ней был очень привязан, а она к нему. Все еще удивлялись, с ней он добрый, ласковый, ходит за ней, точно тень. Когда она уволилась, он опять сбежал. Нашли его только через неделю, думаю, он ее искать отправился. Женщина она оказалась тоже со странностями, ни с кем из сотрудниц не сошлась, но работником была хорошим. Валька ходил у нее в любимчиках. Посмотрю иной раз, они сидят обнявшись, когда никого рядом нет, можно подумать, мать с сыном. Мне казалось, они даже внешне похожи.

Я развернула фотографию и спросила:

— Это случайно не она?

— Она. Точно. Фотографию эту Валька всегда с собой носил, тосковал он по ней очень.

— А почему она уволилась?

— Почему? Свою историю она мне рассказала, только не знаю, правда это, или она все выдумала. Замужем она была за каким-то новым русским, он ее выгнал и ребенка отобрал. Да еще пригрозил: если она появится — убьет. Он в этом городе жил, сама-то она была из района. Ну, муж якобы узнал, что она сюда перебралась, и стал ей угрожать. Только, если честно, не верю я в это.

— Почему не верите? — нахмурилась я.

— Ну... как сказать... не очень-то она походила на несчастную. И характер у нее был вроде Валькиного. Такая никакого нового русского не испугается и ребенка своего не отдаст. Женщина она красивая, мужчины у нее были, я не раз видела, как после работы ее встречали на машинах, да все на заграничных. Одевалась она хорошо, вещи дорогие, а на нашу зарплату особо не расфасонишься. Думаю, попала она в историю, вот и поспешила уехать.

— Когда она у вас работала?

— Лет десять назад, сейчас точно скажу... — Мария Федоровна направилась к одному из стеллажей, достала толстую тетрадь и начала ее листать. — Вот, нашла. Девять лет назад. Вальке, когда она уволилась, было четырнадцать. Через четыре года он в армию ушел.

— А после армии вы с ним не встречались?

— Нет. Он не приходил. Знаю, отцовский дом он продал, и где живет теперь... — Она пожала плечами.

— А как имя этой женщины?

— Имя у нее было редкое. Амелия ее звали. Ильина Амелия Николаевна, вот тут все, дата рождения...

Она положила передо мной тетрадь, я читала запись, все еще надеясь, что это какое-то недоразумение. Но от этой мысли очень быстро пришлось отказаться.

Торопливо простившись с Марией Федоровной,

я побрела к выходу. Глеб шел рядом, с беспокойством поглядывая на меня. За все время нашего разговора он не произнес ни слова, погруженный в собственные мысли, но сейчас все-таки спросил:

— Ее имя... — и тут же замолчал.

— Так звали мою мать, — резко ответила я. — Я видела свидетельство о браке. Все сходится.

— А свидетельство о смерти ты тоже видела?

— Нет.

— А ее могилу?

— Отец сказал, что мою мать кремировали, она так хотела.

— Аня, скажи, пожалуйста, — очень мягко продолжил Глеб, держа меня за руку. — Тебе это никогда не казалось странным?

— Нет. Не знаю. Наверное.

«Какая же я дура», — думала я по дороге к машине. Почему, почему я ни разу не усомнилась в рассказе отца? Ведь история в самом деле более чем странная. Теперь стали понятны и отсутствие фотографий в доме, и нежелание отца говорить о моей матери. Я-то думала, это потому, что он все еще испытывает боль, вспоминая о ней, а дело было в другом... Он выгнал ее, отобрал ребенка, лишил меня матери. Неужели мой отец способен на такое?

— Ему придется все мне объяснить, — сказала я, садясь в машину.

— Ты хочешь поговорить с ним сейчас?

— Разумеется, хочу, — усмехнулась я.

— Не надо, Аня, — сказал Глеб. — Я сам тебе все расскажу. — И замолчал.

— Ты? — повернувшись к нему, спросила я.

Взгляд он отвел.

— Ты хотела знать, что произошло между мной и твоим отцом... Это касается твоей матери.

— Нет, — покачала я головой, потом сказала: — Выкладывай.

— Когда я познакомился с Борисом, он уже был женат, — помедлив, заговорил Глеб, по-прежнему избегая моего взгляда. — Мы стали друзьями, и он... он познакомил меня со своей женой. Мне казалось, у них прекрасная семья, он очень любил ее, это чувствовалось, да твой отец и не скрывал этого. Он был старше, мы с ней ровесники. Не знаю, как это получилось... в общем, в какой-то момент я заметил, что она... что ее интерес ко мне далек от дружеского.

— И ты стал ее любовником? — усмехнулась я.

— Да, стал. Я был очень молод, а она так красива и... конечно, это не оправдание. Но случилось то, что случилось.

— И мой отец вас застукал?

— Она сама ему сказала. Если честно, я не считал нашу связь чем-то серьезным. И очень скоро стал думать о том, что... это надо прекращать. Но она думала иначе.

— Она любила тебя?

— Наверное. Или ей так казалось. Однажды она позвонила и огорошила меня тем, что все рассказала мужу. Что она не хочет больше с ним жить и переезжает ко мне. Я был к этому не готов. Более того, нашей совместной жизни просто не представлял. Кроме постели, на мой взгляд, нас ничего не связывало.

— И что ты ей ответил?

— Правду. Сказал, что она сделала глупость. Муж любит ее, а я нет. Я тогда только что познакомился с девушкой, которая очень мне нравилась. В общем, я повел себя совсем не так, как она ожидала. Я был уверен, что твой отец ее простит, он очень любил ее... И все как-то устроится. Но она ушла от него, оставив тебя ему. Уехала из города, не знаю куда. Если честно, я и не интересовался. С твоим отцом мы после этого встретились лишь однажды. Я поехал к нему, чтобы объясниться. Это было тяжело, но я считал, что должен это сделать. Слушать меня он не стал. Разумеется, меня это не удивило. Я бы на его месте поступил так же. Он сказал, что, если бы я не спас ему жизнь, он бы убил меня.

— Что еще за история?

— Банальная. Мы попали в аварию. Машина загорелась, твой отец не мог выбраться из нее сам, мне здорово досталось, но я выбрался и вытащил его. Буквально через минуту после этого машина взорвалась. С этого и началась наша дружба. — Глеб потер лицо ладонью и отвернулся.

— История что надо, — усмехнулась я.

— Сегодня, когда я увидел фотографию, — заговорил он, — я решил: ты знаешь, что на ней твоя мать. Но женщина тебя совсем не интересовала. Мне стало ясно, что ты не только ничего не знаешь о своей матери, ты даже никогда не видела ее фотографии. — Он поднял голову и впервые за все это время посмотрел мне в глаза. — Тут вот еще что, Аня. Увидев впервые Ольгу Леонидовну, я подумал... у меня было странное чувство, что мы когда-то встречались. Но я не мог вспомнить, где и при каких обстоятельствах. Пока ты не сказала о пластических операциях.

— Черт возьми, почему ты молчал?

— Аня, я просто не мог тебе сказать. Твой отец... я должен был думать о нем и о тебе.

— Жаль, что тебе не пришло это в голову раньше, когда ты спал с моей матерью. Значит, Ольга — моя мать? — сказала я и покачала головой.

В такое невозможно поверить. Эта женщина... Я хотела понять, какие чувства испытываю. Обиду на отца? Наверное. Но его поведение худо-бедно объяснимо. Но она? Почему она молчала? Мы же виделись, и Ольга... Тут мне стало ясно, назвать эту женщину матерью я даже мысленно не могу. А потом совсем другое пришло в голову. Ольга приехала в этот город несколько лет назад. Мигель сказал, что она была его любовницей. Но на фотографии, где она рядом с Павлом, точнее, с Валентином Жидковым, Мигель ее не узнал. Выходит, уже тогда она выглядела иначе, очевидно, прибегла к помощи пластической хирургии. У Ольги был повод не питать добрых чувств к отцу, но одно дело — не испытывать симпатии к человеку, и совсем другое дело — его ненавидеть. Для ненависти необходимо что-то еще, кроме давнего развода, инициатором которого была сама Ольга. Возможно, она встречалась с отцом в то время, когда работала в детском доме. Надеялась, что он позволит ей видеться со мной? Допустим, он отказал. Мог отказ стать причиной ее ненависти? Не похоже, что Ольга рвалась со мной увидеться, по крайней мере сейчас. Когда она уволилась из детского дома, Валентину было четырнадцать. Ольга, по словам Мигеля, шесть лет назад стала его любовницей. Уже тогда у нее была другая внешность и другое имя. Хотя тут наверняка не скажешь. Но, скорее всего, так и есть. Жидков пытался найти ее, но безуспешно, возможно, как раз потому, что имя и внешность она изменила. Потом вышла замуж и уехала за границу. Жидков ушел в армию, отслужив, вернулся в этот город. И с Ольгой они встретились. Несколько лет назад или совсем недавно, но встретились. Допустим, не факт, что он был знаком с Эсмеральдой, но возле нас крутился не случайно. Остается узнать главное: он действовал самостоятельно или с подачи все той же Ольги?

Я вздохнула и, глядя на Глеба, сказала:

— Я не могу поверить, что она моя мать. Просто не могу. Допустим, моя мама жива, но... как ты можешь быть уверен, что Ольга та самая женщина, с которой у тебя был роман двадцать лет назад? Ее облик не имеет ничего общего с фотографией.

— Хорошо, пусть так. Я ошибся, и она вовсе не твоя мать. Но как тогда объяснить появление этого Жидкова? Он хорошо знал твою мать и с Ольгой знаком, если она приезжала к нему на квартиру. Это что, тоже случайность?

Я не знала, что ответить.

— Единственный способ все выяснить — поговорить с ней, — вздохнула я.

— Сначала следует поговорить с Максимом, — сказал Глеб. — У меня к нему много вопросов. И все касаются Ольги.

Глеб посмотрел на меня, и я почувствовала, что он чего-то недоговаривает. Мы отправились к Максиму. По дороге Глеб позвонил ему и предупредил о нашем приезде. Максим выглядел даже хуже, чем в прошлый раз. Такое впечатление, что он находился в длительном запое. Спиртным, кстати, от него несло за версту, что делало мои догадки вполне обоснованными.

— Ольга здесь? — спросил Глеб, входя в гостиную.

— Не видел ее уже два дня, и на звонки не отвечает, — усмехнулся Максим. — Знаешь, мне кажется, она меня бросила.

— С чего вдруг?

— Я недостаточно хорош для нее. Она назвала меня размазней и неудачником. Как считаешь, она права?

— Не болтай глупости. Лучше сядь и выслушай меня. Когда ты познакомился с Ольгой, она уже водила дружбу с Павликовым?

— Какая дружба? — возмутился Максим. — Этот тип ее преследовал. Прохода не давал. Он же форменный бандит. Если он что-то хочет, он это получает. Ольга была в отчаянии.

— Что-нибудь, кроме ее собственных слов, это подтверждает? — спросил Глеб.

— Что ты хочешь сказать? — растерялся Максим.

— Я только задал вопрос. Ты знакомишься с красивой женщиной, влюбляешься, и она рассказывает тебе, что ее домогается какой-то бандит. Ты пытался с ним поговорить?

— По-твоему, я спятил? Нет, не пытался. Я видел, Оля боится его. И знал, что повод для этого у нее есть, — Павликов мерзавец, каких поискать. И он ни перед чем не остановится.

— Ольга обратилась к детективу? Так?

— Да.

— С какой целью?

— Я тебе рассказывал: она, то есть мы надеялись получить на Павликова компромат. В этом случае он оставил бы ее в покое.

— Тебе не кажется это глупостью? — мягко спросил Глеб.

— Нет, не кажется. Мы должны были что-то сделать и...

— Детектива нашел ты или Ольга?

— Оля. Он когда-то ей помог. Приличный парень, главное, надежный.

— Ты с ним встречался?

— В этом не было необходимости.

— То есть с ним имела дело Ольга? — уточнил Глеб.

— Ну да...

— А потом Павликов погиб, и некто стал тебя шантажировать.

— Да иди ты к черту! — взорвался Максим. — На что ты намекаешь?

— В прошлый раз ты рассказал мне эту историю, и я был склонен в нее поверить. Даже обещал тебе помочь. Ты должен был договориться с шантажистом о времени и месте передачи денег, моя задача была его выследить и установить, кто он. Но накануне того дня, когда все это должно было произойти, я оказываюсь в больнице.

— Ну, да. Мы с тобой еще решили, что шантажист каким-то образом узнал о наших планах и попытался вывести тебя из игры.

— Точно. Вот только каким образом он узнал, Максим?

— Я не понимаю, — нахмурился тот.

— А я, кажется, кое-что начал понимать. Шантажист заявил, что у него есть доказательства твоей причастности к убийству.

— Прекрати! — взорвался Максим и посмотрел на меня.

— Пусть присутствие Ани тебя не смущает. Ее все это напрямую касается.

— Каким образом?

— Я сейчас не об этом. У шантажиста якобы были доказательства, которые он, в случае если ты не заплатишь, отправит в милицию. Что за доказательства?

— Детектив следил за Павликовым, шантажист узнал об этом. Он вполне мог представить дело так, что цель слежки — убийство.

— А тебе не пришло в голову, что детектив и шантажист — одно и то же лицо? И он действительно убил Павликова.

— Но зачем? — опешил Максим.

— Затем, чтобы получить деньги. Ты ни разу не встретился с детективом. Даже после того, как тебя стали шантажировать. А ведь поговорить с ним было вполне естественно. Вместо этого ты выкладываешь кругленькую сумму, хотя должен был знать, что это не решит проблему. Он может шантажировать тебя до бесконечности. Если бы ты сам пошел к следователю и все рассказал...

— Где гарантия, что они мне поверят? — запальчиво ответил Максим.

— Думаю, дело все-таки не в этом. Шантажист настаивает, чтобы деньги ему передала Ольга. Вроде бы логично, от женщины не ждешь особых неприятностей. Ольга оставляет сумку с деньгами в определенном месте... и что происходит дальше?

— Он забирает деньги, а твои ребята его бездарно прошляпили.

— Да. Именно так. По мнению Сергея, парень либо фокусник, либо... — Глеб помедлил и резко произнес: — Либо ему очень помогли. Из переулка, где Ольга должна была передать шантажисту деньги, он не мог выбраться, минуя ребят Сергея, значит, он ушел тем же самым путем, что и Ольга. Точнее будет сказать, ушел одновременно с ней, но она утверждает, что никого там не видела. Остановила машину в подворотне, бросила сумку, как договаривались, возле мусорных баков и уехала. Ребята держались рядом, не входя во двор дома, чтобы не спугнуть шантажиста. Как только Ольга уехала, они перекрыли все выходы, но... шантажиста не обнаружили. Только пустую сумку. Парень словно растворился в воздухе вместе с деньгами.

— Не растворился. Просто оказался умнее твоего Сергея.

— Или сел в машину к Ольге и уехал вместе с ней, — Глеб пожал плечами. — Ты умный мужчина, и я уверен, ты с самого начала догадывался о том, что происходит, оттого и предпочел не обращаться в милицию. Вот только не знаю, на что ты надеялся. Неужто в самом деле верил в ее любовь? И сейчас веришь?

— Замолчи! — крикнул Максим.

— Ольга с самого начала была заодно с шантажистом, не удивлюсь, если этот гениальный план принадлежит именно ей. Аня проявила интерес к Ольге, и в ее окружении сразу появился некий молодой человек, который предпочел скрываться под чужим именем. Разговор с Аней натолкнул меня на догадку. Я раньше знал одну женщину, давно, много лет назад. И теперь я не сомневаюсь — это Ольга. Правда, тогда ее звали иначе. Ольга меня узнала сразу, не думаю, что я очень переменился, да и имя, в отличие от нее, не менял. Расскажи я тебе все, и ее план полетел бы к чертям. Вот она и поспешила от меня избавиться.

— Чушь, — не выдержал Максим. — Все это просто чушь. Я уверен, что этот тип вынудил ее, она... она не могла, — жалко закончил он, покачал головой и, уткнувшись лицом в ладони, замер в кресле.

Мы сидели в молчании, наконец Максим поднял голову, слезы катились по его щекам, я поспешно отвернулась, чтобы этого не видеть.

— Она использовала тебя, — вздохнул Глеб. — И вот еще что. Я мог рассказать тебе о своем знакомстве с ней, но это вряд ли бы повлияло на твои планы, хотя тот факт, что она сменила имя, должен был тебя насторожить. Однако если ее сообщник пытался меня убить, значит, эта афера далеко не последняя.

— Что? — произнес Максим.

— Думаю, об этом нужно спросить у нее. Где, по-твоему, она может быть?

— Не знаю, — вяло ответил Максим. — На звонки она не отвечает. Я ездил к ней, дома ее нет. Наверное, уехала. Как думаешь, этот тип ее любовник? И она все это время...

— Извини, сейчас меня больше волнует другое. Где она живет?

Максим продиктовал адрес, Глеб кивнул мне и направился к двери.

— Пусть подавятся моими деньгами, — пробормотал Максим. — Какой же я идиот...

С последним замечанием трудно было не согласиться. Теперь многое стало понятно, но остается выяснить главное: какое отношение Ольга имеет к убийствам девушек и имеет ли вообще? Деньги ей были необходимы, она обещала Мигелю отдать долг. Возможно, по этой причине и затеяла аферу. И решилась на убийство? Ведь Павликова застрелили. Пусть он бывший бандит, но убийство остается убийством. Что я скажу этой женщине, когда ее увижу? Я невольно поежилась. Через столько лет узнать, что твоя мать жива, и вслед за этим услышать, что она не брезгует ничем, чтобы заполучить деньги? А если Максим прав и она просто игрушка в чьих-то руках, беспомощная, страдающая? К Ольге эти эпитеты подходят мало, и все-таки я надеялась... это было лучше, чем считать ее хладнокровной преступницей. Что, если все дело в Жидкове? Лишившись своего ребенка, она привязалась к чужому. Мальчик со странностями, который воевал и бог знает что успел испытать. Немудрено съехать с катушек. Он нашел ее и вынудил ему помогать. Она считает себя виноватой оттого, что оставила его, и не решилась ему отказать...

Тут я вспомнила об Илье и торопливо набрала его номер, коротко объяснила, в чем дело, и переслала фотографию Жидкова. Илья перезвонил через пять минут.

— Не уверен, что это тот самый парень, которого я видел с Ириной, — сказал он. — Хотя, в общем, похож... Я могу чем-нибудь тебе помочь?

— Пока не знаю, — ответила я и захлопнула телефон.

Мы уже сворачивали к дому, где жила Ольга, Глеб остановил машину и повернулся ко мне:

— Аня, нам надо решить, что делать.

— Я хочу с ней поговорить, — ответила я.

— Не знаю, кто из них спятил, она, или этот Жидков, или оба вместе... но эти люди опасны.

— Я должна поговорить с ней, — упрямо повторила я.

— Понимаю. Но нам придется решить, как поступить. Я бы предпочел, чтобы они убрались из города. Это лучше, чем... — Он не договорил, но мне и так было ясно, что он имеет в виду. — Может быть, не стоит тебе с ней встречаться? — тихо спросил он.

— Вряд ли у меня получится сделать вид, будто ничего в моей жизни не изменилось, — невесело усмехнулась я.

— И ты готова... готова отправить ее в тюрьму? — спросил Глеб, хотя эти слова дались ему нелегко.

— Не знаю, — честно ответила я.

— Ты надеешься, что ее поступкам найдется объяснение?

— Я не знаю, Глеб, — повторила я.

Он покачал головой, но продолжать разговор не стал.

Мы въехали во двор дома, где жила Ольга, когда у меня зазвонил мобильный. Голос Мигеля звучал насмешливо.

— Ищешь нашу красотку? — спросил он. Я начала оглядываться, пытаясь обнаружить его поблизости, а он между тем продолжал: — Она отправилась к компаньону твоего родителя. Как раз сейчас входит в дом.

Я не успела ответить, пошли гудки, повернулась к Глебу и сказала:

— Поехали к Правдину.

— Компаньону твоего отца?

— Если это не очередная шутка, мы застанем Ольгу там.

Правдин жил в пригороде в небольшом доме, который построил три года назад. Когда-то здесь был настоящий лес, соседи Правдина деревья безжалостно выкорчевывали, а вот он, напротив, постарался сохранить их в неприкосновенности. На участке в четверть гектара росли высоченные сосны, дом за деревьями разглядишь не сразу. Находясь здесь, трудно поверить, что за высоким кирпичным забором улица с потоком машин, магазинами и вечно спешащими людьми. По другую сторону забора было тихо и по-деревенски уютно.

— Сворачивай, — сказала я Глебу, решив подъехать к дому со стороны реки. В этом месте в заборе была калитка, и Вовка, племянник Правдина, утверждал, что открыть ее проще простого, если знать как. Я, конечно, знала, ведь он не только рассказал, но и показал.

Оставив машину на парковке возле небольшой пристани, мы направились к калитке. Вовкина наука не пропала даром, через пять минут мы шли по дорожке из камня к стеклянной двери позади дома.

— Ты не хочешь предупредить его о нашем приходе? — спросил Глеб.

— Если не удастся войти в дом, придется звонить, — пожала я плечами.

Дверь была не заперта. Мы оказались в просторном холле и замерли на мгновение, прислушиваясь. «А что, если у Правдина с Ольгой любовное свидание? — запоздало подумала я. — Как мы объясним свое вторжение?» В доме я бывала не раз и помнила расположение комнат. Спальни на втором этаже, кабинет Правдина рядом с гостиной. Переглянувшись, мы осторожно пошли вперед и тут услышали голоса. Сделав еще несколько шагов, увидели открытую дверь в кабинет и Ольгу, которая на мгновение оказалась в поле зрения.

— Мне сегодня нужны деньги, — сказала она.

— Черт возьми, я же объяснил, что денег в доме нет. Какой дурак в наше время хранит их в доме?

— Тем хуже для тебя, — усмехнулась Ольга. — Я сделала всю грязную работу, а теперь ты хочешь оставить меня с носом? Не выйдет, дорогой. Либо я получу деньги сегодня, либо Ильин узнает... — Мы уже были возле двери, Ольга повернулась, и взгляды наши встретились. — Кажется, у тебя гости, милый, — засмеялась она.

Я вошла в комнату и осмотрелась. Правдин сидел на стуле, руки за спиной скованы наручниками, на лбу кровоподтек. «Как Ольга могла одна справиться с мужчиной?» — удивилась я, но эта мысль занимала меня недолго, а жаль. Я смотрела на женщину и отказывалась верить, что передо мной моя мать. Пожалуй, только это имело сейчас значение. Правдин повернул голову, но при виде нас с Глебом никакого облегчения не испытал, что было довольно странно в его положении. Более того, в глазах его появился страх, когда он смотрел на меня.

— Что происходит? — спросил Глеб. Ольга села на стол, закинула ногу на ногу и закурила.

— В самом деле, что происходит? — спросила она Правдина. Тот молчал. — Мы тут выясняем отношения, — засмеялась Ольга. — Так что вы совсем некстати.

— Вам лучше снять с него наручники, — сказал Глеб.

— Тебе надо, ты и снимай, — пожала она плечами. — Я получу свои деньги? — повернулась она к Правдину. — Или мне нужно все рассказать его дочери? Она шустрая девица, верно? Он воспитал девчонку себе под стать.

— Вы говорите о моем отце? — помедлив, спросила я.

— О ком же еще? Вот уж кто заслуживает того, чтобы посидеть в наручниках, а еще лучше в тюрьме, лет десять.

— В тюрьме, скорее всего, окажешься ты, — заметил Глеб.

— Да? С какой стати?

— Убийства Павликова вполне достаточно.

— И ты можешь доказать, что я имею к нему отношение? Его убил твой дружок из ревности. Павликов хотел, чтобы я была с ним, а Максим сходил с ума от мысли, что я на это соглашусь. Вот и нанял киллера. Тот убил бедолагу, потом стал шантажировать твоего дружка, и Максим выложил денежки.

— Думаю, с этим лучше разберется следователь.

— Да я не против. Мне бояться нечего, в отличие от других.

— За что вы ненавидите моего отца? — спросила я, избегая ее взгляда.

— А твой любовник тебе не рассказал? — удивилась она. — Неужто промолчал?

— Вы... вы... моя мать? — с трудом выговорила я.

Она засмеялась.

— Молодой женщине ни к чему такая взрослая дочь. Ты что, собираешься броситься ко мне в объятия? На всякий случай предупреждаю: идея дурацкая. У тебя своя жизнь, у меня своя. Так что обойдемся без поцелуев.

— Я на них и не рассчитываю.

— И правильно. Так я получу свои деньги? — она повернулась к Правдину.

— Их нет в доме, — пробормотал он.

— Как жаль, — усмехнулась она. — Предупреждаю, если вы решите вызвать милицию, только время зря потратите. Николай Иванович подтвердит, что мы просто мило болтали.

— А наручники? — кивнул Глеб.

— Это сексуальные игры. Он такой шалун. Правда, милый?

Николай Иванович отвернулся, нервно дернув щекой.

— Где Жидков? — спросил Глеб. Вопрос Ольге не понравился, Глеб продолжил: — Он-то вряд ли захочет встретиться с милицией.

— А он и не встретится, — засмеялась она. — Выходит, я тебя недооценила, — теперь Ольга обращалась ко мне. — Разнюхала...

— Зачем вы убивали девушек? — задала я вопрос.

Она пожала плечами:

— Я здесь ни при чем. Это вот его идея, — кивнула она на Правдина.

— Не слушай ее! — завопил тот. — Она сумасшедшая. Она ненавидит твоего отца и хочет, чтобы он оказался в тюрьме.

— Признаюсь, даже очень хочу. Твой папаша выставил меня за дверь без копейки денег.

— Ты сама от него ушла, — перебил ее Глеб.

— Ага. Ушла. Не могла видеть его глупую физиономию. А помнишь, Глебушка, как я тебя любила? А ты? Ты предложил мне самой разбираться с моими проблемами. Я-то, дура, была уверена, что ты меня любишь. Но я для тебя была просто девкой, которую ты трахал под носом у своего дружка. Меня с души воротило от вас обоих. Вот я и поспешила уехать. К слову сказать, с мужиками мне никогда не везло. Я опять попала в передрягу. Твой папаша к тому времени уже нажил не один миллион, — обратилась она ко мне. — И я пришла к нему за помощью. А он выставил меня за дверь. Пнул, как собаку. А ведь помочь мне ему ничего не стоило, или почти ничего. Думаешь, такое легко забывается? Твой отец как был дураком, так им и остался, никогда не видел, что творится у него под носом. Вот и этого проглядел, — она кивнула на Правдина. — Николаю Ивановичу надоело быть вечно вторым. Так что трагические происшествия с девками твоего отца были ему очень кстати.

— Их убил Жидков, — сказал Глеб.

— И это надо доказать, — усмехнулась Ольга. — Пусть его сначала найдут. А я... я ни при чем, — повторила она. — Как думаешь, откуда мы узнали о девицах твоего папочки? Правильно. От его дружка. Николай Иванович верно рассудил: если компаньон окажется в тюрьме, он сумеет облапошить его дочурку, пока она будет по папаше убиваться.

— Замолчи, дура! — заорал Правдин.

— Я не права? — засмеялась Ольга. — Кстати, Павликов — тоже его идея. Избавился от конкурента. А я немножко денег заработала.

— Она врет. Павликов был ее любовником. Давно, — заговорил Правдин. — Она была должна ему. Он потребовал долг. А ей легче удавиться, чем расстаться с деньгами. Вот она и натравила на него этого чокнутого Жидкова. Не знаю, кем он ей доводится, любовник или правда родня. Мне сказала, что он племянник. Совершенный отморозок. Это он убивал, потому что она просто свихнулась от ненависти к твоему отцу, а Жидков делает все, что она захочет. Подлая сука, которая мстит всем без разбора.

— Верно подмечено, — услышала я и вздрогнула от неожиданности, в комнату заглянул Мигель. — Я не помешал?

Если меня его появление не удивило, то Ольгу не просто удивило, а напугало. От ее недавней бравады ничего не осталось. Она притихла и настороженно смотрела на него, пытаясь прийти в себя.

— Мигель? — произнесла она тихо, облизнув губы. — Ты... ты...

— Чего мямлишь? — хмыкнул он. — Тебе ж сам черт не страшен, верно?

— Мигель, как ты... ты-то здесь при чем? — со страхом спросила она.

— Я просто тащусь от девчонки, — он кивнул в мою сторону. — Как увидел в первый раз, так и поплыл. Так что меня очень даже волнует, что здесь происходит. Ты, верно, забыла, милая: обзавестись новыми документами помог тебе когда-то я. И твое настоящее имя я забыть не успел.

— Кто это? — хмуро спросил Глеб, поворачиваясь ко мне.

— Он и сам не знает, — пожала я плечами, очень надеясь, что Мигелю не придет в голову отвечать на этот вопрос. — То ли черт с крыльями, то ли ангел с хвостом.

Ольга зло засмеялась и при этом выглядела так, словно внезапно спятила.

— Надо же, — сказала она. — А у девчонки, оказывается, талант. Я-то думала, ты ее трахаешь, — повернулась она к Глебу. — Это было бы очень забавно. — Она снова захохотала, но тут же прервала смех и сказала: — Она вовсе не его дочь. Отгадай, чья?

— Ты сошла с ума, — пробормотал Глеб, бледнея.

— Вот сука, — покачал головой Мигель и добавил, обращаясь к Глебу: — Парень, не верь ни одному ее слову. Она на что угодно способна, лишь бы ударить побольнее.

— Это неправда, — сквозь зубы произнес Глеб. — Скажи, что это неправда! Она же твоя дочь, черт возьми...

— А ты — единственный мужчина, которого я любила, — с усмешкой ответила Ольга. — И ты меня предал. Надеюсь, теперь тебе так же тошно смотреть на этот мир, как мне когда-то. Ты трахал собственную дочь. Надеюсь, получал удовольствие.

В комнате на минуту стало очень тихо, пока не заговорил Мигель:

— У нас с тобой осталось незаконченное дельце, дорогая.

— Я верну тебе деньги, — нахмурилась она. — Сегодня же.

— Да-да. Конечно, вернешь. Тут вот еще что... — Мигель прошел в комнату, склонив голову набок, словно о чем-то размышляя. — Я недавно встретил нашего общего знакомого, Панькова, помнишь, забавного очкарика? Мы с ним немного потолковали. Честно говоря, меня мало волнует, что ты отправила на тот свет Павликова, своего бывшего любовника, мы с ним друг друга никогда не жаловали. И я не стал бы вмешиваться, хотя мне достаточно было слово шепнуть кое-кому, и твоя песенка спета. Но я великодушен, — засмеялся Мигель. Ольга настороженно следила за тем, как он расхаживает по комнате. — Как ты понимаешь, меня больше интересовало другое: кто сдал меня ментам. Не буду врать, что удивился, услышав ответ очкарика. Не стоило этого делать, дорогая. Ты же знаешь, со мной так нельзя.

— Мигель, — испуганно прошептала Ольга. — Я тебе клянусь...

— Будет, милая, я знаю цену твоим клятвам.

— Я бы никогда... он соврал, он нарочно соврал.

— Это вряд ли. В его положении врать трудно, да и незачем. Тебе ведь известно, как я разговариваю с упрямцами. — Мигель пожал плечами. — Это было весьма неосмотрительно, дорогая. Отправить меня за решетку, чтобы не возвращать долг. Неужто ты всерьез верила, что я об этом не узнаю? Кстати, в кладовке рядом с кухней я нашел паренька с пробитой головой. Крепенький такой паренек... это ведь не ты его по башке звезданула? Так что у меня вопрос: где твой приятель?

Все это время я стояла совершенно оглушенная, не в силах произнести ни слова. Очень хотелось вдруг проснуться и поверить, что все происходящее всего лишь сон, ночной кошмар, который исчезнет, как только разомкнешь веки. Но последние слова Мигеля все-таки дошли до моего сознания, я даже подумала, что говорит он, должно быть, о Вовке, племяннике Правдина. А в следующее мгновение почувствовала движение сзади, повернула голову и увидела Жидкова. Он возник из коридора бесшумно, словно тень, приблизился, и я, еще не осознав, что происходит, шагнула вперед, закричав:

— Мигель!

Мой крик прозвучал одновременно с выстрелом. Меня ударило в спину, и дыхание перехватило от страшной боли. Потом все смешалось, выстрел, еще один, бледное лицо Глеба совсем рядом и рука Мигеля, которой он поддерживал мою голову.

— Потерпи, — бормотал он и говорил еще что-то, боль растекалась по телу, и в какой-то момент оно стало казаться мне чужим, я будто со стороны видела, что лежу на полу, запрокинув голову, а всего в нескольких метрах от меня моя мать, стоя на коленях перед бесчувственным телом Жидкова, кричит:

— Убили моего мальчика! — Крик ее перешел в вой, я закрыла глаза, надеясь, что через секунду ничего больше не услышу.

— Какая ты все-таки свинья, — поправляя мою подушку, ворчала Сонька. — Отправиться к Правдину, ничего мне не сказав.

В этот день меня перевели из реанимации в обычную палату, и Сонька появилась здесь вместе с моим отцом. Он все эти дни не выходил из больницы, хотя врачи уверяли, что операция прошла успешно и в скором времени о моем приключении будет напоминать лишь шрам на ключице, но и от него со временем можно избавиться.

Впервые открыв глаза, я увидела папу, сидящего рядом, за его плечом маячила Сонька. Я улыбнулась и сказала, хоть слова дались с трудом:

— Я вас люблю.

— Аня, — прошептал отец, уткнувшись лицом в мои руки.

— Прости меня, пожалуйста, — попросила я.

— За что? — удивился он, а я вздохнула.

Сонька уговорила отца поехать домой и выспаться.

— Если и вы свалитесь, что мне делать прикажете? — выговаривала ему она.

Папа в самом деле выглядел плохо, сероватая бледность и мешки под глазами прибавляли ему лет десять. В конце концов он ушел, а Сонька, которой не терпелось поболтать, плюхнулась на стул рядом с моей кроватью и начала демонстрировать большую обо мне заботу.

От нее я узнала, что Вовка, очухавшись в кладовке, смог добраться до телефона и вызвать милицию. Приехали они буквально через несколько минут после того, как Жидков стрелял в Мигеля. Пуля угодила в меня, а Мигель пристрелил Жидкова.

Приехавшие менты слегка обалдели, обнаружив в доме давно разыскиваемого преступника. Почему тот не сбежал, осталось для меня загадкой. Допустим, появление милиции явилось для него неожиданностью, но он даже не пытался уйти, сидел рядом со мной до приезда «Скорой» и отправился прямиком в тюрьму.

Правдин дал весьма путаные объяснения тому, что происходило в его доме, Ольгу ни в чем не обвинял. Более того, у нее появился адвокат с репутацией ловкача, гонорар которого зашкаливал. Думаю, оплачивал его услуги Правдин. Должно быть, надеялся, что Ольга выпутается и ему не придется отвечать перед законом как соучастнику преступления. Ольга хоть и кричала как безумная над телом Жидкова, но довольно быстро пришла в себя и поспешила все грехи списать на покойника. Ни о каких убийствах она знать ничего не знала, в дом Правдина поспешила вслед за Жидковым, потому что боялась, что тот на почве ревности нанесет хозяину дома серьезные увечья. Сонька была убеждена, что дамочка не промах и у нее есть все шансы выйти сухой из воды. Но меня, конечно, больше всего интересовало другое. Я ждала Глеба, ждала с той минуты, как очнулась после операции.

— Глеб приходил? — прервав поток Сонькиного красноречия, спросила я.

— Видела его в коридоре, он разговаривал с врачом. Наверное, ждал, когда дядя Боря уйдет.

Тут в палате появилась медсестра с букетом цветов.

— Это вам, — сказала она с улыбкой.

Сонька взяла цветы из ее рук, повертела и сказала:

— Смотри-ка, здесь что-то есть.

Положив на тумбочку букет, она открыла бархатную коробочку.

— С ума сойти, — ахнула она, продемонстрировав мне кольцо. — Наденешь? Тут еще открытка... «С любовью», — прочитала она и запнулась.

— Дай сюда, — попросила я. Всего два слова — «С любовью», а дальше размашистая буква «М». Я поморщилась.

— Это что же... — зашептала Сонька.

— Кольцо выброси, — буркнула я.

— Спятила? Оно бешеных денег стоит. Посмотри, какое красивое.

— Вот и забери его себе.

— Нет, ты точно спятила...

Пока мы пререкались, зазвонил мой мобильный, Сонька подала его мне, и я с изумлением услышала голос Мигеля.

— Как себя чувствуешь?

— Ты где? — игнорируя его вопрос, спросила я с сомнением.

— Жутко паршивое место. Но я тут ненадолго. Скажи лучше, тебе понравился мой подарок?

— Я отдала его Соньке.

— Поздравляю. Твоя подруга только что разбогатела на двести тысяч евро.

Сонькины глаза полезли на лоб, я усмехнулась:

— Охота была тратиться.

— Я твой должник, ты мне жизнь спасла, — весело ответил Мигель. — А моя жизнь стоит куда больше двухсот тысяч евро.

— Если ты и в самом деле считаешь, что мне

должен, сделай милость: убирайся из моей жизни. Очень прошу.

— Не могу, милая. Попроси чего-нибудь попроще, луну с неба, например. Ладно, у нас еще будет время выяснить отношения. Я буду стараться изо всех сил, и ты непременно в меня влюбишься.

— Болтун, — сказала я, он засмеялся. Я отдала телефон Соньке и попросила: — Найди Глеба.

Искать его не пришлось. В дверь постучали, и он вошел в палату.

— Здравствуй, — сказал с улыбкой. Я посмотрела на Соньку, та поспешила в коридор, Глеб занял ее место и взял меня за руку. — Как себя чувствуешь?

— Когда ты рядом, лучше не бывает, — ответила я, приглядываясь к нему. — Поцелуй меня. — Он наклонился и коснулся губами моего лба. Я вцепилась в его ладонь. — Нет, не так.

— Аня, — вздохнул он и добавил тихо: — Выздоравливай поскорее...

— Глеб, — испуганно сказала я. — Мой отец Ильин Борис Викторович. Ты слышишь?

— Да, конечно.

— Скажи, что ты ей не поверил, что ты... хочешь, проведем экспертизу?

— Нет, — перебил он. — Не хочу. Не хочу, Аня. Если Ольга... если она сказала правду и я действительно спал с собственной дочерью... как прикажешь жить с этим? — Он поднялся, я попыталась его удержать.

— Не оставляй меня, пожалуйста.

— Я всегда буду рядом. Я люблю тебя, моя девочка. Все будет хорошо, — сказал он и вышел из палаты. А я закрыла глаза.

Литературно-художественное издание

АВАНТЮРНЫЙ ДЕТЕКТИВ

Татьяна Полякова

4 ЛЮБОВНИКА И ПОДРУГА

Ответственный редактор *О. Рубис*
Редактор *Т. Семенова*
Художественный редактор *Н. Никонова*
Технический редактор *Н. Носова*
Компьютерная верстка *С. Кладов*
Корректоры *Е. Дмитриева, Н. Сгибнева*

ООО «Издательство «Эксмо»
127299, Москва, ул. Клары Цеткин, д. 18/5. Тел. 411-68-86, 956-39-21.
Home page: **www.eksmo.ru** E-mail: **info@eksmo.ru**

Подписано в печать 28.01.2009. Формат 84×108 1/32.
Гарнитура «Ньютон». Печать офсетная. Бумага тип. Усл. печ. л. 18,48.
Тираж 85 100 экз. Заказ № 6073.

Отпечатано в полном соответствии
с качеством предоставленных диапозитивов
в ОАО «Можайский полиграфический комбинат».
143200, г. Можайск, ул. Мира, 93.